エリア・スタディーズ
8
現代中国
を知るための
54
章
【第7版】
藤野　彰（編著）
明石書店

「習近平の中国」をどう見るか――まえがきにかえて

2012年11月に中国のトップの座に就いた習近平(シージンピン)総書記（国家主席、中央軍事委員会主席）は2期10年の国家運営を経て、2022年10月開催の中国共産党第20回大会を機に異例の第3期目政権を本格始動させた。この間、習総書記は反腐敗闘争をテコに着実に権力基盤を固め、自らの指導思想に基づくイデオロギー統制を強化し、改革・開放以降の歴代指導者のなかでは最も個人独裁色の強い、突出したリーダーシップを確立した。

経済建設の面では過去10年間に国内総生産（GDP）を倍増させ、世界経済に占める中国経済の比率を18・5%（米国に次いで第2位）へと躍進させたが、厳しい言論・報道統制、少数民族や宗教の「中国化」推進、有無を言わせぬ「ゼロコロナ」政策などに象徴的に見られたように強権発動型の政治手法が目立ち、国民の間には不満と閉塞感が広まっている。対外関係では軋轢を厭わずに自己主張を強め、東シナ海や南シナ海で力による現状変更を試みるなど、覇権主義的行動が際立つようになった。なりふり構わずに影響力拡大を図る中国の積極攻勢は外交、通商、軍事、国際協力、ソフトパワーなど多くの分野で関係国の警戒と反発を招いている。2023年7月、北大西洋条約機構（NATO）首脳会議は中国の「野心と威圧的政策」を「NATOの利益、安全、価値観への挑戦」と断じる共同声明を採択し、中国を脅威と見なす立場を鮮明にした。

強権体制はそれを防衛・維持するために、より強圧的な手法を駆使する。また、求心力を高めるために、常に「敵」の存在を必要とし、危機感を煽る。危機感はさらなる強権の発動を促し、政権に対する内外の反発を増幅させる。習近平の中国はそうした強権体制にありがちな悪循環に陥っているように見える。

数十年来の中国の改革・開放と市場経済化は投資・貿易などのビジネスチャンスを拡大し、世界経済を活性化させた。豊かさを手にした中国国民の旺盛な消費行動も各国経済に恩恵をもたらした。しかし、中国が経済成長を遂げ、国民の生活文化水準が向上し、国際社会との様々な分野の交流が深まるなかで多様な価値観が受け入れられるようになれば、中国もいずれ民主社会へ向けて一歩ずつ動き出すだろうという、国際社会の希望的観測はこれまでのところ幻想に終わった。つまり、経済が発展すれば、改革の波が政治へも波及し、段階的な民主化が行われ、対外姿勢もより協調的かつ融和的なものになるに違いないという青写真は楽観的に過ぎたということだ。欧米、日本など自由主義諸国は中国との経済的結びつきを重視し、気候変動、感染症、反テロなどグローバルな問題で中国の協力を必要としながらも、その軍事的膨張や強引な対外政策を、安全保障上の差し迫ったリスクと見なすようになった。

これに対し、中国は今や自分たちが欧米先進国に追いつき、追い越せる実力を着実に備えつつあるとの自信を深め、大国化した中国の現実を受け入れ、その主張を尊重するよう世界に迫っている。自由主義諸国に対抗すべく、ロシアや「グローバル・サウス」の新興国・途上国との連携を強化し、「中国包囲網」形成の動きには断固反撃していく構えを見せている。経済力や軍事力を盾に、他国に対して威圧的に振る舞い、国際ルールを脇に置いてでも自己正当化を図ろうとする中国と、真の大国にふさわしい寛容さを備え、普遍的価値観を受け入れ、法の支配を重んじる中国。そのどちらが国際社会にとって望ましいか、答えは自ずと明らかであるが、今日の中国は前者の強面の性向をあらわにしている。

こうした中国をどう見るかという問題をめぐって私たちがまず認識しておかなければならないのは、中国は少なくとも政治的には自由主義社会が期待するようには変わらなかったし、変わろうともしていないという現実である。まさしく中国共産党自身が強調しているように、改革・開放の四十数年間、中国が歩んできたのは民主・人権に重きを置く「欧米式現代化」の道ではなく、一党体制強化の「中国式現代化」の道だったのである。そして、その基本的な方向性は予見しうる将来もおそらく大きく変わることはないだろう。

国際情勢の台風の目であり続ける「習近平の中国」は内政や外交で何を考え、今後どう行動しようとしているのか。政治とはベクトルの異なる経済や社会では何が起きているのか。詳しくは本文の各章をお読みいただきたいが、ここでは中国の行方を観察するうえで留意しておくべきポイントを6項目に整理してみたい。

(1) 習近平政権の長期性とリスク、政治的功績作り

個人への権力集中の是非はさておき、習近平政権は本人の健康問題や政変が生じない限り、3期目を超えて継続する可能性があることを前提に動向を注視していく必要がある。政権中枢を自らの側近で固め、異論を許容しない体制を築いたことへの懸念から、その政権運営の危うさを指摘する声があ

る。確かに、毛沢東（マオゾードン）の皇帝型権力と個人崇拝が文化大革命の惨事を引き起こした前例を持ち出すまでもなく、習政権は深刻な歴史の教訓を棚上げにし、集団指導体制をないがしろにしているところに舵取りの大きなリスクが内在しているように見える。社会の現場の実情が習近平の耳にまで正確に届かない、あるいは権力のチェック・アンド・バランスが機能しない、といった弊害が生じる恐れは否定できない。

中国共産党の強力なリーダーシップの特性は最高権力者の決断によって極めて劇的な政策展開が行われうるという点にある。国際政治の流れを変えた、毛沢東時代の米中接近しかり、鄧小平（ドンシアオピン）時代の大胆な改革・開放政策への方向転換しかり、である。政権3期目に入り、習近平も最高指導者としての自らの歴史的評価がどのようなものになるかという問題を考えざるをえなくなっているはずである。何をもって長期政権に見合う政治的功績とするつもりなのか。最もリスクに満ちた選択肢は台湾問題である。習政権は第20回党大会で「武力行使の放棄は決して承諾しない」と宣言し、党規約に「断固として『台湾独立』に反対し、それを阻止する」との一文をわざわざ書き加えた。革命を成功させた建国の父・毛沢東の権威と肩を並べたいと習近平が真に欲しているとするならば、状況しだいでは「台湾解放＝中台統一」の軍事行動に踏み切るかもしれない。

もっとも、習近平にとって台湾への武力侵攻のハードルは決して低くない。第一に武力侵攻する以上は必ず勝利することが絶対条件になる。勝利とは台湾本島および付属島嶼の全面的制圧を指す。戦況不利による撤退、あるいは完全制圧できずに停戦するといった事態は、米軍介入のあるなしにかかわらず、中国にとって政治的に許される結末ではない。なぜなら、どちらも失敗にほかならず、共産党政権の威信を著しく失墜させ、求心力の凋落を招くことになるからだ。台湾侵攻は中国のベトナム北部侵攻で始まった１９７９年の中越戦争の時のように、「敵を懲罰する目的を達したから全面撤退する」という理屈で幕引きを図り、失態を糊塗するわけにはいかないのである。第二にロシアのウクライナ侵略では米欧日などが結束してロシア制裁、ウクライナ支援に回り、武力による国際秩序変更にノーを突きつけた。台湾侵攻を最終的に決断する権限は習近平の掌中にあるが、実際行動に移した場合はロシアの二の舞を踏む恐れがあり、中国の発展戦略は深刻な危機に直面する。

（２）中国共産党の政治的意志と政策遂行能力

中国は米国などからの制裁や圧力にさらされているが、外部からの圧力が強まれば強まるほど固く身構え、内部の結束を強化して激しく反発する性向が強い。「外国の圧力に屈しない」という信条は近現代に列強によって半植民地化された経験を持つ中国が歴史的に培った民族メンタリティーであり、共産党の愛国主義の支柱となっている。

具体例を挙げれば、新疆ウイグル自治区におけるウイグル族への人権抑圧問題で欧米がどれだけ中国非難の合唱をしようとも、中国は耳を貸すことを頑なに拒み、自己防衛の厚い鎧を決して脱ぎ捨てようとはしない。他国からの圧力や批判に対しては激しく反発し、非難の応酬を恐れることなく、自らの正義を強硬に主張する。言論や報道の自由を認めない一党体制だからこそ可能な政治手法であり、国民レベルの幅広い社会的議論を欠いたまま、指導部の一方的な意向で重要政策が決められることの弊害は無視できないにせよ、共産党の非妥協的な政治的意志と徹底した上意下達型の政策遂行能力を過小評価することはできない。

「国家安全」という名の「体制安全」を過度に意識した習近平政権の強権統治は、今後さらに強まることはあっても、軟化することは想定しにくい。一極集中型の独裁体制は緩みを見せれば、そこから綻びが徐々に広がり、現状維持が難しくなるからである。

（3）中国式の思考回路と行動原理

自由主義社会から見れば、中国の行動には不可解な点が多々あるように感じられるが、中国はなぜそうした行動をとるのかを冷静に考えてみる必要がある。

例えば、香港では2020年に反体制活動を取り締まる国家安全維持法（国安法）が施行され、中国は「返還後50年間は資本主義制度と生活様式を変更しないとの一国二制度の約束を反古にした」と国際社会から非難を浴びた。しかし、中国の論理からすれば、一国二制度はまったくの無条件で約束したものではない。香港返還を主導した鄧小平は1980年代に「港人治港（香港人による香港統治）は愛国者を主体とする香港人によるものでなければならない。香港の繁栄と安定を損ねないというのが愛国者の基準だ」「（返還後）香港で中国共産党や中国を罵る者がいても、我々はそれを許すが、もし『民主』の看板を掲げて香港を反大陸の基地にしようとするならば、介入しなければならない」と明言している。

結局のところ、香港が「反中基地」になることは断じて容認しないというのが中国のそもそもの譲れない原則（本音）だったのであり、習政権はそれを踏まえて香港の反中運動を鎮圧した。中国がこうあらねばならないと考える「一国二制度」と、香港の民主派や欧米が理解する「一国二制度」には当初から根本的な部分で認識のズレがあり、それが一連の対立と混乱の底流にあったと言える。言葉を換えれば、中国共産党の体制防衛の論理と覚悟を、外部世界は一種の甘い期待を捨てきれずに読み誤ったということだ。北京の強権的統治に対する香港市民の抵抗は民意の反映であるとしても、それを斟酌する考えは共産党にはない。

中国の思考回路と行動原理の特性は1989年の天安門事件を「反革命暴乱」と決めつけた当時の政治判断を、今日に至るまで一切見直すことなく、頑なに堅持していることからもうかがえる。軍を動員して民主化運動を一気に鎮圧しなかったら、体制は動揺して安定を維持できなくなり、その後の高度経済成長はなかった、当時の政治判断の正しさは歴史が証明している、というのが共産党の一貫した論理である。力を信奉する共産党の政治文化は武力革命の苛烈な体験を通じて歴史的に形成されたものであり、是非はさておき、その本質は容易には変わらないと見なければならない。「体制防衛では決して妥協しない」「目的が正しければ、手段は正当化される」――香港での強引な民主派弾圧には天安門事件の「教訓」が影を落としている。

（4）中国社会の地殻変動

政治から社会へ目を転じれば、変わらないように見えて実は変わりつつある中国が見えてくる。2022年11月、当局の厳しい締めつけにもかかわらず、ゼロコロナ政策への不満をつのらせた民衆が上海、北京など各地でデモを行い、抗議の意味を込めた「白紙」を掲げて公然と習近平退陣を求めた。国民の間に鬱積した政治への不満を目の当たりにした政府は翌12月からゼロコロナ政策の緩和へと軌道修正せざるをえなかった。共産党は天安門事件の再来を防止すべく、強固な治安維持システムの構築に可能な限りの人的・物的資源を投入しているが、これは力で人々の不満を抑え込まなければ統制できないという危機感と余裕のなさの表れである。当局は反体制的な言動を厳しく取り締まっているものの、民主・人権を希求する声を完全に封殺することはできていない。仮にいま強権統治の手綱を緩めたら、共産党への服従を強いる秩序の維持は綻びを露呈させるに違いない。

中国のインターネット利用者数はすでに10億3000万人に達し、当局の監視・検閲によって政治的な言論が制限されているとはいえ、多種多様な情報や意見が24時間飛び交い、人々に共有されている。国民の一人平均可処分所得は2012年以降の10年間に1万6500元から3万5100元へと急伸した。それが意味しているのは大衆が文化娯楽、自己研鑽、留学、海外旅行などに出費する余裕が以前よりも生まれてきているということであり、経済力は平均的な教育文化水準の向上を促し、価値観の多様化に弾みをつけている。共産党が旧態依然とした政治から脱却できずにいる反面、国民レベルでは社会意識やライフスタイルの地殻変動が着実に進行している。習近平政権発足以降は強権的統治を嫌って海外亡命を求める中国人が急増している。

ただ、この地殻変動が大規模な民主化運動などへと発展しないのは、体制護持を最優先課題とする当局の強力な締め付けが主因だが、ある種の現状維持願望――政治がよりソフトなものへ転換することを共産党に期待はしているものの、体制の背骨が揺らいで日常生活の平穏や個人の利益が損なわれるような激変は望んでいない――が国民の間に幅広く存在することも一因である。当局はもとより社会秩序維持に躍起になっており、双方の間に最大公約数的な利害の近接点があるとすれば、それはとりあえずの政治・経済・社会の「安定」であろう。上からの圧力と、下からの反発、そして両者の思惑が交錯する均衡点。習近平の中国はその微妙で不確実なバランスに支えられながら、表面的には一応の「安定」を保っている。

(5) 共産党独裁の正統性を支えてきた経済成長

世界を瞠目させた二桁成長の時代はとうに過ぎ去り、2022年は5・5%前後の成長を見込んでいたが、コロナ禍の影響などで3・0%と目標を大幅に下回った。2023年の成長率は5・2%（速報値）で、目標の5%前後をかろうじて達成したものの、「世界の工場」ともてはやされた製造業は大きな曲がり角を迎えている。人件費の高騰、労働争議の多発、米国の中国製品のデカップリング（切り離し）政策、技術移転の強制、ゼロコロナ政策で露呈した生産停止のリスクなど山積する問題を背景に、日米などの企業が中国国内の工場をアジア各国へ移転する「脱中国」の流れや、中国が世界生産量の約7割を占めるレアアースなど戦略物資の対中依存度を引き下げるデリスキング（リスク低減）の動きが強まっている。米国主導の新経済圏構想「インド太平洋経済枠組み（IPEF）」閣僚会合は2023年5月、半導体、レアアース（希土類）など重要物資のサプライチェーン（供給網）強化で実質合意した。脱「中国依存」を視野に入れた新たな動きだ。

失業率も深刻度を増している。2023年6月時点の全世代の都市部失業率は5・2%だったが、16～24歳の若者世代では21・3%に達し、潜在的な社会不安要因となっている。まさに、同年3月の全国人民代表大会（全人代＝国会）の政府活動報告で李克強（リーコーチアン）首相（当時）が述べたように、中国は「現在の発展は多くの困難と挑戦に直面している。外部環境は不確実性を増し、地球規模のインフレは依然高い水準にあり、世界の経済・貿易の成長エネルギーは減退し、外部からの圧力や抑制が絶えず強まっている」という内憂外患に見舞われている。

人口減少、少子高齢化も経済社会構造を脅かしている。中国国家統計局によれば、２０２３年末の人口（香港、マカオを除く）は前年比２０８万人減の14億９６７万人で、人口減少は１９６１年以来61年ぶりに減少に転じた２０２２年に続いて2年連続の事態だった。人口１０００人当たりの出生率は建国以来の最低を記録した。国連の人口予測では、２０２３年にインドが中国を抜いて世界一になったとみられている。

懸念されるのは少子高齢化に歯止めがかからないことだ。65歳以上人口は2億１６７６万人で、総人口に占める比率は15・4％へと拡大し、２０３５年前後には深刻な高齢化社会へ突入すると予測されている。一方、２０１５年に「一人っ子政策」を廃止し、２０２１年には第3子出産を解禁したが、出生率向上にはつながっていない。14億の人口大国が急速に「老いていく」現状はどういう変化を引き起こすのか。中国の国力衰退のみならず、影響は地球規模で波紋を広げる恐れがある。

（6）中国を取り巻く国際環境

中国は自由主義諸国との間で反発、軋轢、対立のスパイラルにはまり込んでしまっている。相手があってのことではあるが、中国が自らの原理原則や国家の利益、体面に固執し、経済力などを武器に様々な圧力をかけてでも対抗勢力を屈服させようという強硬姿勢を取り続けていることが強く影響している。

例えば、中国は日本に対して、尖閣諸島での中国漁船衝突事件（２０１０年9月）を機に、レアアースの輸出を全面停止したことがあったし、東京電力福島第1原子力発電所の処理水の海洋放出開始（２０２３年8月）に際しては日本産水産物の輸入を全面的にストップした。政治とリンクした中国の経済的威圧は日本以外の国・地域へも向けられている。この結果、中国に対する国際世論は確実に厳しさを増し、「信頼され、愛され、敬われる中国のイメージ」（習近平）を形成したいとする主観的願望との間のギャップは逆に拡大している。２０２３年に重要閣僚の秦剛（チンガン）外相と李尚福（リーシャンフー）国防相が理由説明もなく相次いで解任されるなど、依然として政治の透明性が極めて低いことも対中不信に拍車をかけている。

米世論調査機関ピュー・リサーチ・センターが２０２２年9月に公表した調査結果によると、中国の印象について「好ましくない」と答えた人の比率は日本の87％を最高に米国、オーストラリアなどで80％を超え、英独仏やカナダでも70％前後に上った。習近平について「信用しない」「あまり信用しない」という人も日豪韓で約90％、米独仏で約80％を占めた。中国の国際的なソフトパワー強化戦略の先兵である中国語教育機関「孔子学院」は米国で近年閉鎖が相次いでいるが、背景には中国の宣伝工作浸透への警戒感の高まりがある。

新冷戦ともいわれる、中国と欧米の対立は、前世紀の東西冷戦時代とは様相が大きく異なる。自由主義諸国は現実問題として、中国に対抗し、一定の距離を置いた関係へとシフトすることは可能としても、デカップリングによって経済・貿易の相互依存の流れを全面的に後退させることは難しく、協調と共存の方途を模索し、決定的衝突に至ることのないよう一定の「折り合い」をつけていかざるをえないだろう。中国を警戒する主要国の対中政策にも温度差があり、必ずしも足並みは揃っていない。ただ、中国が力による国際秩序の変更に挑み続ける限り、摩擦は絶えず増幅し、不安定な国際環境のなかで中国もまた多くの抵抗と圧力にさらされ、緊張感に満ちた攻防戦を強いられることになる。また、中国はアジア、アフリカなどの強権主義国家との関係強化を戦略的に推進しているが、内政不干渉を口実に人権抑圧を看過し、国益を追求する外交姿勢は民主主義陣営との亀裂を一段と深める要因となろう。

いま私たちの目の前にある中国は四つの異なる顔を見せている。「変わろうとしない中国」と「変わりつつある中国」、そして「自信をみなぎらせる中国」と「不安にさいなまれる中国」である。四つの顔はにらみ合い、入り乱れ、微妙な均衡を保ちながら、今日の中国の全体像を構成している。

将来的な問題はこの均衡が崩れる日が来るのかどうか、もし来るとするならば、いつ、何をきっかけに、どのような変動が生じるのか、ということである。転換の引き金になるのは低成長期に入っている経済をめぐる変事かもしれないし、台湾海峡危機の暴発かもしれない。現時点ではそれらは推測の域を出ない問題であるにせよ、中国の存在感と影響力の大きさゆえに、いったん事あれば「対岸の火事」視できないことを、私たちは肝に銘じておかなければならないだろう。その意味では、中国が好きであるとか、嫌いであるとか、あるいは親中であるとか、反中であるとか、といったようなことは問題にならない。求められているのは、客観的な情報と実態に基づいて「中国を知る」、そして根拠の乏しい言説や偽情報、プロパガンダに惑わされることなく、自分の視点で「中国を考える」ということに尽きる。

＊

本書は2018年11月に刊行した『現代中国を知るための52章【第6版】』をベースにして章立てを再構成し、内容を全面的に改稿した最新版である。これまでと同様に政治、経済、社会、外交の4分野の注目されるテーマを選択し、歴史的経緯を踏まえつつ、【第6版】刊行以降の約5年間に起きた重大事件や新しい情報、データ、分析を、できる限り盛り込むよう配慮した。また、新しい筆者にも加わっていただき、旧版では取り上げることのできなかったテーマを追加した。本書が複雑多岐を極める現代中国を多角的、複眼的に理解する一助になれば幸いである。

本書をまとめるに際し、全体の構成、表現、表記等について編者の責務として必要な調整を行った。ただ、各章の具体的な主題、内容については当該分野に関して専門的な知見を持つ各筆者の視点と問題意識に判断を委ねた。現在の中国をどう見るかという編者個人の基本的な観点はこのまえがきに記した通りであるが、本書の各筆者のそれを代表するものではないことをお断りしておきたい。

編集に当たっては前回と同じく明石書店編集部の佐藤和久氏にお世話になった。ここに記して感謝申し上げたい。

2024年1月

藤野　彰

＊＊＊

【編者注】中国の人民元の為替レートは時期によって変動しており、本書【第6版】を発行した2018年から2

022年にかけての年間平均レートは「1元＝15～19円台」で推移してきた。2023年12月～2024年1月時点では「1元＝約20円」で推移している。本書のなかでは日本円への換算額をいちいち記さなかったが、一応の目安としてこのレートを参考にしていただきたい。

現代中国を知るための54章【第7版】

「習近平の中国」をどう見るか――まえがきにかえて／3

I 習近平政権3期目の内政動向

第1章 紆余曲折の現代中国政治史――人民共和国建国から改革・開放までの軌跡／24
第2章 一党独裁システムの基本原理――権力集中がもたらす「人治」のひずみ／30
第3章 長期化の様相を見せる習近平時代――第20回党大会と第3期政権の指導体制／36
第4章 「中国式現代化」の挑戦とリスク――欧米の制度・価値観と一線を画す独自路線／42
第5章 改革・開放で深まる「信念の危機」――情報化社会が促す脱イデオロギー／47
第6章 「国家安全」と「法治」――人権・民主化を取り巻く抑圧構造／53
第7章 中国共産党の伝統的な政治風土――組織原則と族群・派閥・地方主義の関係／59
第8章 終わりなき反腐敗闘争――政治・行政に巣食う構造的な体制病／65
第9章 膨張を続ける「党の軍隊」――波紋を広げる核戦略・海洋進出・宇宙開発／70
第10章 「中華民族共同体」と少数民族――「漢化」が増幅するアイデンティティー危機／76
第11章 国際問題化する新疆ウイグル情勢――「反テロ」「反分裂」の陰で進む人権侵害／83
第12章 和解遠のくチベット問題――「ダライ・ラマ後継」の行方に漂う不透明感／89
第13章 習近平政権の「宗教中国化」――宗教管理政策の段階的強化と細分化／95

II 低成長期経済の新発展戦略

第14章 国家主導で進む「数字中国」建設――デジタル・トランスフォーメーション戦略の行方／102
第15章 変貌する「ニューエコノミー」――「B to C型」から「B to B型」へ／107
第16章 中央銀行デジタル通貨の試み――「デジタル人民元」は普及するのか／112
第17章 深化するイノベーション――新常態における「創造大国」への転換／117
第18章 中国独自の経済制度――「曖昧な制度」が生み出す第2世代イノベーション／122
第19章 先行き不透明な不動産市場――コロナマネー流入と痛みを伴う規制／128
第20章 内外情勢に揺れる株式市場――「コロナテックバブル」と国産化政策への期待／134
第21章 後退する国有企業改革――市場原理と一線画し、党の管理・指導を強化／139
第22章 激増する農産物輸入――自給率の高い世界最大の輸入大国／144
第23章 労働力不足と農業の担い手――誰が農業をするのか、どのように農業をするのか／150
第24章 強化される脱炭素化の取り組み――「3060目標」の実現可能性と課題／156
第25章 加速する再エネ開発と自動車の電動化――万国共通課題への戦略的な挑戦／162
第26章 止まらない米中の技術覇権争い――現実味を増すハイテク切り離し／169
第27章 日中経済交流は量から質へ――相互補完に商機も政治の緊張に危うさ／176
第28章 論議呼ぶ「一帯一路」――浮上する「債務の罠」の懸念／183

III 流動化する社会の地殻変動

第29章 社会を揺るがしたコロナ禍――政権の強圧姿勢が国民の不満を増幅／190
第30章 増大する中間層とその政治社会意識――社会の安定装置か、体制転換勢力か／196
第31章 競争社会を生きる若者世代の苦悩――「内巻」と「躺平」のはざまで／203
第32章 多様化する大学生の就職戦線――公務員人気の一方で「スロー就職」組も／209
第33章 若者たちを魅了する「二次元」文化――サブカルチャーからカルチャーへ発展／215
第34章 変容する市民の消費行動――「爆買い」から理性志向へ、モノからコトへ／221
第35章 生活を脅かす「食の安全」問題――急がれる管理・監督体制の確立／227
第36章 貧富格差縮小を目指す「共同富裕」――成長と分配のバランスに苦慮／233
第37章 デジタル時代の新型主流メディア――管理強化による世論誘導はどこまで可能か／239
第38章 変化に富む情報空間の世論――SNS「民意」と政府のせめぎ合い／245
第39章 国際的発信力の強化と信頼性の壁――ネガティブな中国イメージを変えられるか／252
第40章 国民の間に浸透するキリスト教――信者急増と「宗教中国化」で強まる統制／259

IV 緊迫する対外関係と台湾・香港

第41章 対立が深まる米中両大国――威信をかけて競い合う軍事・科学技術覇権／266
第42章 歴史の呪縛が続く日中関係――色あせた「友好」と遠い「成熟」への道のり／272
第43章 激化する東シナ海の日中攻防戦――尖閣諸島をめぐる対立と増大するリスク／278
第44章 揺れ動く中朝・中韓関係――融和と確執のはざまの朝鮮半島外交／284
第45章 ＡＳＥＡＮに対する「分断」外交――「親中」諸国への重点支援で影響力拡大／290
第46章 危機が連鎖する南シナ海――人工島造成で強化される実効支配と軍事拠点化／296
第47章 国境問題で険悪化する中印関係――アジアの安定を左右する人口大国間の軋轢／302
第48章 戦略的連携を強める中露――米国に対抗し、「多極的世界秩序」を追求／309
第49章 敵対と友好の対欧州関係――２０００年を超す相互交流の歴史／315
第50章 世界が注視する対バチカン関係――歴史的和解の裏で国交回復交渉は膠着／321
第51章 中南米で広まる影響力――台湾孤立化や資源獲得を狙い、「米国の裏庭」へ進出／326
第52章 独自路線の対中東・アフリカ外交――内政不干渉を原則に加速する関係緊密化／332
第53章 緊張高まる台湾海峡情勢――強まる統一攻勢と離れる民意／338
第54章 死文化した香港「一国二制度」――北京の統制強化と民主化運動の終焉／345

I

習近平政権３期目の内政動向

1

紆余曲折の現代中国政治史

★人民共和国建国から改革・開放までの軌跡★

中国共産党は１９４９年の中華人民共和国建国以降、中央から地方の農村の末端にまで張り巡らした党・政府組織による一元的な政治行政システムと、国内の様々な物質的資源を党・政府が独占的に統制する計画経済システムによって、中国の歴史上初めて権力が国内のほぼすべての住民を把握する国家体制を確立した。１９７８年末以降の改革・開放政策により、経済システムこそ資本主義的な市場経済へと大きく転換したものの、共産党が国家の中核としてあらゆる重要政策を差配する統治原理は一貫して変わっていない。共産党の中国は激しい紆余曲折を経て今日に至っているが、この間の変化に目を凝らすと同時に、「変わらないものは何か」という視点から、その来し方行く末を考察することも重要である。

建国後の歴史は五つに区分できる。１９４９〜５６年の「社会主義への過渡期」、１９５６〜６６年の「社会主義建設の試行錯誤期」、１９６６〜７６年の「文化大革命（文革）期」、１９７６〜７８年の「脱文革の転換期」、１９７８年以降の「改革・開放期」――である。歴代指導者の在任期間で区分すると、１９７６年までが毛沢東（マオヅードン）時代、過渡期の華国鋒（ホワグオフォン）時代（党主席在任期間＝１９７６～８１年）をはさんで、改革・開放後の１９９０年代中期までが鄧小平時代（胡耀邦、趙紫陽両総書記時代を含む）となり、鄧時代と前半が重なる形で江沢民時代（党総書記在任期間＝１９８９～２００２年）、さらに胡錦濤時代（同＝２００２～１２年）を経て、現在の習近平時代（同＝２０１２年～）という流れになっている。中国式の世代区分では毛沢東、鄧小平、江沢民、胡錦濤がそれぞれ第１、第２、第３、第４世代と位置付けられ、習近平は第５世代となる。

建国当初の中国は、抗日戦争（日中戦争）や国共内戦で疲弊した国民経済の再建に早急に取り組まなければならなかった。ところが、１９５０年６月に朝鮮戦争が勃発し、中国は「抗米援朝」を旗印に人民志願軍を派遣して参戦したため、経済復興は大きな困難に見舞われた。それでも１９５３年にはソ連の経済・技術援助を受けて第１次５ヵ年計画が始まり、社会主義的工業化、農業集団化が進められた。１９５６年の第８回党大会は「社会主義革命は基本的に完成した」と宣言し、生産力の発展を主要任務とすることを決議した。

しかし、政治は１９５７年になって大きく「左」旋回した。毛沢東は「百花斉放、百家争鳴」をスローガンに掲げ、知識人らに自由な論争や意見の表明を呼びかけたが、共産党の独裁体質への厳しい批判が噴出したため、即座に反撃に転じ、多くの知識人を党に反対する「右派」として弾圧した（反右派闘争）。この結果、全国で約55万人が「右派」の烙印を押され、党批判は徹底的に封殺された。毛沢東の強権発動の裏には、ソ連で１９５６年２月にスターリン批判が行われ、それが自らの体制に波及することへの危機感も投影されていた。後に反右派闘争は「深刻な拡大化の誤り」があったと総括されたが、ごく少数の右派への反撃は「必要であり、正しかった」として闘争自体は肯定されている。

改革・開放以降は知識人を「右派」として弾圧する風潮は鳴りを潜めたが、党や指導者への批判を許容しない政治体質は今も変わっていない。

1958年からは大増産運動「大躍進」が展開され、悲劇的な結末を招いた。科学的合理性を欠いた熱狂的大衆運動は質の悪い粗鋼を大量生産するなどして資源や労働力を著しく浪費し、経済や農業、環境に深刻な打撃を与えただけでなく、1961年にかけて全国で少なくとも1500万~2000万人の餓死者を生じさせた。大躍進期に犠牲になった超過死亡者数は控え目に見積もっても4500万人に上るとの専門家の分析もある。この時期には、農村の農業合作社を合併して設立された大規模な行政・生産・社会組織である人民公社の設立も推進され、全国の99%以上の農家が参加した。人民公社は社会主義建設の総路線、大躍進と合わせて「三面紅旗(三つの赤旗)」と称されたが、非効率と平均主義に象徴される極左的な運営によって農村の荒廃を加速させた。こうした事態を受けて毛沢東は国家主席の職務から退き、劉少奇(リウシャオチー)にポストを譲ったが、大躍進は継続された。国防相の彭徳懐(ポンドーホワイ)は混乱状況に強い危機感を抱き、1959年7月の廬山会議の場で毛沢東に書簡を送り、政策転換を迫った。しかし、彭徳懐は逆に同調者らとともに「反党集団」の烙印を押され、失脚させられた。

党内対立を階級闘争ととらえた毛沢東は「継続革命」を唱えて、1966年に文革を発動し、全土を10年間にわたって混乱に陥らせた。毛沢東は紅衛兵(学生たちの大衆造反組織)を扇動するなどして文革運動を推し進め、劉少奇国家主席ら指導者は「走資派」(資本主義の道を歩む実権派)として軒並み打倒された。階級闘争は文革期に極端な形で拡大化され、「出身血統論」(出身家庭の血統によって人の価値を判断する考え方)が大手を振ってまかり通った。革命的階級の出身とされた「紅五類」(労働者、貧農下層中農、革命幹部、革命軍人、革命烈士）が幅を利かせる一方、反動的階級の出身とされた「黒五類」（地主、富農、反革命分子、悪質分子、右派分子）は蔑まれ、抑圧された。こうして毛沢東路線に忠実かどうかがほとんど唯一の政治基準となり、毛沢東を神格化する個人崇拝が頂点に達した。

文革路線は1971年9月の林彪（リンピアオ）事件（毛沢東暗殺を企てて失敗したとされる事件で、林彪は飛行機で逃亡中、モンゴルで墜死）で破綻を迎え、1976年9月の毛沢東死去、「四人組」（文革のなかで毛沢東の威光を利用して台頭した毛夫人・江青（ジアンチン）らの政治グループ）逮捕により終結する。中国国内では、文革は「十年浩劫（シーニエンハオジエ）（10年に及んだ惨禍）」と呼ばれ、その被害者は1億人ともいわれているが、全体的な被害の実態は公表されていない。

共産党は1981年の「建国以来の党の若干の歴史問題に関する決議（歴史決議）」で、文革を「指導者（毛沢東）が誤って引き起こした内乱」と断じ、全面否定した。しかし、毛沢東評価に関しては、文革の誤りについて主要な責任があるとしながらも、「一人の偉大なプロレタリア革命家が犯した誤り」とし、その「革命事業に対する、長期にわたる偉大な貢献」を称えた。これは、毛沢東の歴史的功績と文革の誤りを区別し、一党独裁や社会主義といった政治的遺産を継承しなければ、中国革命や共産党政権の正統性が土台から瓦解してしまうからであり、現体制下の毛沢東評価の限界を物語っている。文革は中国では一種の政治タブーとして扱われ、自由で実証的な研究や討論は制約されている。

文革終了後、共産党は実権を掌握した鄧小平の指導下で改革・開放へと180度の路線転換を図った。起点は1978年12月の党第11期中央委員会第3回全体会議（11期3中全会）だった。この会議では、工業、農業、国防、科学技術の「四つの近代化」建設を最重要課題とすることが決定された。鄧小平は実利主義を身上とする政治家であり、毛時代の階級闘争路線を排し、政策の軸足を経済建設に移した。１９８０年代以降、中国経済は外資導入、経済特区などの新政策によって本格的な発展期を迎えた。路線転換を理論的に支えたのは「社会主義の初級段階」という考え方である。中国はまだ社会主義の初級段階にあると定義することで私営企業や株式化といった資本主義的手法の導入を正当化する理論であり、１９８７年10月の第13回党大会での趙紫陽総書記報告で方向性が明確に示された。

しかし、最高実力者として党に君臨した鄧小平は経済面では改革を大胆に推進したものの、政治面では「四つの基本原則」（社会主義の道、プロレタリア独裁、共産党の指導、マルクス・レーニン主義および毛沢東思想）を堅持し、民主化などの政治改革要求を断固排除した。というのも、改革・開放は対外交流の活性化を促し、国民の政治意識や価値観を大きく変容させ、一党体制の足元を揺さぶるエネルギーにもなったからである。実際、１９７８年秋から翌春にかけて「北京の春」と呼ばれる民主化運動が発生し、党指導部を震撼させた。１９８６年末にも民主化を求める全国的な学生デモが起き、保守派から「ブルジョア自由化」に甘いとの批判を浴びた胡耀邦総書記が失脚する事件へと発展した。

積極改革派として国民人気の高かった胡耀邦は１９８９年４月15日に急死した。これをきっかけに北京、上海など全国各地で大規模な民主化デモが発生し、学生たちは政府との対話を求めて天安門広場でハンストを行うなど抗議行動を先鋭化させた。だが、鄧小平ら党内主流派は運動を「動乱」と決めつけて北京に戒厳令を布告するなど弾圧姿勢を鮮明にし、６月３日深夜から４日未明にかけて北京市中心部に軍を投入、天安門広場を武力制圧した（天安門事件）。弾圧に反対した趙紫陽は鄧小平らと対立し、事件後、「動乱を支持し、党分裂の誤りを犯した」として更迭され、党籍を除く全職務を剥

北京の天安門広場周辺では武装警察の車両が監視に当たるなど、常時、厳戒態勢が敷かれている。建国後の歴史のなかで天安門事件は文化大革命と並んで最も敏感な問題として扱われている（2019年3月、藤野彰撮影）

奪された（2005年1月死去）。後任の総書記には上海市党委書記だった政治局員の江沢民が抜擢された。当時の当局発表によれば、武力制圧時の軍人以外の死者は200余人（うち大学生36人）、負傷者3000人余に上った（陳希同・北京市長の報告）とされるが、真相はいまだ藪の中である。

天安門事件について共産党は「反革命暴乱」と認定しており、その評価は今日も変わっていない。事件当時の首相、李鵬が2019年7月に死去した際、共産党は訃告のなかで「李鵬同志は旗幟を鮮明にして断固とした措置を講じて反革命暴乱を平定し、国内情勢を安定させた」としてその「功績」を高く評価した。共産党が2021年11月の第19期中央委員会第6回全体会議（19期6中全会）で採択した史上三つ目の「歴史決議」（「党の100年に及ぶ奮闘の重大な成果と歴史的経験に関する中共中央の決議」）は「党と政府は人民に依拠し、旗幟を鮮明にして動乱に反対し、社会主義の国家政権を防衛し、人民の根本利益を守った」と総括しており、近い将来に事件が見直される可能性は低い。

（藤野　彰）

2

一党独裁システムの基本原理

★権力集中がもたらす「人治」のひずみ★

中華人民共和国とはそもそもどのような「国体」の国なのか。まず確認しておかなければならないのは国家体制のなかにおける共産党の位置付けである。中国憲法は第1条で「中華人民共和国は労働者階級が指導し、労農同盟を基礎とする人民民主独裁の社会主義国家である。社会主義制度は中華人民共和国の根本制度であり、いかなる組織、個人も社会主義制度を破壊することを禁じる」と規定している。

一方、中国共産党規約は「中国共産党は中国の労働者階級の前衛部隊であり、同時に中国人民と中華民族の前衛部隊である」とうたっている。つまり、中華人民共和国は「労働者階級（の前衛部隊である中国共産党）が指導する社会主義国家」というのが制度的な定義となる。中国が一般的に一党独裁国家と見なされているのは、「まず国家があって、それから共産党がある」のではなく、「まず共産党があって、それから国家がある」という党中心の政治構造に由来する。このことは、共産党が暴力革命によって「中華人民共和国」という国家を成立させた――党が国家を生んだ――歴史と密接に関連している。

中国の権力機構は、共産党を中心に、全国人民代表大会（全人代＝国会）、人民政治協商会議（政協）、国務院（中央政府）、最高人民法院（最高裁判所）、最高検察院（最高検察庁）などで成り立っている。民主主義諸国であれば、行政、立法、司法の三権分立が国家体制の根幹だが、中国は「共産党の指導」を大原則としていることから、三権分立を否定している。全人代も国務院も共産党の上部（あるいは同格）機構ではなく、共産党の下に位置している。

それは5年に1回開催される党大会が雄弁に物語っている。党大会では党指導部（総書記、政治局常務委員、政治局員、中央委員など）が決められるが、その顔ぶれによって次期の国家主席、全人代常務委員長、首相などの重要人事も自動的に内定する。党規約は「中央政治局、中央政治局常務委員会および中央委員会総書記は中央委員会全体会議で選挙する」と規定している。しかし、総書記、政治局常務委員、政治局員の顔ぶれは党中枢の事前調整（駆け引き）で内定しており、中央委員会全体会議はそのリストを追認するに過ぎない。党大会および中央委員会（全体会議を年に1～2回開催）は「党の最高指導機関」とされているものの、実質的な権力は政治局常務委員以上のごく少数の指導者の手に握られている。

政府の施政方針も党大会報告や中央委員会決議が基礎となり、全人代の政府活動報告はそれらに準じて内容が決まる。全人代や政府が党中央を無視して異なる決定を下すことはない。民主集中制の原則のもと、「党員個人は党の組織に服従し、少数は多数に服従し、下部組織は上部組織に服従し、全党の各組織と全体の党員は党の全国代表大会（党大会）と中央委員会に服従する」（党規約）ことがルールだ。党中央の方針は全国の行政機関、軍、団体、学校、研究機関などの党組織を通じて伝達され、全党員はこれに従わなければならない。

ただし、共産党自身は中国の政治体制を一党独裁とは見なしていない。中国には共産党のほかに「民主諸党派」と呼ばれる政治組織が8団体（中国国民党革命委員会、中国民主同盟、中国民主建国会、中国民主促進会、中国農工民主党、中国致公党、九三学社、台湾民主自治同盟）あり、「共産党が指導する多党協力」体制をとっているとの建前があるからだ。もっとも、民主諸党派は共産党から完全に独立した組織ではなく、共産党の対抗勢力でもない。全体で50万人程度の党員（多くは知識人）しかおらず、主導権は共産党側にある。

しかし、中華人民共和国は少なくとも建国時点においては、現在のように全国津々浦々を強固な共産党独裁によって統治することを自明の前提として発足したわけではなかった。毛沢東（マオゾードン）は１９４５年4月の第7回党大会で行った政治報告「連合政府を論ず」のなかで「国民党の一党独裁を廃止し、民主的な連合政府を樹立する」と訴え、「人民の言論、出版、集会、結社、思想、信仰および身体の自由は最も重要な自由である」「人民の自由がなければ、真の民選による政府もない」と強調した。国民党独裁に反対し、自由・民主の新国家を希求していた多くの知識人らは共産党の新政権構想に大きな期待を寄せることになり、１９４９年1月、李済深（リージーシエン）、章伯鈞（ジャンボージュン）、郭沫若（グオモールオ）、茅盾（マオドゥン）ら著名な政治家、知識人ら55人は「時局に対する我々の意見」を発表し、「独立、自由、平和、幸福の新中国」を実現することを呼びかけた。目指したのは「人民民主連合政府」の樹立であり、共産党の指導的地位を認めつつも、共産党の一党独裁体制を志向したものではなかった。

実際、新国家の母体となった中国人民政治協商会議が１９４９年9月に採択した、臨時憲法的性格を持つ「共同綱領」は「中国人民民主独裁」を「労働者階級、農民階級、プチブル階級、民族資本家階級およびその他の愛国民主分子による人民民主統一戦線の政権」であると規定し、「中国共産党の指導」は明記しなかった。民主諸党派などの広範な勢力を結集し、ひとまず連合政権の形をとっていたのである。こうして誕生した中央人民政府（毛沢東主席）は副主席6名のうち半数の3名を非共産党員が占め、56名の中央人民政府委員も約半数の27名は非共産党員が選ばれた。また、政務院（国務院の前身）の副首相4名のうち2名は非共産党員で、連合政府の性格を色濃く反映していた。

しかし、共産党は１９５４年9月、第1期全国人民代表大会で憲法を制定し、「共産党の指導」を明記した。連合政府の陣容を体現していた中央人民政府委員会は廃止され、国務院の各指導ポストは共産党が独占することとなった。憲法は「言論、出版、集会、結社、行進、示威の自由」を明記したものの、「共同綱領」にあった「思想の自由」は削除された。その後、共産党は社会主義改造を急ぐなかで独裁色を一気に強めていく。著名な民主派ジャーナリストの儲安平（チューアンピン）は建国前の１９４５年当時、「共産党は現在、民主と自由を大声で叫んでいるものの、共産党自身はもともと人民の思想・言論の自由を認めることのできる政党ではない」との疑念を早々と表明していたが、それは建国後わずか数年で現実のものになったのである。

今日、共産党が国家運営のあらゆる分野において決定権を握るという一極集中型の政治体制は、経済建設や軍事、外交などの面で迅速な意思決定、果敢な政策推進という強みを発揮している反面、国民の価値観の多様化や社会の多元化への対応という観点から見ると、多くの矛盾を生じさせている。

第一に、特定の指導者に権力が過度に集中しており、民主的な政策決定が行われない。党においては「中央委員会が最高指導機関」とされ、また国家においては「すべての権力は人民に属する」「人民が国家権力を行使する機関は全人代である」とされているが、実態としては党総書記を筆頭に政治局常務委員が最終決定権を持つ。特に、人民の民主選挙で選ばれたわけではない党総書記が国家主席、中央軍事委員会主席を兼務し、家父長のごとく振る舞う政治スタイルは毛沢東時代の「人治」を彷彿とさせる。また、農村革命闘争以来の秘密主義の政治体質も本質的に変わっていない。主権者であるはずの人民に対して真に必要な情報は公開されない。例えば、習近平（シージンピン）政権が慣例を無視して3期目に入ったのはなぜなのか、それは党内部でどのような討議や過程を経て決定されたのか、これらの重要問題に関して人民はまったく蚊帳の外に置かれている。

第二に、長期にわたる政治改革の停滞が中国の真の意味での近代化を阻害している。１９８０年代、改革派の胡耀邦（フーヤオバン）、趙紫陽（ジャオズーヤン）両総書記時代に高まった政治改革の機運は１９８９年の天安門事件で頓挫し、以後、政治改革の必要性は唱えられながらも、実質的な改革の動きは封印されてきた。市場経済化の推進によって中国は事実上の資本主義の道を歩んでいるが、政治は一党社会主義に固執しているため、体制のねじれ現象が増幅している。習近平総書記は第20回党大会報告で「閉鎖的で硬直的な古い道を歩まず、旗印を変える邪（よこしま）な道も歩まない」との考えを強調した。「古い道」とは文革に象徴される極左的政治、「邪な道」とは民主化・自由化の改革路線を指す。現実的に見て、警戒の重点は後者に置かれている。

第三に、政治的な批判勢力や自由プレスの存在が許されないことから、共産党政治の功罪や政策の是非が客観的に検証されないだけでなく、政治・行政の十分な情報公開も行われず、民意が尊重されない。加えて、国民の間の不満や異論を力で抑え込む古い統治手法から脱却できずにいるが、国内で相次ぐ群体性事件（集団的示威行動）は、長年の強権政治と、それに抗う民衆パワーとの間のせめぎあいの具体的表れである。2018～22年の5年間に当局が国家安全と社会安定を維持するために起訴した被告の数は827万3000人（2023年の全人代での最高人民検察院報告）に上っており、治安維持コストがいかに高いかを物語っている。

元新華社記者の楊継縄（ヤンジーション）は「政治体制が昔と変わらないため、経済と社会の巨大な変化は上部構造と下部構造の矛盾を悪化させた。こうした矛盾の最も重要な表れは、経済改革の果実の分配とコストの負担にズレがあることだ。改革コストの負担が最も多い階層は受け取る果実が最も少なく、社会的弱者層を形成している反面、改革コストの負担が少ない階層は受け取る果実が最も多く、社会的強者層（既得権益層）を形成している。市場経済の利益第一主義と強権政治の権力は監督を受けず、両者の弊害は一つに結び付いて社会的不公正を絶えず生み出し、低層の民衆の不満を激化させている」と現体制の問題点を指摘している（楊継縄『墓碑――中国六十年代大飢荒紀実』㊤香港・天地図書有限公司、2008年）。

四川省成都市の通りに掲げられた、習近平政権の「社会主義核心価値観」を宣伝するポスター（2018年3月、藤野彰撮影）

習近平政権は発足以来、「富強、民主、文明、和諧（調和）、自由、平等、公正、法治、愛国、敬業（勤勉）、誠信（誠実）、友善（友好）」を柱とする「社会主義核心価値観」の育成を国民に呼びかけ、イデオロギー統制を強化している。だが、民主、和諧、自由にせよ、平等、公正、法治にせよ、何によってそれらを体現し、実質を保障するのかということこそが論議されなければならない。自由について言えば、理念としては「公民は言論、出版、集会、結社、行進、示威の自由を有する」との中国憲法第35条の規定に尽きているのであり、問題はそれが実際に保障されているのかどうかという点にある。

（藤野　彰）

3

長期化の様相を見せる習近平時代

★第 20 回党大会と第 3 期政権の指導体制★

「赤い遺伝子を伝承し、赤い血脈を継続させる」――２０２２年10月の中国共産党第20回大会で習近平総書記が行った報告のなかに注目すべき文言がある。党員・幹部に対する思想・党史教育に関連して語った言葉で、革命の伝統と精神を代々受け継ぎ、共産党体制を守り抜くという意味だが、革命元老の習仲勲（元副首相、２００２年死去）を父親に持つ「太子党（高級幹部子弟グループ）」の出世頭、習近平ならではの表現とも言える。

習近平は「赤い家系」の出身であり、思想が堅固で共産党体制に忠実と目されたことが党内の有力者たちの支持獲得につながり、総書記に推されたとみられている。１９６６年に始まった文化大革命で父親が失脚したため、習近平は１９６９〜７５年の間、陝西省延川県の農村へ下放させられ、農作業や石炭運搬などの重労働に従事した。青春期を政治動乱のなかで過ごした文革世代であるが、その後、名門の清華大学化学工程学部に学び、卒業後は中央軍事委員会弁公庁を皮切りに官僚政治家の道を歩み、福建省のアモイ市副市長、福州市党委書記、省長代理、省長を経て浙江省党委書記、上海市党委書記とトントン拍子で階段を駆け上った。胡錦濤政権下で政治局常務委員に抜擢され、国家副主席（党内序列６位）を務めていたころは隠忍自重の物腰が目についたが、２０１２年にトップの総書記に就任した後は最高指導者としての権力基盤強化に邁進した。

当初は前任者の胡錦濤と同様に、２期10年で引退するのではないかとみられていたものの、慣例通りであれば折り返し点となるはずの第19回党大会（２０１７年）で自らの後継候補を政治局常務委員に抜擢せず、長期政権の可能性が取りざたされるようになった。実際、２期目の指導部人事では腹心の栗戦書（リージャンシュー）を序列３位の政治局常務委員（全国人民代表大会常務委員長）に据えたほか、中央規律検査委員会書記、中央弁公庁主任、中央組織部長、中央宣伝部長といった党系統の重要ポスト、さらには北京、上海、重慶といった直轄市のトップに、自分の人脈に連なる幹部を配置し、政権の基礎固めを終えた。

革命第１、第２世代の毛沢東（マオヅォードン）、鄧小平（ドンシアオピン）らと違い、政治実績で大きく見劣りがする建国後生まれの習近平にとっての優先課題は自らの「権威」を早期に確立することだった。そのための重要なステップとなったのは２０２１年11月の第19期中央委員会第６回全体会議（19期６中全会）で共産党創設１００周年を記念して採択した、史上３回目の「歴史決議」（「党の１００年に及ぶ奮闘の重大な成果と歴史的経験に関する中共中央の決議」）だった。この決議が過去のものと比べて異質だったのは、記述の大半を習近平政権が発足した２０１２年以降の政治的成果の称賛に費やし、毛沢東、鄧小平と並ぶ習近平個人の権威を演出したことだった。決議は習近平が掲げる「習近平の新時代の中国の特色ある社会主義思想」を「現代中国のマルクス主義、21世紀のマルクス主義であり、中華文化と中国精神の時代の精華であり、マルクス主義中国化の新たな飛躍を実現した」との〝個人崇拝的〟な賛辞で持ち上げ、理論面で長期政権化へのレールを敷いた。

〔表１〕第 20 期習近平政権指導部

（年齢は 2022 年の満年齢、役職は 2023 年 3 月時点）　○は留任、△は新任

	氏　名	年齢	役　職
政治局常務委員	○習近平	69	総書記、中央軍事委員会主席、国家主席
	△李　強	63	首相
	○趙楽際	65	全国人民代表大会常務委員長
	○王滬寧	67	人民政治協商会議主席
	△蔡　奇	67	中央書記局書記、中央弁公庁主任
	△丁薛祥	60	筆頭副首相
	△李　希	66	中央規律検査委員会書記
政治局員	△馬興瑞	63	新疆ウイグル自治区党委書記
	△王　毅	69	中央外事工作委員会弁公室主任、外相（2023 年 7 月～）
	△尹　力	60	北京市党委書記
	△石泰峰	66	人民政治協商会議副主席、中央統一戦線工作部長
	△劉国中	60	副首相
	△李幹傑	58	中央書記局書記、中央組織部長
	△李書磊	58	中央宣伝部長
	○李鴻忠	66	全国人民代表大会常務副委員長
	△何衛東	65	中央軍事委員会副主席（上将）
	△何立峰	67	副首相
	○張又侠	72	中央軍事委員会副主席（上将）
	△張国清	58	副首相
	△陳文清	62	中央書記局書記、中央政法委員会書記
	△陳吉寧	58	上海市党委書記
	○陳敏爾	62	天津市党委書記
	△袁家軍	60	重慶市党委書記
	○黄坤明	66	広東省党委書記
書記局書記	△蔡　奇	67	政治局常務委員、中央弁公庁主任
	△石泰峰	66	人民政治協商会議副主席、中央統一戦線工作部長
	△李幹傑	58	中央組織部長
	△李書磊	58	中央宣伝部長
	△陳文清	62	中央政法委員会書記
	△劉金国	67	中央規律検査委員会副書記、国家監察委員会主任
	△王小洪	65	国務委員、公安相、中央政法委員会副書記

この流れを受けて習近平は２０２２年10月開催の第20回党大会で「68歳定年」の慣例を破る形で続投を決めただけでなく、政治局常務委員会をすべて習近平派で固め、一強体制を完成させた〔表1〕。第20期の新指導部の主な顔ぶれを見ると、ナンバー２には上海市党委書記などを歴任した李強（リーチアン）を抜擢したが、李強は習近平が浙江省党委書記を務めていた当時、省

委常務委員兼秘書長として仕えた直系の部下で、最側近の一人である。翌春の全人代で李強は首相に選出されたが、歴代首相のなかで副首相経験がないまま首相に昇格したのは初代首相の周恩来を除けば、李強が初めてだった。序列3位の趙楽際（全人代常務委員長）は中央規律検査委員会書記として習近平の反腐敗闘争の陣頭指揮をとった右腕である。

また、序列5位の蔡奇（中央書記局書記、中央弁公庁主任）は習近平が福建省党委副書記だったとき、三明市党委副書記、三明市長を務め、浙江省でも習近平の省党委書記時代に衢州市委書記、台州市委書記を務めた。同6位の丁薛祥（筆頭副首相）は上海市党委書記だった習近平のもとで市党委常務委員兼秘書長として日常業務を取り仕切った。丁薛祥は地方の党政府トップの経験がなく、こうした経歴の幹部がいきなり筆頭副首相に就くのも異例である。政治局員は新たに13人が昇格したが、何立峰（副首相）は習近平がアモイ市副市長に就任したときの直属の部下で、習近平の福建省長時代は省党委常務委員、福州市党委書記だった。石泰峰（中央統一戦線工作部長）、李書磊（中央宣伝部長）は習近平が中央党校の校長だったとき、それぞれ副校長として仕えた間柄である。側近の陳敏爾（天津市党委書記）、黄坤明（広東省党委書記）は再任された。会社で言えば、忠実なイエスマンの腹心たちで取締役会を固めたようなものであり、人事面では習体制のほぼ完璧な総仕上げが行われたとみてよい。

一方、共産主義青年団（共青団）を出身母体とするグループは大幅な退潮を余儀なくされた。序列2位で首相の座にあった李克強は習近平より2歳若いにもかかわらず、全面引退へと追い込まれた（2023年10月に死去）。特に驚きをもって受け止められたのは共青団派のホープで、政治局常務委員候補と目されていた若手の胡春華副首相が政治局のメンバーから外され、事実上の引退を強いられたことだ。胡春華は実権の乏しい名誉職の人民政治協商会議副主席に転出させられ、共青団派の凋落を印象付けた。

習近平の権力基盤固めの戦略は指導部人事の選考過程から明瞭に浮かび上がってくる。国営新華社通信の報道（2022年10月24日）によれば、習近平は同年初めから人事について主要幹部らの意見を聴取するなどして準備を進めたが、抜擢条件としたのは「才（実務能力）と徳（思想性）を兼備しており、徳を重視する」ことと、「政治的立場が堅固で、党に忠実である」ことだった。ここでいう「徳」とはつまり党中央＝習近平に服従する姿勢が明確であるということを意味する。また、人材推薦に当たってはその人物が「二つの確立」（習近平の核心的地位とその思想の指導的地位を確立する）の決定的意義を深く理解しているとともに、「二つの擁護」（習近平の党中央の核心、全党の核心的地位を断固擁護する、党中央の権威と集中統一指導を断固擁護する）を実行し、思想・政治・行動の面で「習近平同志を核心とする党中央」との高い一致性を断固として保っていることを条件にした。いわば、習近平への忠誠心を調べる踏み絵であり、一強体制に追従しない幹部をふるいにかけたことになる。

習近平の地位は党規約においても強化された。第19回党大会の党規約改正では「習近平の新時代の中国の特色ある社会主義思想」が明記され、マルクス・レーニン主義、毛沢東思想、鄧小平理論、「三つの代表」重要思想、科学的発展観と並ぶ中国共産党の「行動指針」と位置付けられたほか、「習近平同志を核心とする党中央の権威と集中的かつ統一的な指導を揺るぎなく擁護する」との文言が追加された。これに続いて、第20回党大会では党規約に習近平への忠誠を求める「二つの擁護」が盛り込まれ、「習近平の新時代の中国の特色ある社会主義思想」について第3回「歴史決議」の文言通りに「現代中国のマルクス主義、21世紀のマルクス主義であり、中華文化と中国精神の時代の精華」との一文が書き加えられた。党規約は党の憲法であり、一連の改正によって習近平の権威と地位に対する挑戦は許されず、挑戦すれば反党行為になることが制度的に規定された。

習近平が掌握している党・国家・軍の三権のうち、党総書記と中央軍事委員会主席のポストはもともと任期制限がなく、国家主席のポストも２０１８年の憲法改正で「連続しての在職は２期を超えてはならない」との規定が削除されたことにより、任期制限は撤廃されている。制度上は習近平が三権を継続して掌握することが可能になっており、「二つの擁護」をはじめとした党規約の規定、さらには有力な後継候補が未指定であることを考え合わせると、長期政権化は既定路線としてほぼ確定したと言えるだろう。毛沢東は１９７６年に82歳で死去するまで党主席、中央軍事委員会主席の地位にとどまり続けた。習近平は仮に４期（２０３２年の第22回党大会まで）務めたとしても、その時点でまだ79歳であり、健康を維持できさえすれば、毛沢東並みの長期政権を志向する事態も想定される。

しかし、政権中枢を腹心で固め、権力集中を徹底的に推し進めたことで、共産党政治の原則とされている集団指導体制が事実上機能しなくなるのではないかという懸念が深まっている。また、習近平への忠誠心を競うような政治ムードが蔓延すれば、自己保身のための無責任な忖度、追従が党内にはびこることにもなりかねない。第20回党大会を前にした２０２２年8月、中国では古参党員3人が「職権を利用して個人崇拝を行った党員・幹部は党籍を剥奪する」との規定を党規約に盛り込むよう求める文書を公表した。習近平政治への批判的意見が指導部に採用されることはなかったが、毛沢東の個人独裁が文革の混乱を招いた歴史を教訓とすべきだとの声は党内に根強い。

（藤野　彰）

4

「中国式現代化」の挑戦とリスク

★欧米の制度・価値観と一線を画す独自路線★

習近平（シージンピン）総書記が第20回党大会で行った政治報告の重要なキーワードの一つは「中国式現代化」である。習近平はこの報告のなかで過去10年間の執政の成果として中国の国内総生産（GDP）が54兆元から114兆元へと増加し、国民一人平均では3万9800元から8万1000元へと急伸したことを強調しつつ、2020年から2035年までの間に社会主義現代化を基本的に実現し、2035年から今世紀半ばにかけて「富強で、民主的で、文明的で、調和のとれた、美しい社会主義現代化強国」をつくり上げるという長期構想をうたい上げた。これに関連してしばしば提起されたのが「中国式現代化」という言葉だ。

「中国式」には重要な含意が二つある。一つは一般的な意味での現代化ではなく、「中国共産党が指導する社会主義現代化」を指しており、共産党の指導なしには現代化は推進できないし、成功もしないという政治的メッセージである。それは共産党が執政党の地位にあり続けることの正統性を担保するものであると同時に、習近平が長期政権を維持することの正当性をも主張するものになっている。

もう一つは、同じ現代化でも欧米の民主主義制度や普遍的価値観とは一線を画した現代化を目指すということだ。これについては、2021年11月の第19期中央委員会第6回全体会議（19期6中全会）が採択した「党の100年に及ぶ奮闘の重大な成果と歴史的経験に関する中共中央の決議」（3回目の歴史決議）が「他国の政治制度をそのまま適用することはできない。国家の将来的命運を葬り去ることになるからだ。西側のいわゆる『憲政』や複数政党制のもとの政権交代、『三権分立』といった政治的思潮の侵食を警戒、防止しなければならない」と明確にその方向性を規定している。

習近平自身も2023年2月、党内講話において「中国式現代化」は「『現代化＝欧米化』といった神話を打ち破り、現代化のもう一つの未来図をはっきりと示し、発展途上国が現代化へと向かう道筋の選択を切り開き、人類がより良い社会制度を模索するうえで中国の試案を提供した」と述べ、「欧米式現代化」の模倣を拒否する立場を強調している。そこには、中国は複雑で困難な多くの問題を抱える発展途上の人口大国であるから、単純に先進国を発展モデルにすることはできず、現代化の道筋と方法は中国の国情を踏まえたものでなければならないという論理がある。

中国はなぜ他国（欧米）の政治制度を適用すると、国家の「将来的命運を葬り去る」ことになると考えているのか。言うまでもなく、それはかつてのソ連・東欧の社会主義体制が民主化を促す政治改革によってあっけなく崩れ去った前例があるからにほかならない。1989年の天安門事件で社会に鬱積する民主化要求の「怖さ」を思い知った中国当局は、もし自分たちがソ連・東欧の変革の轍を踏むことになれば、中国社会主義体制も同じように雲散霧消するのではないかとの強迫観念にかられている。

「(欧米)敵対勢力はいわゆる『普遍的価値観』を力の限り吹聴している。これらの者たちは本当に『普遍的価値観』なるものを主張しているのだろうか？ 決してそうではない。彼らは羊頭を掲げて狗肉を売るようなことをしており、その目的は活動の場や人心、大衆を我々と奪い合い、最終的に中国共産党の指導と中国の社会主義制度を覆すことにある」

以上は2013年8月の全国宣伝思想工作会議で習近平が語った言葉だが、「敵対勢力」に対する剝き出しの警戒心と敵愾心を感じさせる。注目すべきなのは欧米から一貫して「和平演変(社会主義の平和的転覆)」を仕掛けられていると認識している点だ。この文脈からは、現代化の軌道に「中国式」のタガをはめることで「敵対勢力」の思想や価値観の影響を受けないようにするという強い意志が伝わってくる。

「中国式現代化」は実際には鄧小平(ドンシアオピン)が改革・開放に乗り出して以来の国家発展の考え方であり、それ自体は新しい理念ではない。しかし、鄧小平と習近平ではパフォーマンスに大きな違いがある。鄧小平は改革・開放を前進させるために西側の資本・技術を希求し、外交上は対抗よりも協調を重視した。これに対し、習近平は強大な国力を背景に、欧米へのあからさまな対抗心を見せつけ、自らの主張を押し通すために相手に様々な圧力をかけることも辞さない。この結果、欧米との間では経済的依存関係の拡大とは裏腹に、摩擦や衝突が絶えず再生産され、相互不信も深まった。全体状況としては、中国が本来必要としている安定的な国際環境を常態化できないというジレンマが生じている。具体的には以下のような状況が指摘できる。

中国は「中華民族の偉大なる復興」スローガンに見られるように、中華帝国が歴史的に示した地位に見合うようなプレゼンスを国際社会のなかで確立しようとしている。建国後約半世紀の間、立ち遅れていた中国にはそれを可能にする条件が整っていなかったが、この20年余の経済・科学技術・軍事の各分野における急速な発展によって総合国力が飛躍的に増大したことで、実力の伴った大国として振る舞うことに自信を深めている。中国の論理からすれば、世界における自国の歴史的プレゼンスの回復、そして国際社会への影響力拡張は必然的な流れであって、誰もそれを阻止することはできないし、もし中国の発展を阻害しようとする勢力が存在するとすれば、歴史の潮流に抗う不当な干渉ということになる。

そこで生じている摩擦の一つは、中国が国際ルールとして広く認知されている国際法などの規範を、まったく尊重しないというわけではないにしても、国益を最優先してケースバイケースで無視したりないがしろにしたりすることを厭わないことである。南シナ海紛争で常設仲裁裁判所（オランダ・ハーグ）が下した判決を、中国が政府の公式見解のなかで「紙切れ」と切り捨てたことは、国際秩序の攪乱者としての中国を印象付けた（第46章参照）。欧米は威圧的で覇権主義的な行動を隠さなくなった中国に対する認識を大きく修正しつつある。

中国ナショナリズムの発揚も対外関係の波乱要因の一つである。中国ナショナリズムは共産党の歴史教育によって育まれた、アヘン戦争以来の強烈な「民族的被害者意識」を土台にしているだけに、往々にして国家、国民レベルの攻撃的態度や排外主義の風潮を生み出す。共産党は対外関係において大きな国益の衝突が生じた場合、問題の原因がどうあれ、自らを「正義」、相手を「不正義」と色分けして対決構造をつくり出し、「外国が中国を侮ることは二度と許さない」とばかり、感情的に激しく反発する傾向が強い。政権当局の対外強硬姿勢は国民の「民族的被害者意識」を煽り、過激な抗議デモ、外国製品ボイコット、暴力的行為といった事態をしばしば招くことになる。

近年、中国外交をめぐっては当局者が中国と対立する相手国を激烈な言葉で攻撃する「戦狼外交」が注目を集めたが、それによって国民のナショナリズム感情に迎合することはできても、対外関係で前向きな成果を上げることにはつながっていない。第20回党大会報告は「中華文明の伝播力、影響力を強化する」「信頼され、愛され、敬われる中国のイメージを押し広げる」「わが国の総合国力と国際的地位にふさわしい国際的な発言権を形成する」との戦略を打ち出している。だが、「戦狼外交」は結果的に中国の国家イメージを悪化させ、国際的な発信力の足を引っ張るという逆効果を生んだ。

「中国式現代化」の最大の懸念は、新興勢力が台頭すると、既存勢力の不安がかき立てられ、しばしば戦争へ発展するという「トゥキディデスの罠」にはまる恐れがあることだ。これは中国・欧米双方にとってのリスクであるが、中国は現代化の重要戦略として軍事力増強に一貫して取り組み、「戦争に対する備え」を絶えず国民に呼びかけている。活発な海洋進出にしても関係国の懸念をよそに軍事強国としての当然の権利であるかのように行動している。

習近平が思い描いている「中国式現代化」のゴールは米国と肩を並べる富強大国の実現ということになるだろうが、今後も現状の戦略や手法に変化がないとすれば、ライバル国との間の摩擦が一段と増幅し、より先鋭的な対立のリスクも高まっていく局面は避けられそうにない。今世紀中葉までの四半世紀、世界は「中国式現代化」の動向をめぐり、歴史的な激動期へ突入していくことになる。

（藤野　彰）

5

改革・開放で深まる「信念の危機」

★情報化社会が促す脱イデオロギー★

マルクス・レーニン主義と毛沢東思想を国是とする中国では、半世紀近くに及ぶ改革・開放政策に伴って国民の間で脱イデオロギーや価値観の多様化が進行した。こうした新状況は伝統的な社会主義思想が形骸化しつつあるという意味で「信念の危機」と呼ばれている。

改革・開放を主導した鄧小平は、経済自由化と一党支配のバランスを維持するため、１９７９年に「四つの基本原則（社会主義の道、プロレタリア独裁、共産党の指導、マルクス・レーニン主義および毛沢東思想）」を打ち出し、文革後にわかに高まった自由化・民主化要求を、反ブルジョア自由化や反「和平演変（社会主義の平和的転覆）」などの思想キャンペーンを通じて、そのつど力で封じ込めた。「信念の危機」が問題視され、その克服が官製メディアなどを通じて盛んに叫ばれたのはまさに過渡期の１９８０年代を象徴する政治状況であり、危機が現実の衝撃波となって共産党体制に襲いかかったのが１９８９年６月４日の天安門事件だった。

しかし、中国はその直後にソ連崩壊という激変に見舞われ、一党体制の生き残りをかけて１９９０年代前半から市場経済路線へと舵を切った。高度成長の過程で、中国は否応なく情報化とグローバル化の大波に巻き込まれ、党員や国民のイデオロギー離れ、思想の多元化に拍車がかかった。これに加えて、党の非民主的体質、政治改革の遅れ、貧富格差の拡大、党員・幹部の腐敗蔓延などが人々の共産党不信を加速させた。こうした情勢のもとで、中国共産党はソ連崩壊の教訓から「人心を掌握できなければ、体制は必然的に崩壊する」（江沢民元総書記）との深刻な危機意識を抱くようになり、本腰を入れて「信念の危機」対策に乗り出していく。

総括すると、「信念の危機」は脱文革の流れが加速し、改革・開放が本格始動した１９８０年代の「イデオロギー不信」から始まり、１９８９～９１年の天安門事件、ソ連崩壊を契機に「共産党不信」へと進行し、これらの「二つの不信」は社会主義市場経済という名の事実上の資本主義化によって豊かな社会が出現するなかで常態化した。今日の習近平政権も国民の意識変化に伴う「イデオロギー分野における党の指導の弱体化」という問題を強く認識しており、「マルクス主義の指導的地位」を堅持する方針を明確にしている。

１９９０年代以降、共産党が体制の安定化を目指して推進した主要な政治戦略のうち、「信念の危機」対策との関連で注目されるのは以下の五つの動きである。

①現実の社会変化に対応した社会主義理論の刷新

資本家党員の公認などに踏み切った江沢民の「三つの代表（党は先進的生産力の発展要求、先進的文化の進路、広範な人民の根本利益を代表する）」、調和社会を志向した胡錦濤の「科学的発展観」、法治のもとの発展をうたう習近平の「四つの全面（全面的に社会主義現代化国家を建設し、全面的に改革を深化させ、全面的に法に基づいて国を治め、全面的に厳格に党を治める）」などの統治理念であり、現実対応型理論に特徴がある。

②世代交代が進行する共産党の組織力の拡大強化

共産党員は2022年末時点で9804万1000人を数えるが、すでに改革・開放期の入党者が大多数を占める。世代交代が進むなか、党員の属性も様変わりし、定年退職者を除けば、専門技術者、企業管理者、党政機関職員らホワイトカラーと学生が主体になっている。労働者と農民（牧畜民、漁民を含む）は33・3％と少数派になり、党の実態は「労働者階級が指導し、労農連盟を基礎とする人民民主独裁の社会主義国家」（習近平総書記）という建前から乖離しつつある。ただし、共産党が戦略的な党勢拡大を図っていることや、処世の手段として入党する者も少なくないことから、2022年の新規入党者数は244万9000人（うち大学レベル以上の高学歴者が51・4％、35歳以下が81・2％）に上っており、「共産党不信」は必ずしも「共産党離れ」にはつながっていない。

③「中華民族の偉大なる復興」という民族主義的国家目標の確立

高度成長路線に陰りが見えてきたなか、特に習近平政権になってから強調されるようになったナショナリズム的な国家スローガンである。「中華民族」としての一体性を呼びかけつつ、その「偉大なる復興」を担うのは共産党であると主張する。共産党政権の新たなレゾンデートル（存在理由）としての意味を持つ。

④伝統的イデオロギーに代わる求心力としての愛国主義発揚路線の推進

江沢民政権時代に愛国主義教育の強化路線が定められたが、「愛国＝愛党」であり、形を変えた共産党イデオロギー教育と見なすことができる。1990年代以降、上からの強制的なイデオロギー教

人民解放軍の創設者の一人、朱徳元帥の功績を称えるために設立された「朱徳同志故居記念館」（四川省儀隴県）。共産党は多額の資金を投入して愛党・愛国教育拠点を全国各地に建設している（2018年3月、藤野彰撮影）

育の限界を認識するようになった共産党は、より国民に受け入れやすく、党の求心力増強にも効果が期待される手段として愛国主義発揚戦略を策定した。その拠点として整備されたのが革命史跡、革命記念館などの愛国主義教育模範基地であり、全国で５８５ヵ所（２０２１年６月時点）に上る。同基地は社会人や青少年に対する単なる愛国教育の場ではなく、イデオロギー教育の場も兼ねており、「信念の危機」管理の重要な現場である。２０２３年には愛国主義教育を全面的に推進することを定めた「愛国主義教育法」も制定された（２０２４年１月施行）。

⑤共産党政権の正統性を下支えする「欽定歴史観」の教育・宣伝強化

中国共産党はソ連崩壊の主因の一つは党の歴史の批判的な見直しにあったと見ている。したがって、毛沢東評価をはじめ、党史上の重大事件の再評価を基本的に封印し、歴史観の一元化を強化している。党史の教育・宣伝に当たっては党の威信に影響を及ぼす恐れのある大躍進政策の失敗、文革の混乱などへの言及は意図的に抑制され、共産党が「豊かで強大な国家」の実現にいかに貢献したかを重点的に強調する政策がとられている。

社会主義をめぐる理論と現実の矛盾が明々白々となっているなか、共産党は旧来のイデオロギー教育一辺倒では危機状況を打開できないということを十分認識するに至っている。思想教育の強化だけに依拠するのではなく、危機への対応策を多角的に展開することによって、リスクを分散、軽減、あるいはよりポジティブなものへと転換させるというのが1990年代以降の「信念の危機」管理の特徴と言える。

高度成長の陰で貧富格差、不正腐敗、環境破壊、人権抑圧などの体制矛盾が一段と深刻化した反面、人々の権利意識は高まり、「集団より個人」「理念より実利」との考えが社会に浸透した。若者のなかには「党員になれば、より多くの抜擢、昇進のチャンスがある」との実利的動機で入党する者も目立つようになった（東方治『大学生入党培訓教材』国家行政学院出版社、2011年）。

やや古い調査ではあるが、地方幹部党員の4割余は中国式社会主義の現状に疑念を抱き、4人に1人は共産主義に確信を持てないでいるという報告もある（『改革内参』2005年12月10日）。また、大学生対象の思想調査では、64％もの学生がマルクス主義について「時代遅れ」「役に立たない」と答え、イデオロギー形骸化が浮き彫りになっている（王振「大学生馬克思主義信仰危機的反思」『北京城市学院学報』2014年第3期）。

共産党規約は「党の最高の理想と最終の目標は共産主義の実現である。中国共産党はマルクス・レーニン主義、毛沢東思想、鄧小平理論、『三つの代表』重要思想、科学的発展観、習近平の新時代の中国の特色ある社会主義思想を自らの行動指針とする」と規定している。党員はこれらの思想や理論を学習、実践しなければならないことになっているが、弱肉強食の競争社会のなかで大多数の党員が仕事での個人的な成功や生活の豊かさを追い求めている今日、建前はともかくとしてイデオロギーはもはや彼らの主要な関心事ではない。

革命政党である共産党はマルクス・レーニン主義をはじめとした社会主義イデオロギーの看板を下ろすことはできない。しかし、以上のデータが示すように、現実問題として「信念の危機」を解消することは困難である。このため、共産党にとっての実際的な問題は伝統的イデオロギーの復権というよりも、多様化した国民の意識や価値観を、いわゆる西側の思想と融合させることなく、いかに党の国家理念、発展目標の枠内へ誘導していくかという点にある。言い換えれば、「党の指導」が十分に機能する体制を揺るぎなく維持することこそが問題の核心であり、イデオロギーはそのための手段の一つという位置付けである。

ＩＴ（情報技術）化社会の到来により、共産党のイデオロギー宣伝の手法や重点にも大きな変化が生じている。２０２１年11月の第19期中央委員会第６回全体会議（19期６中全会）が採択した「党の１００年に及ぶ奮闘の重大な成果と歴史的経験に関する中共中央の決議」（３回目の「歴史決議」）は「インターネットはイデオロギー闘争の主要な陣地であり、主戦場である」「インターネットという難関を突破しなければ、長期政権という難関を突破できない」と指摘し、ネット空間の管理を特に重視する方針を掲げた。「信念の危機」対策の主戦場も今やネット空間へ移行しているということになるだろう。

（藤野　彰）

6

「国家安全」と「法治」

★人権・民主化を取り巻く抑圧構造★

中国共産党が「国家安全」に危害を及ぼす恐れがあると見なして重点的に監視している対象に「新・黒五類」と呼ばれる人たちがいる。彼らは人権派弁護士、地下教会信者、共産党と異なる意見の持ち主、インフルエンサー、社会的弱者を指し、共産党の高圧的な統治や格差社会の諸矛盾に対して不満を抱き、体制批判的な言動も辞さない点に共通項がある。第1章で紹介したように、階級闘争が極点に達した文化大革命期、出身階級が最も革命的とされた労働者、貧農下層中農、革命幹部、革命軍人、革命烈士が「紅五類」と呼ばれたのに対し、反革命的とされた地主、富農、反革命分子、悪質分子、右派分子は「黒五類」として抑圧された。「新・黒五類」とはこの「黒五類」になぞらえた言い方で、現在の共産党体制にとって政治的に「好ましからざる人々」という意味である。

習近平（シージンピン）政権は2012年の発足以降、「新・黒五類」と見なした人々、とりわけ人権擁護を重視する反体制派を厳しく取り締まっている。習政権3期目にかけての人権擁護活動弾圧、思想・言論統制の動きを見ると、摘発対象になっている知識人は主として新公民運動（憲法が定める自由や権利の実現を目指す社会運動）の主導者、人権活動家、人権派弁護士、ＮＧＯ活動家らであり、単に党の政治や政策に批判的な知識人ということではなく、人権・民主をはじめとする普遍的価値を信奉する活動家に絞られていることが分かる。

例えば、法学者で新公民運動を提唱している許志永（シュージーヨン）は代表的な人権活動家の一人であり、２０１４年１月に公共秩序騒乱罪などで懲役４年の実刑判決を受けたのに続き、２０２３年４月にも国家政権転覆罪で懲役14年の実刑判決を受けた（同年11月に判決確定）。２０１７年４月には人権派弁護士の李和平（リーホーピン）に国家政権転覆罪で懲役３年、執行猶予４年の有罪判決が下され、同年11月には同じく人権派弁護士の江天勇（ジアンティエンヨン）に国家政権転覆扇動罪で懲役２年、政治権利剥奪３年の実刑判決が言い渡された。このほか、活動家らが連行、拘束、軟禁されるケースは枚挙にいとまがなく、地方レベルの人民代表大会代表選挙に、共産党の統制の枠外で「独立系」として立候補を試みる活動家への圧力なども続いている。彼らは憲政の理念に基づき、改革・開放によって高まった国民の権利意識や、国際社会からの関心・支援を拠り所として、政治に異議申し立てを行っている点に特徴があり、当局側は彼らに対し、「見せしめ」の意味を込めて厳罰で臨んでいる。

共産党は１９８９年の天安門事件以後、学生や知識人による民主化要求運動を基本的に封殺してきたが、民主・人権・自由を希求する動きは途絶えることがなく、２００８年には民主活動家の劉暁波（リウシアオボー）らによって民主化要求宣言「〇八憲章」が起草され、主権在民、三権分立、軍隊の国家化、人権保障、民主選挙、言論の自由、中華連邦共和国の樹立などがアピールされた。２０１０年以降、劉暁波（同年、国家政権転覆扇動罪で懲役11年の判決を受け、服役中の２０１７年に死去）のノーベル平和賞受賞、中国版「ジャスミン革命」呼びかけなどの事件が相次ぎ、党指導部は体制内で粘り強く続けられる民主化要求の言動に警戒を強めた。習政権になってからは、反体制的な言動は一切許容しないとばかりに、強権発動によって異論を封じ込め、党の威信と政治の安定を維持するとの方針が一段と徹底している。

劉暁波ら多くの活動家の罪状とされている「国家政権転覆（扇動）罪」は中国刑法第105条に規定されている罪名で、広い意味の「国家安全危害罪」に含まれ、「国家政権の転覆、社会主義制度の打倒を組織、画策、実行した首謀者ないし罪状の重い者は無期懲役または10年以上の有期懲役に処する」「デマ、誹謗ないしその他の方法で国家政権の転覆、社会主義制度の打倒を扇動した者は5年以下の有期懲役、拘留、管制または政治権利剝奪に処する。首謀者ないし罪状の重い者は5年以上の有期懲役に処する」などと定められている。

「国家政権転覆（扇動）」などの「国家安全危害罪」とはかつての「反革命罪」を言い換えた罪名である。1979年7月に公布された中国刑法は「反革命罪」について「プロレタリア独裁の政権と社会主義制度の転覆を目的とし、中華人民共和国に危害を加える行為は反革命罪に当たる」（第90条）と規定していた。しかし、経済建設を中心とする改革・開放政策の導入によって、階級闘争中心の政治が過去のものとなり、「反革命罪」という罪名が時代の変化に符合しなくなったため、1997年になって「国家安全危害罪」に修正された。体制への異議申し立てを罪に問うという意味では、「反革命罪」は看板のみを差し替えて、現在もなお存続していると言っていい。

「反革命罪」がそうであったように、「国家安全危害罪」にも規定と運用に重大な問題点がある。どのような行為をもって「国家の安全に危害を与える」と見なすのか、その判断基準は明確ではなく、

北京市内の繁華街で治安維持の当直勤務につく「首都治安志願者（ボランティア）」たち。伝統的な政治動員の一つで、当局の監視の目は各所で光っている（2019年3月、藤野彰撮影）

結局のところ、当局がそれに該当すると主観的に判断しさえすれば、罪状が成立してしまう。法の執行に際して恣意的な判断が紛れ込んだり、拡大解釈されたりする余地が大きい。憲法に基づく権利主張を、国家の安全・統一といった政治問題と結びつけて「犯罪行為」に転化させ、弾圧を正当化する手法は、政治への真摯な意見具申を「共産党に対する悪質な攻撃」と曲解して断罪した１９５７年の反右派闘争と共通するものがある。ただ、法治という、近代的な響きを持つ濾過装置を通すことによって言論弾圧の政治色を糊塗し、実質的な政治犯を「犯罪者」と言い換えることで抑圧を正当化していると言える。

習政権は自らの新指導思想「四つの全面」（全面的に社会主義現代化国家を建設し、全面的に改革を深化させ、全面的に法に基づいて国を治め、全面的に厳格に党を治める）で規定しているように、法治の徹底を強調している。もちろん、ここでいう法治とは、民主主義国の法治の根幹をなす憲政民主、三権分立、司法の独立を全面否定したうえに成り立っている中国式法治であり、それゆえに「中国の特色ある社会主義法治」との独特の言い回しが用いられる。この方針に沿ってこの十余年の間、進められてきたのが反スパイ法、国家安全法、反テロ法、サイバーセキュリティー法など治安・秩序維持にかかわる法律の相次ぐ制定である。

それらのなかで基幹的な法律と位置付けられる国家安全法は2015年7月、「国家は中国共産党の指導を堅持し、中国の特色ある社会主義制度を守る」との指針のもとに全人代常務委員会で採択された。同法は「国家が防止、制止し、法に基づき処罰する」行為や活動として「祖国への反逆、国家の分裂、反乱の扇動、人民民主独裁政権の転覆ないし転覆の扇動」や「国家秘密の窃取、漏洩」「国外勢力の浸透、破壊、転覆、分裂活動」を指定し、「中国共産党の指導と社会主義制度の転覆、中華民族の偉大なる復興の阻止を企む勢力」との徹底的な闘争を訴えている。取り締まりの対象となる分野は反乱、テロ、カルトから国家統一、領土主権、海洋権益、インターネット、エネルギー資源、食糧などに至るまで非常に幅広く、極端に言えば、同法は当局が「国家安全に抵触する」と考える、あらゆる行為や活動を罪に問うことを可能にしている。

「国家安全」の概念や対象範囲は反スパイ法や国家情報法においても拡大された。2014年11月に成立した反スパイ法は2023年4月の改正によってスパイ行為を幅広く再定義し、「国家の安全と利益にかかわる文書・文献、データ、資料、物品」の窃取・買収も摘発の対象に加えられた。2014年の同法施行以来、少なくとも17人の日本人が具体的な容疑についての説明がないまま拘束されており（2023年5月時点）、問題は国際的にも波紋を投げかけている。また、2017年6月に施行された国家情報法（中国語の「情報（チンバオ）」は一般的な意味での情報というよりも「機密性を帯びた情報」を意味する）は「いかなる組織、公民も法に基づいて国家の情報工作を支持し、援助し、それに協力しなければならない」（第7条）、「国家情報工作機構は法に基づいて情報工作を推し進めるに当たり、関係の機関、組織、公民に対して必要な支持、援助、協力を提供するよう要求することができる」（第14条）と定めており、全国民を国家の情報工作の遂行のために動員することを可能にした。

２０２３年７月には対外関係法も施行された。同法は国家機関のみならず企業、社会団体、一般国民に対して「対外交流・協力において国家の主権、安全、尊厳、栄誉、利益を守る責任と義務」（第６条）を課しており、「対外交流のなかで国家利益を損なう活動に従事した場合は法律上の責任を追及する」（第８条）と規定している。民間の経済、文化、学術などの国際交流においても個人が「国家の安全や利益を損なった」との理由で言動を罪に問われる恐れがあり、対外交流活動の萎縮が懸念されている。また、在中国の外国人、外国組織についても「中国の国家安全に危害を及ぼし、社会公共の利益を損ない、社会公共の秩序を破壊することをしてはならない」（第38条）と定めているが、具体的な違法行為が何なのかは不明瞭であり、当局による恣意的な解釈・運用の可能性を否定できない。

一連の法整備によって、共産党にとって不都合な言論や体制に批判的な人々を様々な「罪状」で「合法的」に取り締まり、社会から隔離するとともに、そのための協力を国民に強要できるシステムが整った。「国家安全」を名目にした強権統治の歪みは、国際ジャーナリスト団体「国境なき記者団」（本部・パリ）の２０２３年「報道の自由」ランキングで中国が世界１８０ヵ国・地域中１７９位（最下位は北朝鮮）に位置付けられ、「ジャーナリストにとっての世界最大の監獄」という不名誉な評価を与えられたことに象徴されている。

（藤野　彰）

7

中国共産党の伝統的な政治風土

★組織原則と族群・派閥・地方主義の関係★

中国の総人口の9割余を占める漢族は「一つの民族」として規定されているが、実際には大きく分けると、北方方言（北京、華北、東北など）、呉方言（上海、江蘇、浙江）、湘方言（湖南）、贛(かん)方言（江西）、客家(ハッカ)方言（広東、福建、江西など）、閩(びん)方言（福建、海南など）、粤(えつ)方言（広東、広西など）の七大方言集団に分類できる。各方言間の差異は非常に大きく、それぞれ異なる一つの母語方言しか話せない漢族同士の場合、普通話(プートンホワ)（標準中国語）を用いない限り、会話にかなりの困難が生じることになる。各方言集団間では言語のみならず、気質や伝統文化、風俗習慣にも相違がある。

文化人類学ではこれらの方言集団は「族群（エスニック・グループ）」として把握されているが、中国共産党政治の世界では個々の政治家や軍人がどの族群に属するかといった問題は公に提起されることがほとんどない。公式発表の経歴では一般的に「〇省〇県出身」と紹介されるのみであり、その地名で所属する族群をある程度推定できるものの、確定には至らない。族群に関する情報は、中国のような多様性に富んだ大国では政治家・軍人の文化的背景を知るうえで欠かせない要素の一つだが、共産党はなぜそうした情報の開示に「消極的」なのか。そこには共産党が１９２０年代から農村革命闘争を通じて形成してきた政治理念と政治習慣が潜んでいる。

中国の伝統的な農村社会は先祖を同じくする一族の集まりである宗族を基本単位として成り立ってきた。宗族が異なれば、そこには集団間の競合関係が生まれ、土地・水利などの利害をめぐる対立が宗族同士の「械闘（かいとう）（武装闘争）」へ発展することもしばしばであった。複数の異なる族群集団が隣接して居住している地域（特に広東など華南）では相手集団への激しい敵意から、有力集団が弱小集団を差別、抑圧する社会構造が定着し、とりわけ熾烈な流血の闘争が繰り広げられてきた。共産党の武装革命はこのような封建的因習が根強い農村社会を舞台に展開されたため、当然のごとく様々な問題に直面することになったのである。

共産党は１９２７年８月の南昌蜂起によって武装闘争を開始し、同年10月には毛沢東率いる武装部隊が江西・湖南省境の井岡山へ入り、最初の革命根拠地を築いた。しかし、文化の遅れた辺境の井岡山は毛沢東が「一つの姓を単位とした同族組織」で社会が構成され、「党の支部会議は同時にまるで同族会議だ」と嘆いたほど、各県、各郷に地方主義が跋扈していた。しかも、地域には土着民の土籍（江西人）と移住民の客籍（客家人）が反目し合うという深刻なエスニック矛盾が存在していた。共産党は革命闘争の基盤を確立するため、地方主義や同族意識、エスニック意識を革命の障害物として否定し、人々が階級意識によって団結するよう教育していかざるをえなかった。

中国には「五同」という言葉がある。同宗（同族）、同郷（同郷人）、同学（同窓）、同事（同僚）、同庚（同齢）を意味し、伝統的に人間関係が非常に重視される中国社会において日常生活や仕事の面で人々の価値観と行動原理を支える重要な要素となってきた。共産党は仲間を一人でも多く獲得しなければならなかった革命運動の初期段階では、党員たちの「五同」の人間関係を利用しながら、農村社会へ入り込んで革命の賛同者をオルグし、勢力を拡大した。しかし、革命運動の進展につれて組織の純化と党員の階級意識の強化を重視するようになり、階級的連帯とは本質的に異質な「五同」の人間関係を、地方主義や派閥の温床と見てイデオロギー的に否定するようになった。こうして、共産党体制下の政治価値観では「五同」をグループや個人の利益のために利用したり、そのきずなに固執したりすることは一種のタブーとされた。

　エスニックなきずなもまた「五同」と同質の問題と見なされ、少なくとも公式的な政治の場でそれをアピールするような言動は共産党員として控えなければならないというのが党の一種の潜規則（暗黙裡の了解事項）となったのである。それは中国共産党規約が「あらゆる派閥組織とセクト活動」を厳禁していることと表裏の関係にある。

　具体例として、客家出身の有力な指導者だった葉剣英（イエジエンイン）（1897～1986年）の立ち居振る舞いを見てみたい。葉剣英は客家人の本拠地として知られる広東省梅県の生まれで、国防相、中央軍事委員会副主席、全国人民代表大会常務委員長などを務めた、現代中国の代表的な客家の軍人・政治家の一人である。

　葉剣英に関して公開されている公式文献を見る限り、葉剣英が自らの客家としての出自をわざわざ公言したり、ことさら宣伝したりした形跡はうかがえない。もちろん、広東省梅県の郷里に帰ったときには地元の同胞たちと客家語で交流し、きずなを深めたものの、中央政界においては自らのエス

広東省梅州市の「葉剣英記念館」前に立つ葉剣英像。地元では客家人の領袖として今も尊崇されているが、政治的に「客家色」が強調されることはない（2015年8月、藤野彰撮影）

ニック属性の表出には慎重であった。ましてや、客家が歴史上いかに多士済済の優秀な人材を輩出し、革命運動に貢献したかというようなことに言及したり、客家の伝統や文化をことさら称揚して客家アイデンティティーをアピールしたりすることはなかった。指導的立場にある共産党員として、客家であるとか、どの地域の出身であるとかという以前に、個人的属性を超越した強い階級意識を持たなければならないと、自らを厳しく律したゆえのことであろう。

実は葉剣英には地方主義をめぐって政治的圧力を受けた苦い経験があった。建国初期の1950年当時、広東省のトップとして土地改革を指揮した葉剣英は自分に連なる客家人脈を中心に工作団を組織し、まず土地柄を熟知している同省東部の客家居住地域で改革に着手した。葉剣英は商業が発達し、海外華僑が多い広東の特殊事情を考慮し、比較的穏健な改革を推し進めたが、急進的な土地改革を望んでいた毛沢東（マオゾードン）との間で齟齬が生じ、葉剣英の改革路線は手ぬるい「平和的土地改革」と批判され、広東の特殊性を強調し過ぎる「地方主義」の表れでもあると受け止められた。こうして葉剣英の土地改革をめぐる問題は、「広東地方主義」批判という政治事件へと発展していった。葉剣英は武漢の中共中央中南局へ配置転換となり、広東の実務から遠ざけられた。また、自身の人脈に連なる多くの客家幹部らが反「地方主義」闘争に巻き込まれて失脚の憂き目を見ることになり、事件は広東の客家社会をはじめとした地元政界に大きな心理的衝撃を与えた。事件の関係者は後に名誉回復されたが、「地方主義」のレッテルを貼られることへの恐怖心は党員たちの言動を強く束縛することになった。

葉剣英が１９８６年10月に死去した際、出身地の党委員会は「70万の梅県人民は客家人民の優秀な息子、葉剣英同志がとこしえに世を去ったとの訃報を耳にし、この上ない悲しみを覚えている」との追悼文を発表し、葉剣英が客家の出身であり、客家同胞の誉れであることを強調した。しかし、これとは対照的に、党中央・全人代常務委・国務院・中央軍事委が合同で発表した訃報や胡耀邦（フーヤオバン）総書記（当時）が追悼会で読み上げた弔辞、国営新華社通信が配信した評伝には、葉剣英が客家出身であることに触れた文言は一つもなかった。地元レベルでは同胞としてのきずなへの言及は容認するものの、中央レベルではそうした要素を一切排除するのが共産党の組織原則ということになるだろう。

中国の近現代史を振り返れば、特定のエスニック集団が地方の政治・軍事を牛耳るという現象は現実に存在した。中華民国期、有力な軍閥が各地に割拠する状況が続き、蔣桂戦争、蔣唐戦争、蔣馮戦争、中原大戦など幾多の内乱が繰り返され、中央政府である南京国民政府の直接的な統治が全国には及ばないという問題が顕在化した。特に、中央から遠く離れており、文化的にも経済的にも独自性が際立っていた広東では１９２０年代末から１９３０年代半ばにかけて客家人指導者の陳銘枢（チエンミンシュー）や陳済棠（チエンジータン）が政治・軍事の実権を掌握して半独立王国を築き、「客家に非ざれば仕官し得ざる」（日本外務省情報部編『広東客家民族の研究』１９３２年）といわれたほどだった。国家基盤がまだ不安定だった１９５０年当時、毛沢東が「解放」してから日が浅い広東の動向を注視し、反「地方主義」を掲げて政治的統

制を強化した背景には以上のような広東特有の歴史的経緯も影を落としていたと考えられる。

中国共産党の指導者たちは選挙制度がないこともあるが、日本の政治家と違って自身の出身地とは「距離を置いた関係」を維持するのが通例である。毛沢東は建国後、生まれ故郷の湖南省韶山（しょうざん）には２回しか戻っていない。葉剣英は出身地の発展に関心を寄せるなど心情的には郷土愛の強い政治家だったが、建国後は３回帰省しただけである。同じく客家の軍人・政治家である朱徳（ジュードー）（元全人代常務委員長）は１９６０年に約半世紀ぶりに出身地の四川省儀隴（ぎりょう）県に帰郷したが、これが最初で最後の里帰りだった。元最高実力者の鄧小平（ドンシアオピン）（同省広安市出身）に至っては青年期に郷里を離れて以来、１９９７年に死去するまで一度も帰郷しなかった。単に中央での仕事が多忙だったという理由だけではなく、地縁・血縁に縛られてはならないという党指導者としての自覚がそうさせたのであろう。ちなみに、朱徳に関しては１９５８年秋、北京で儀隴県の関係者と面会した際、車を購入したいので便宜を図って欲しいと頼まれたものの、党の規律を厳守し、「針一本でさえ購入の手伝いをしてやることはできない」と言って断ったというエピソードが「美談」として伝えられている。

清朝時代、皇帝直属の地方長官である総督・巡撫はおおむね数年の任期で交代した。共産党政権も地方の指導者を人事異動で随時交代させ、地方のトップには地元出身者以外を充てることが多い。例えば、改革・開放期（１９８０年代以降）の広東省の歴代党委書記（第一書記時代を含む）を見ると、２０２３年時点で10名を数える書記のうち、地元広東の出身者はわずか２名に過ぎない。地方主義の台頭を抑止し、「五同」や族群の派閥をつくらせないためだ。地方に対する中央の統制という意味においては、共産党も形を変えながら封建王朝時代の人事管理システムを踏襲している。

（藤野　彰）

8

終わりなき反腐敗闘争

★政治・行政に巣食う構造的な体制病★

「未曾有の勇気と揺るぎない信念によって党の風紀の清廉潔白化と反腐敗闘争を推進し、長年にわたって抑止することのできなかった不健全な風潮、邪な気風に歯止めをかけた」――習近平（シージンピン）総書記は2022年1月、党中央規律検査委員会全体会議で過去10年間の反腐敗闘争を振り返り、その成果を誇示した。同年10月の第20回党大会で党中央規律検査委員会が行った活動報告も「史上前例のない反腐敗闘争」によって長年抑制できなかった悪しき風潮に歯止めをかけ、「管党治党（党を管理し治める）」の緩みを根本的に正して歴史的な成果を収めたと自画自賛した。

確かに習近平政権の2期10年を振り返ると、それ以前だったら摘発対象にならなかった最高指導者レベルにまで捜査の手が及んだ。この間の熾烈な反腐敗闘争は2013年1月に習近平が全党に発した「いかなる者であれ、その職務がどれだけ高い地位にあろうとも、党の規律、国家の法律に違反した場合は厳粛な追及と厳しい処罰を受けなければならない。『トラ（大物）』も『ハエ（小物）』も一緒にたたく」との指令から本格スタートした。

反腐敗闘争の最初の大舞台は、政治局常務委員候補と目されながらも「重大な党規違反」があったとして２０１２年３月に解任された薄熙来（政治局員兼重慶市党委書記）に対する刑事処分だった。薄熙来は党元老の薄一波（元副首相、元党中央顧問委員会副主任）の次男で、大連市長、遼寧省長、商務相などを歴任した太子党エリート。巨額の収賄や公金横領の罪で党籍を剥奪され、２０１３年９月、無期懲役判決を受けた。

習政権が最大の「トラ」として標的にしたのは、胡錦濤政権で政治局常務委員（序列９位）、党中央政法委員会書記を務めた周永康である。周永康は石油業界の出身で、中国石油天然気集団（ＣＮＰＣ）総経理を経て、江沢民政権下で国土資源相に抜擢された。その後、四川省党委書記、政治局員、公安相を歴任し、２００７年から２０１２年まで政治局常務委員、党中央政法委員会書記を務めた。従来、政治局常務委員クラスの指導者は汚職の摘発対象としないというのが党内の不文律とみられていたが、２０１５年６月、周永康は無期懲役を言い渡された。収賄総額は約１億３０００万元に上ったとされる。

「聖域」と見なされていた軍の指導幹部も摘発対象となった。党中央政治局は２０１４年６月、徐才厚・前中央軍事委員会副主席（当時）について、収賄などの違法行為があったとして党籍剥奪処分とすることを決定。徐才厚は胡錦濤政権下で制服組トップの座にあったが、職務権限を利用して幹部の昇任に当たって便宜を図り、賄賂を受け取ったとされる。郭伯雄・前中央軍事委員会副主席（同）も収賄容疑で摘発され、２０１５年７月、党籍を剥奪された。江沢民・胡錦濤時代の実力者２人の処分には、軍内の綱紀粛正だけでなく、江沢民と胡錦濤の軍への影響力を一掃するという政治的狙いがあった。その意味では習近平の軍権掌握闘争の一環であり、自らの軍内での威信確立に主眼があったとみていい。

〔表1〕習近平政権下で腐敗問題により法的処分を受けた主な高級幹部

氏名	主な前職	罪状	判決
薄熙来	重慶市党委書記、党政治局員	収賄、横領、職権乱用	2013年9月、無期懲役
徐才厚	党中央軍事委副主席、党政治局員	収賄	2015年3月、死去により不起訴
周永康	党中央政法委書記、党政治局常務委員	収賄、職権乱用、国家機密漏洩	2015年6月、無期懲役
令計画	党中央書記局書記、党中央統一戦線工作部長	収賄、国家機密不法取得	2016年7月、無期懲役
郭伯雄	党中央軍事委副主席、党政治局員	収賄	2016年7月、無期懲役
孫政才	重慶市党委書記、党政治局員	収賄	2018年5月、無期懲役
傅政華	司法相、党中央委員	収賄、情実による不法行為	2022年9月、執行猶予（2年）付き死刑
孫力軍	公安省次官	収賄、拳銃不法所持	2022年9月、執行猶予（2年）付き死刑
沈徳咏	最高人民法院常務副院長、党中央委員	収賄	2023年8月、懲役15年

（出所）『読売新聞』、新華社などの報道を基に筆者作成

習政権は2期目以降も大物たちへの追及の手を緩めなかった。第19回党大会を目前に控えた2017年7月、政治局常務委員昇格の観測もあった孫政才（スンジョンツァイ）・重慶市党委書記（政治局員）が「重大な規律違反」があったとして解任された事件は最高指導部人事とからんでいたことから国内外に大きな波紋を投げかけた。孫政才は収賄罪で起訴され、2018年5月に無期懲役を言い渡された。このほか、2021年1月、収賄罪などに問われた国有の資産管理会社「中国華融資産管理」の元会長、頼小民（ライシアオミン）には死刑判決が下った。収賄額は約17億9000万元とされ、一審判決からわずか3週間余でスピード処刑された。

習政権2期目に摘発された幹部の中には傅政華（フージョンホワ）・元司法相、沈徳咏（シェンドーヨン）・元最高人民法院常務副院長、党汚職特捜班「中央巡視組」の元次官級幹部ら司法・捜査系統の高級幹部らも目立つ。2022年には全国の規律検査・監察部門の幹部にかかわる問題2200余件が立件され、2300余人が処分されている。このなかには局長クラス以上の高級幹部77人が含まれており、「取り締まる側」の内部でも腐敗問題が深刻化していることが分かる。

党中央規律検査委員会の第20回党大会での活動報告によると、過去5年間に全国の規律検査・監察機関が受理した腐敗問題に関する陳情や告発は１６９５万６０００件という膨大な数に上った。「党内に制約を受けない特殊党員はおらず、汚職・腐敗問題では鉄帽子王（絶えることなく存続する世襲の王）はいない」との捜査方針のもとで、比較的罪状が軽く、教育・処分の対象になった者は延べ９３３万６０００人、最も罪状の重い刑法犯は延べ32万６０００人を数えた。海外へ逃げた党の汚職幹部を追跡する「天網行動」では逃亡者７０８９人（うち党員・国家公務員１９９２人）を摘発し、３５２億４０００万元の「汚れた金」を回収した。

汚職・腐敗のなかでもとりわけ重大な問題は党員・幹部や公務員が「黒社会（マフィア・犯罪組織）」と結託し、権力を利用して彼らの「保護傘（庇護者）」として犯罪行為に加担する事件である。こうした案件は5年間で10万３０００件も摘発され、９万３０００人が処分された。当局から見れば、「誇るべき成果」ということになるのであろうが、それらの数字が物語っているのは政治・行政に構造的に巣くう腐敗体質の根深さと問題解決への厳しい道のりである。

腐敗・汚職の防止活動に取り組んでいる国際ＮＧＯ「トランスペアレンシー・インターナショナル」（本部・独ベルリン）が発表した報告「２０２０年世界腐敗認識指数」によれば、中国の腐敗レベル（順位が下がるほど腐敗が深刻）は１８０ヵ国・地域の中で78位だった（ちなみに1位はデンマークとニュージーランドで、日本は19位）。報告は、①中国国民の64％は過去1年間に汚職は減少したと思っているものの、62％は政府の汚職は大きな問題であり、一層の取り組みが必要と考えている、②28％は公共サービスを受けるために賄賂を使い、32％は人間関係を利用すると回答——といった状況を紹介し、中国は公共サービス部門での贈収賄行為を減らすための制度を速やかに導入する必要があると指摘している。

習近平政権は3期目以降も反腐敗闘争を徹底して展開していく構えを見せている。その背景には二つの理由があると考えられる。第一は、取り締まりの手を少しでも緩めれば、また以前のような腐敗状況に逆戻りし、これまでの「成果」が元の木阿弥になってしまうという危機感である。もしそうなれば、異例の長期政権の「正統性」を支える柱の一つが崩れかねない。第二には、反腐敗闘争そのものが党内の対抗勢力を抑え込み、長期政権を盤石のものにするための権力闘争の武器と化しているという状況がある。習近平個人に権力を集中する体制を維持していくためにはそれに挑戦しようとする動きを徹底的に封じ込めなければならず、党内に睨みをきかせるうえで反腐敗闘争は不可欠の統治手段になっている。

習近平は「党が永遠に変質せず、変節せず、変容しないことを確実に保証する」ことの必要性を力説している。つまり、自身を核心と位置付ける一元的な統治体制を変革する考えはないということだ。習近平は「反腐敗闘争の陣地攻撃戦、持久戦に断固勝利する」「腐敗問題を生む土壌と条件が存在する限り、反腐敗闘争は片時も停止してはならず、永遠に突撃ラッパを吹かなければならない」（第20回党大会報告）と呼びかけているが、党や指導者に対する批判を許さない体制のもとで「党が党を監督する」システムがどこまで有効に機能するのかという問題がある。汚職・腐敗事件に対しては強権発動による個々の対症療法的な治療が可能であるとしても、それが長期的に「体制病」の根本的な治癒につながるかどうかは疑問とせざるをえない。

（藤野　彰）

9

膨張を続ける「党の軍隊」

★波紋を広げる核戦略・海洋進出・宇宙開発★

いわゆる「中国脅威論」には様々な側面がある。急スピードで増強される軍事力、いずれ米国に追いつく勢いを見せる経済力、世界のエネルギーや資源、食糧を買いあさる消費行動、「戦狼外交」という言葉に象徴される威圧的な対外姿勢……。どの側面をとっても、中国の一挙手一投足がグローバルな影響を投げかけずにはおかない時代状況があり、それゆえにこの新興大国の膨張への不安、警戒感、疑念、不満などがないまぜになった国際社会の「中国脅威論」には依然としてかまびすしいものがある。そのなかで現実的かつ直接的な脅威として論じられることの多い問題はやはり軍事力増強であろう。

中国自身は「中国は脅威ではない」として「中国脅威論」に強く反発している。ただ、中国の軍事力増強について言えば、国際社会が警戒心を呼び起こされる原因はいくつか指摘することができる。まず総論としては、中国の軍事力増強の真の狙いが不明瞭で「見えにくい」という問題がある。

例えば、中国政府の「新時代の中国国防」白書（２０１９年）は「中国は終始一貫して防衛的な国防政策を推進している」「永遠に覇を唱えず、拡張せず、勢力範囲を求めないことが新時代の中国国防の明確な特徴である」と表明している。しかし、軍トップの習近平（シージンピン）総書記（中央軍事委員会主席）は２０２１年7月、共産党創設１００周年式典の演説で「人民の軍隊を世界一流の軍隊に築き上げる」と宣言したほか、共産党が同年11月に採択した3回目の「歴史決議」（「党の１００年に及ぶ奮闘の重大な成果と歴史的経験に関する中共中央の決議」）も「強国であるためには強軍がなければならず、軍が強いことによって初めて国家の安全が保てる。わが国の国際的地位にふさわしい強大な人民の軍隊を建設しなければならない」と強調している。「防衛的で、拡張しない」ことが国防の基本線であるならば、なぜ「強大な世界一流の軍隊」を是が非でも建設しなければならないのか、その理由を問わなければならないが、中国政府の説明は論理性と説得力に乏しい。

この問題は１９８９年以降、２００７年まで21年連続で二桁の伸びを示し、その後も速いペースで年々増大している国防費の不透明性と密接に関係している。２０２３年の政府予算案では国防費の伸び率は前年の7・1%を上回る7・2%となり、総額で1兆５５３７億元が計上された。日本の防衛予算の約4・5倍の巨費だが、国防費の細目が明らかでないことから、実際の国防費は公表額を大幅に上回ると推測されており、「中国脅威論」の源泉の一つとなっている。

中国はロシア、米国に次ぐ世界3位の核弾頭保有国でもある。ストックホルム国際平和研究所（ＳＩＰＲＩ）の報告書によれば、２０２３年1月時点の中国の核弾頭保有数は推計で４１０発（前年同月比で60発増）に上っており、急速に核戦力を増強している。米国防総省の２０２２年の年次報告書は、中国は２０３５年に約１５００発の核弾頭を保有する可能性が高いと予測している。中国は「強国覇権の道を歩まない」との主張とは裏腹に、北米全域を射程に収める多弾頭型大陸間弾道弾（ＩＣＢＭ）

の開発を進め、戦略ミサイルを搭載可能な原子力潜水艦（戦略原潜＝SSBN）の能力向上にも拍車をかけている。

また、「海洋強国の建設」（2012年の第18回党大会報告）を旗印に掲げながら、外洋進出を視野に入れた海軍の近代化を加速させていることも国際的な注目を集めている。それを象徴するのは空母の増強である。中国は1990年代にウクライナから購入したクズネツォフ級空母ワリャーグを大連港で改修し、2011年になって試験航行を実施した。「遼寧」と命名されたこの中国初の空母は2012年に艦載機「J（殲）15」の発着艦試験に成功し、2013年には南シナ海への初の遠洋航行を行った。2019年12月には2隻目となる初の国産空母「山東」が就役し、2022年6月には3隻目の「福建」も進水するなど、空母を中心に駆逐艦、潜水艦、補給艦などで編成する「空母戦闘群（空母打撃群）」の常時運用へ向けた動きを加速させている。

中国が海洋戦略を積極的に展開している背景には、①東シナ海、南シナ海をはじめとする海洋の権益（領土、領海、海底資源）の確保、②南シナ海からインド洋へ至るシーレーンの確保、③米国や日本を牽制するためのアジア太平洋地域でのプレゼンス拡大、④「台湾解放」をにらんだ海上戦闘力の増強——などの思惑があると考えられている。特に中国は近年、南太平洋の島嶼国との関係強化に力を入れており、2022年4月にはソロモン諸島と安全保障協定を締結した。しかし、こうした中国の動向はアジア太平洋の既存の安全保障秩序に大きな波紋を投げかけており、関係国との軋轢を増幅させている。

米英豪が2021年に新たな安保協力強化の枠組み「AUKUS（オーカス）」を創設したことは、

中国のアジア太平洋進出と連動した動きであり、米英がオーストラリアの原子力潜水艦導入を技術協力などで支援するなど対中牽制での結束が強化された。日米豪印の民主主義4ヵ国の連携の枠組み「Quad（クアッド）」も中国を強く意識した動きだ。2021年3月に開催されたクアッドの初のオンライン首脳会談では、東シナ海や南シナ海での海洋秩序への挑戦に対処するため、海洋安全保障協力を推進する方針などが打ち出された。中国はクアッドについて「中国を封じ込め、包囲し、米国の覇権を守る道具」と非難するなど反発しているが、中国の急速な軍拡が関係国の一連の連携を促した側面がある。

軍事技術開発と連動している宇宙開発の推進も中国の軍事動向の大きな焦点である。2000年代以降、中国の宇宙開発は目覚ましい進展ぶりを見せており、2003年に有人宇宙飛行船「神舟5号」の打ち上げ、2007年に初の月探査衛星「嫦娥（じょうが）」の打ち上げ、2011年に小型宇宙実験室「天宮1号」と無人宇宙船「神舟8号」の初のドッキング成功――といったように着実に成果を上げてきた。2013年12月には月面探査車「玉兎号」を搭載した無人探査機「嫦娥3号」の打ち上げと月面軟着陸に成功した。旧ソ連のルナ24号以来37年ぶりの月面着陸となり、中国は旧ソ連、米国に次いで月面着陸に成功した3番目の国になった。

2018年12月には月の裏側への世界初の着陸を目指す無人探査機「嫦娥4号」を打ち上げ、計画通り着陸を成功させた。2021年5〜6月には無人火星探査機「天問1号」の火星着陸、宇宙飛行士3人を乗せた宇宙船「神舟12号」の打ち上げと宇宙ステーションの中核施設「天和」とのドッキングに相次いで成功した。これらの事業は「宇宙強国」の建設を宣言している習近平総書記の指示に基づくものであり、中国の宇宙開発の躍進ぶりに危機感を抱く米国は２０１９年に宇宙軍を設立して中国に対抗していく姿勢を明確にした。米国は特に中国が衛星破壊能力を増強していることを強く懸念している。

宇宙空間をも含むハイテク戦争の時代に対応していくため、習近平は２０１２年11月の中央軍事委員会主席就任以来、陸軍主導の七大軍区の廃止に踏み切り、統合運用型の五大戦区（北部、中部、東部、南部、西部）を新設するなどの大胆な改革に取り組んできた〔図1〕。現在、軍の指導管理体制としては中央軍事委員会の指揮下に陸海空の３軍、各ミサイル部隊、通常ミサイル部隊などを率いるロケット軍、戦略支援部隊、後方支援を担う連勤保障部隊があり、各種の実戦部隊を統括している。中央軍事委員会には統合作戦指揮センターが置かれ、戦時には習近平が陣頭に立って総指揮をとる体制が整えられている。

〔図１〕七大軍区を改編して設置された五大戦区

（出所）『平成 29 年版 防衛白書』などを参考に筆者作成

中国共産党には「党が軍を指揮する」という絶対的原則がある。人民解放軍（前身は紅軍）はそもそも「党の軍隊」として設立された組織であり、最高統轄権を持つ中央軍事委員会には「中共中央軍事委員会」「中華人民共和国中央軍事委員会」の二つの看板があるが、実体としては「国軍」ではなく、「党軍」として党が軍事のすべてを決定する。こうした軍隊の特殊性も中国の軍事動向を分かりにくくし

建国後の歴代党指導者（右から毛沢東、鄧小平、江沢民、胡錦濤、習近平）はいずれも軍のトップを兼務しており、解放軍が「党の軍隊」であることを物語る（2018年9月、井岡山革命博物館で。藤野彰撮影）

ている一因であろう。仮定の話だが、将来、中国が民主化して自由選挙に基づく政権交代が可能になる政治環境が誕生した場合、人民解放軍の立ち位置はどうなるのか、「共産党」と「国家」のどちらに忠誠を尽くすことになるのか、現状では予測がつかない。

いずれにせよ、現体制では軍が共産党独裁を支える大黒柱であることは疑いなく、共産党はそれゆえに軍が党の指揮に無条件で服従する体制の維持・強化に常時腐心している。習近平は第20回党大会報告で「人民の軍隊に対する党の絶対的指導を堅持する」「鉄砲（軍）が永遠に党の指揮に従うことを確実に保証する」と改めて強調したが、絶えず手綱を引き締めなければ、軍が「独立王国化」する恐れがあると認識しているからにほかならない。実際、党の第3回「歴史決議」には「一時期、人民の軍隊では党の指導が弱まるという問題が浮き彫りになった」との言及があり、以上の絶対的原則が常に盤石であるという確証はない。この問題も中国の軍事動向を観察するうえの重要ポイントの一つである。

（藤野　彰）

10

「中華民族共同体」と少数民族

★「漢化」が増幅するアイデンティティー危機★

今日、中国で盛んに使われている「中華民族」という言葉は分かりやすそうで分かりにくい用語である。一般的に「中華民族」とは漢族のことを指すと理解されがちだが、中国における「中華民族」の概念は漢族のみならず、計55の少数民族をも含む。

「中華民族」概念の理論的根拠として重要なのは、社会学や民族学の研究で知られる費孝通（フェイシアオトン）の「中華民族の多元一体構造」論である。費孝通は「中華民族は一つの自覚的な民族の実体として、この１００年来、中国が欧米列強と対抗していくなかで出現した。ただし、一つの自然発生的な民族実体としては数千年の歴史のプロセスを経るなかで形成されたものである」と述べ、「分散して存在していた多くの民族グループが、接触や混合、結合、融合を経て、また同時に分裂と消滅を経ながら、そちらが来ればこちらが行く、こちらが来ればそちらが行く、こちらのなかにそちらがあり、そちらのなかにこちらがあるという、おのおの個性を備えた多元的な統一体を形成した」と説明している（費孝通「中華民族的多元一体格局」『北京大学学報（哲学社会科学版）』１９８９年第４期）。

中華民族が多元的であり、しかも一体的であるという理論は

〔表1〕中国の主要な少数民族（人口50万人以上。2020年調査 / 万人）

民族名	主な居住地	人口
チワン（壮）族	広西、雲南、広東	1956.85
ウイグル（維吾爾）族	新疆	1177.45
回族	寧夏、甘粛、河南など	1137.79
ミャオ（苗）族	貴州、湖南、雲南など	1106.79
満州族	遼寧、河北、黒龍江など	1042.33
イ（彝）族	雲南、四川、貴州	983.03
トゥチャ（土家）族	湖南、湖北、重慶など	958.77
チベット（蔵）族	チベット、四川、青海など	706.07
モンゴル（蒙古）族	内モンゴル、遼寧など	629.02
プイ（布依）族	貴州	357.68
トン（侗）族	貴州、湖南、広西	349.60
ヤオ（瑶）族	広西、湖南、雲南など	330.93
ペー（白）族	雲南、貴州、湖南	209.15
ハニ（哈尼）族	雲南	173.32
朝鮮族	吉林、黒龍江、遼寧	170.25
リー（黎）族	海南	160.21
カザフ（哈薩克）族	新疆	156.25
タイ（傣）族	雲南	133.00
トンシャン（東郷）族	甘粛、新疆	77.49
リス（傈僳）族	雲南、四川	76.30
ショオ（畲）族	福建、浙江、江西、広東	74.64
コーラオ（仡佬）族	貴州	67.75

（出所）中国国家統計局編『中国統計年鑑2021』中国統計出版社

多民族統合の面では政治的に使い勝手のいい論理だが、重要なのは「多元」と「一体」は比重が同じではなく、主眼はどちらかといえば「一体」にあるという点だ。また、それは圧倒的多数派の漢族の側から、漢族が中核的存在であることを自明の前提として提起された概念であることにも留意しておく必要がある。その意味で、中華民族は文化も宗教も言語も異なる多民族を、中央集権体制のもとで団結させるための政治的理念と見ることができる。

習近平（シージンピン）総書記は2021年8月、民族政策に関する会議で「確固たる中華民族共同体意識の形成を民族政策の中核に据えなければならない」と指示するなど、「中華民族」アイデンティティーの育成・強化にたびたび言及している。共産党が同年11月に採択した3回目の「歴史決議」（「党の100年に及ぶ奮闘の重大な成果と歴史的経験に関する中共中央の決議」）は、民族政策をめぐり「中華民族共同体意識の構築を党の民族工作の主軸とする」と規定しており、共産党が長期的には諸民族の「多元」よりも「一体」を追求していることを裏付けている。

しかし、共産党は民族問題について党創設当初から以上のような考えを抱いていたわけではない。1922年7月の第2回党大会では①統一された中国本部（東三省を含む）を真の民主共和国とする、②モンゴル、チベット、回疆（清代における新疆タリム盆地地方の呼び名）の三部では自治を実施し、民主自治邦とする、③自由連邦制の原則に立ち、モンゴル、チベット、回疆とともに中華連邦共和国を建設する――との決議を行っている。当時は、漢族主体の中国内地と少数民族主体のモンゴル、チベット、新疆などの地域を区別し、そのうえで「連邦共和国」をつくるという構想を練っていたのである。だが、その後、共産党はこの連邦構想を放棄し、中央が少数民族地域をも一元的に統治する伝統的な「大一統（全国の統一）」体制へと回帰した。

中国の民族政策の特徴は、「民族区域自治」と呼ばれる制度を実施している点にある。この制度は「国家の統一的な指導のもと、各少数民族が集まって住む地方で区域自治を実施し、自治機関を設立し、自治権を行使する」（1984年「民族区域自治法」序文）ことを基本的な柱としている。具体的には、少数民族が居住する地域を自治区、自治州、自治県（内モンゴルでは自治旗）、自治郷といった大中小の行政地域として画定している。

第10章
「中華民族共同体」と少数民族

現在、中国には計31の一級行政区（省・直轄市・自治区）があるが、自治区は内モンゴル、新疆ウイグル、広西チワン族、寧夏回族、チベットの五つを数える。2000年時点で、自治区など一級行政区の下には30の自治州、120の自治県（自治旗）などが設けられている。民族区域自治地方に住む少数民族は、全国の少数民族人口の75％に上り、その行政区域面積は国土の64％という広大な範囲を占める。民族区域自治はいわゆる連邦制とは根本的に異なる。民族区域自治法は「民族自治地方の自治機関は国家の統一を擁護しなければならない」（第5条）と定めており、少数民族の側が現行の国家体制の枠組みから離脱する権利や「高度な自治」を享受することは認めていない。したがって、現行の民族区域自治は「自治」という言葉を用いてはいるものの、少数民族にとってそれがどれだけの実質を伴う自治なのかといった問題をはじめとして多くの不備を抱えている。

北京市中心部の繁華街にたたずむイスラム教のモスク「東四清真寺」。中国の民族文化は極めて多様だが、「中華民族」の名のもとに一元化圧力が強まっている（2019年3月、藤野彰撮影）

第一に、「少数民族の自治区」といっても、今日では住民は必ずしも少数民族が多数派ではない。内モンゴル自治区の場合、モンゴル族などの少数民族は区人口2405万人（2019年）の21・2％（511万人）を占めるに過ぎない。内モンゴルは中原（黄

〔表２〕民族自治区における少数民族人口比率（%）の変化

自治区（成立年）	1953 年	1964 年	1982 年	1990 年	2000 年	2010 年
内モンゴル（1947 年）	15.73	13.00	15.55	19.42	20.76	20.48
広西チワン族（1958 年）	37.51	41.03	38.26	39.24	38.34	37.17
チベット（1965 年）	100.00	97.01	94.97	96.18	94.07	91.93
寧夏回族（1958 年）		30.86	31.94	33.27	34.53	35.39
新疆ウイグル（1955 年）	93.01	68.07	59.61	62.42	59.39	59.92

（出所）『中国民族統計年鑑 2020』のデータを基に筆者作成

河中流域）に近く、歴史的に漢族が大規模な入植を繰り返してきたことが原因だ。中華人民共和国建国後も漢族人口は増え続けた。特に、１９５３年時点で５１２万人だった漢族人口はわずか９年後の１９６４年には１０７２万人へと倍増し、政策的な民族移動が行われたことがうかがえる。

漢族主体の民族環境のなかで、モンゴル族の「漢化（漢族への同化）」は否応なく進行しており、普通話（プートンホワ）（標準中国語）ができなければ、高等教育を受けられず、収入が多く社会的地位のある仕事にも就けないことから、若い世代では母語能力の劣るモンゴル族が増えている。内モンゴル自治区政府は２０２０年８月、小中学校での普通話教育強化の方針を打ち出し、全国統一の中国語版教科書の導入に踏み切った。これに対し、区都フフホトでは内モンゴル師範大学付属中学のモンゴル族の生徒、保護者らが大規模な抗議デモを行うなど、問題は少数民族社会に波紋を広げた。

習近平総書記は２０２３年６月、内モンゴルを視察した際の講話のなかで、普通話と全国統一教材の普及を揺るぎなく推し進め、「中華民族共同体意識」を強化するよう訴えたが、教育における「漢化」を重視しているのは、言語こそが中華民族アイデンティティー培養のカギを握っているからである。中国語優先の教育を徹底していけば、少数民族言語の社会的地位はますます低下し、少数民族アイデンティティーも希薄化していく。その空隙を埋めるのが「中華民族共同体意識」ということになる。

中国教育省によれば、普通話でコミュニケーションできる国民の比率は1999年当時53・06％だったが、2010年には70％へと上昇し、普通話普及率は2020年時点で80・72％に達している。普通話の普及そのこと自体は否定すべきものではないにせよ、衰退する少数民族文化をいかに保護し、振興していくのか、その青写真は明確ではない。

第二は、中国当局の政治的統制が厳しく、少数民族側が望む自治と、民族区域自治の間には大きなミゾが存在している。自治区の最高権力者は自治区共産党委員会の書記で、このポストには中央派遣の漢族幹部が就任するのが慣例だ。一方、二番手以下の自治区政府主席には少数民族が充てられるのが通例だが、同じ少数民族でもあえて地元以外の出身者を配置する人事も行われる。内モンゴルでは2021年、遼寧省出身のモンゴル族、王莉霞（ワンリーシア）（女）が政府主席に任命された。2000年半ばまでは地元生え抜きのモンゴル族が任命されていたものの、それ以降は5人の歴代主席のうち3人が遼寧省出身者である。つまり、民族区域自治とはいえ、実権は漢族に集中する統治メカニズムが定着しており、少数民族幹部も地元出身者だけで固まることのないよう政策的調整が行われているわけである。漢族主導の中央集権の枠組みを厳格に維持するための統治策であることは言うまでもない。

少数民族の政治的地位の低下は、党中央政治局の構成を見ると明らかである。かつて第11～12期（1977～87年）の政治局には韋国清（ウェイグオチン）（チワン族）、ウランフ（モンゴル族）の2人の少数民族政治局員がおり、第11期の政治局候補委員にはサイフジン（ウイグル族）もいた。ウランフに至っては国家副主席（1983～88年）まで務めた。実権の有無はさておき、改革・開放初期はそれなりに「民族団結」への配慮があった。ところが、第13期以降、少数民族は政治局からほとんど排除されており、胡錦濤（フージンタオ）政権時代の第16～17期（２００２～１２年）に政治局員を務めた回良玉（フイリアンユー）（回族）が目につく程度である。少数民族の政治局員は習近平政権（第18～20期）には1人も見当たらない。第20期の中央政治局、中央書記局、中央軍事委員会、中央規律検査委員会の民族構成を見渡すと、少数民族は中央規律検査委員会の常務委員会委員にわずか２名（満族とナシ族）が選ばれているだけであり、党権力の中枢は漢族がほぼ独占している。

全国人口のうち、漢族は91・11％、少数民族は８・89％を占める（２０２０年）。増加率は少数民族が10・26％と漢族の４・93％を大きく上回っていることから、将来的には少数民族人口が1割を突破する状況も予想される。中国当局が「漢化」政策を進めている背景には民族人口バランスの変化への対応もあると考えられる。

（藤野　彰）

（参考文献）

国家民族事務委員会経済発展司・国家統計局国民経済綜合統計司編『中国民族統計年鑑２０２０』中国統計出版社、２０２１年

中国国家統計局編『中国統計年鑑２０２１』中国統計出版社、２０２１年

11

国際問題化する新疆ウイグル情勢

――★「反テロ」「反分裂」の陰で進む人権侵害★――

中国最西部に位置する新疆は18世紀の清・乾隆帝時代に清朝の疆域（領土）に組み込まれたことから、新領土という意味でその名がつけられた。現在の新疆ウイグル自治区は日本の約4・4倍の約166万平方キロメートルもの広大な面積を持ち、中国国土の約6分の1を占める中国最大の一級行政区（省・直轄市・自治区）だ。ロシア、モンゴル、カザフスタン、キルギス、タジキスタン、アフガニスタン、パキスタン、インドの8ヵ国と国境を接し、国境線は一級行政区のなかで最長の約5700キロメートルにも及ぶ。中国内地と中央アジア、南西アジア、南アジアを結ぶ回廊に当たり、石油、天然ガスなどの地下資源も豊富であることから、中国にとっての戦略的価値は極めて大きい。とりわけ、近年は習近平（シージンピン）政権の国家戦略「一帯一路」の中核地域に位置付けられていることから、地政学上の重要性はこれまで以上に高まってきている。

新疆では20世紀前半に「独立国家」が樹立された歴史があるだけに、中国からの分離独立を望む民族感情には強烈なものがある。しかも、新中国建国後の漢族の政策的な大量移住によって漢族とウイグル族の混住が急速に進行しただけでなく、新疆の伝統的なイスラム文化が中央の厳しい統制を受けていることが両者の間の緊張を高め、民族矛盾を複雑化させている。新疆の人口構成を見ると、２０２０年の総人口は２５８５万２３００人で、このうち漢族は１０９２万１００人（42・２％）、ウイグル族、カザフ族などの少数民族は１４９３万２２００人（57・８％）を数える。１９５３年当時は少数民族が４４５万１５００人で総人口の93・１％を占めていたことを考えれば、新疆の「中国化」が加速度的に進行したことが分かる。ちなみに、イスラム教を信仰する新疆の少数民族はウイグル族、カザフ族、回族、キルギス族など７民族に上る。

新疆で東トルキスタン（「トルコ人の土地」を意味するペルシャ語由来の地名）を自称する分離独立運動が高まりを見せたのは１９３０年代以降のことで、１９３３年と１９４４年の２度にわたって「東トルキスタン共和国」が樹立されたが、いずれも短期間で消滅した。現在はウイグル族独立組織「東トルキスタン・イスラム運動（ＥＴＩＭ）」などが活動を展開しており、「中国の反テロと過激化阻止闘争の主戦場」というのが新疆に対する中国当局の政治的位置付けである。

中国政府発表によれば、１９９０年から２０１６年末にかけて新疆では数千件に上る爆発、暗殺、毒物投入、放火、襲撃、騒乱、暴乱などが起き、多くの民衆が被害を受けるとともに数百人の警察官が殉職したとされる。また、中国政府の「新時代の中国国防」白書（２０１９年）は２０１４年以降、武装警察部隊が新疆で１５８８のテログループを摘発し、メンバー１万２９９５人を逮捕したと報告している。

中国当局は新疆の反政府勢力を「三つの勢力」（民族分裂分子、宗教過激分子、暴力テロ分子）と呼び、その撲滅に躍起になっている。新疆の治安上の安定が維持できなければ、「一帯一路」に象徴されるグローバルな発展戦略が画餅に帰しかねないからだが、民族融和をはじめとした新疆の真の安定化という観点から見れば、当局側の強圧姿勢には大きな問題点が存在する。「テロ撲滅」という大義名分のもと、暴力活動とは関係のない、不特定多数の一般人をも巻き込む形で、ウイグル族の社会、宗教、教育、文化全般に対する締め付けとそれがもたらす人権侵害が正当化されてしまうという矛盾である。当局側は「新疆に関する問題はそもそも人権、民族、宗教問題といったものではなく、反テロと反分裂の問題だ。新疆の問題はまったくの中国内政であり、いかなる外部勢力にも干渉する権利はない」（2022年6月の全人代外事委員会スポークスマン発言）として現行の政策の正当性を主張し、米欧などからの対中人権圧力を「以疆制華（新疆問題を口実に中国を抑え込む）の企み」と見なして反発している。

しかし、当局の「反テロ」闘争は、多数のウイグル族を、いわゆる「再教育施設」（中国は「職業技能教育訓練センター」と呼称）に強制的に収容するなどウイグル社会全体への統制強化と連動して進められている。このため、「テロ撲滅」を口実とした抑圧に対し、先進各国や亡命ウイグル人組織「世界ウイグル会議」（本部・独ミュンヘン）のラビア・カーディル議長らは厳しい非難の声を上げている。米国務省は2019年3月、「人権報告書」のなかで中国当局が新疆のウイグル族ら80万～200万人以上を拘束していると指摘。米議会下院は同年11月、対中制裁を含む対応を米政府に求める「ウイグル人権法案」を可決し、中国への圧力を強めた。2022年2月には日本の衆議院も新疆などでの人権問題に懸念を表明する決議を行った。

米ワシントンに本部を置く国際調査報道ジャーナリスト連合（ＩＣＩＪ）が2022年5月に新疆警察当局の資料として公表した「再教育施設」内の写真によると、①収容者が椅子に縛り付けられたまま係官の尋問を受けている状況、②刑務所の独房のような部屋が並ぶ施設内の構造、③収容者たちが何人もの係官に監視されながら地元指導者のテレビ演説に聞き入る様子――などが明らかになっている。また、国連人権高等弁務官事務所（ＯＨＣＨＲ）が同年８月に発表した新疆人権報告は「深刻な人権侵害」の存在を指摘し、「恣意的で差別的な拘束があり、基本的権利の制限や剥奪に該当する」「人道に対する罪に当たる可能性がある」として中国政府に国際人権法に基づく法律運用や政策実施を要求している。

国際社会からの非難に対して、中国側は「職業技能教育訓練センター」の目的は予防措置としての反テロと過激思想の除去にあると説明し、同センターでの研修によって関係者の中国語と就業の能力（縫製、食品加工、電子製品組み立て、印刷、美容など様々な技能訓練）を向上させ、国家意識、公民意識、法治意識を高めることができたと主張している。それと同時に、国際社会から問題視された「１００万人収容」「強制的な避妊手術」「民族文化抹殺」「宗教迫害」などについては事実無根として全面否定している。

中国側の新疆統治の論理を端的に解説すれば、宗教過激主義が新疆へ浸透するなか、多くのウイグル民衆は唆されたり脅されたりしてテロや過激主義の活動に加わっているから、彼らに対して積極的な関与策を講じなければ、宗教過激主義の桎梏から彼らを解放することはできない、というものである。だが、新疆の民族矛盾の激化は中国当局の強圧統治の反動として生じているという点に注目しなければならない。

最大の摩擦要因の一つはウイグル族が信仰するイスラム教への管理強化である。新疆では「宗教活動場所管理暫定規則」「宗教教職人員管理暫定規定」「宗教事務条例」など宗教活動を規制する様々な法令が施行されており、「信教の自由」は有名無実化している。２０２４年２月に施行された改正「宗教事務条例」は、モスクなど宗教施設を新設・改修する際に建物や装飾を中国様式にすることまで義務付けた。ましてや、ウイグル族がアイデンティティー危機を認識せざるをえない状況下で、不特定多数のウイグル族をあたかも「犯罪予備軍」であるかのように見なして予防拘束的に事実上の強制収容施設に送り込む措置が国際的な人権観念に照らして深刻な問題をはらんでいることは言をまたない。

中国当局の政策は新疆の一層の「中国化」推進へと動いている。２０２０年９月、習近平総書記は第３回中央新疆工作座談会で行った講話のなかで、２０１４～１９年の間に新疆の国内総生産（ＧＤＰ）は年平均７・２％の成長を見せ、住民の一人平均可処分所得も同９・１％の伸びを記録したとして党の新疆統治の経済的成果を誇示した。自身がトップに就任した第18回党大会以来、「中華民族共同体意識の形成」と「宗教の中国化の方向性」を堅持してきたとも強調し、「新時代の党の新疆統治策は完全に正しく、長期にわたって堅持しなければならない

新疆ウイグル自治区の区都ウルムチの中心部に立つイスラム教のモスク。中国化が進み、今や市人口の大半は漢族が占める（2000年６月、藤野彰撮影）

ことが実践によって証明されている」と自画自賛した。

さらに、習総書記は2022年5月、新疆を訪問したミチェル・バチェレ国連人権高等弁務官とオンライン会談した際、「発展途上国にとっては生存権、発展権が最も重要な人権だ」と訴え、「人権問題に関して完全無欠な『理想国』は存在しない。偉そうな態度で他国に指図する『先生』は必要ない」とあけすけな言葉で国際社会の対中人権圧力を牽制した。これらの発言から判断する限り、近い将来、中国の新疆政策が柔軟路線へと転換していくことは期待できそうにない。中国当局のこうした強硬姿勢が民族摩擦を一段と複雑化させていることは否定できず、新疆問題は今後も国際社会との間で中国人権問題の主要な論点の一つとして論議されていくことになるだろう。

人権・宗教問題に加え、民族融和へ向けて中国当局が重点的に取り組むべき課題は民族間の経済・文化格差を着実に縮小し、少数民族側の「不平等感」を緩和していくことである。例えば、大学レベルの教育を受けた住民の比率は新疆全体では10万人当たり1万6536人だが、ウイグル族の場合はまだその約半分の水準にとどまっている。また、産業別の就業人口を見ると、漢族とウイグル族など少数民族の間には大きな不均衡が存在しており、都市部を中心に居住する漢族は第2次、第3次産業の従事者が過半数を占めているのに対し、農村部居住人口が多いウイグル族やカザフ族の大半は第1次産業に従事している。こうした状況は民族間の経済格差につながっている。政治・経済の主導権を握る漢族がその優位性を盾にウイグル族を「教育・指導」する体制では民族間の和解も地域の安定も有名無実化することを避けられそうにない。

（藤野　彰）

12

和解遠のくチベット問題

★「ダライ・ラマ後継」の行方に漂う不透明感★

中国内地とチベットの一体化の歴史は1950年代に始まる。中国は1951年、チベットに人民解放軍を進軍させ、同年5月、チベット政府側と「チベット平和解放に関する17条協議」を締結し、チベットを直接的な支配下に置いた。「チベット平和解放」70周年の2021年8月、汪洋（ワンヤン）・人民政治協商会議主席（当時）は記念大会での講話のなかで、チベットにおける衣食住の改善、公費教育の普及、医療の整備など生活面の「歴史的変化」を強調し、「1951年に35・5歳だった平均寿命は71・1歳にまで伸び、民衆の生活の質は日々向上している」として共産党のチベット統治の成果を誇示した。チベットがこの70年間に政治、経済、社会などあらゆる面で大きな変貌を遂げたことは否定できない事実であるが、今日のチベットが直面している解決困難な本質的問題はそこにはない。

チベット自治区ではチベット族の根強い反中国感情を背景に、これまで分離独立を要求する騒乱がたびたび発生し、深刻な民族摩擦が顕在化している。今世紀に入ってからも2008年3月、区都ラサで「チベット独立」などを求める大規模な民族騒乱が発生し、チベットに隣接する青海、甘粛、四川省などのチベット族居住地域にも混乱が波及するなど不安定な情勢が続いている。近年、中国政府の強圧的な民族政策に抗議するチベット族の焼身自殺事件が青海省など各地で相次いで発生していることも事態の深刻さを物語る。

チベット族が中国の統治に反発し続けているのは、漢族とは本質的に異なる独自の歴史、文化、言語、宗教、生活習慣を保持しているとの民族的自負があることのほかに、漢族主導の中央による強圧的な統治への反感や、漢族文化の浸透によって自らの伝統文化と民族アイデンティティーが弱体化してしまうことへの強い危機感があるからだ。中国による統治はチベットの産業、交通、通信、医療などの近代化を促した反面、チベットの文化、教育、言語、生活習慣などの面で「漢化（漢族への同化）」を引き起こし、民族間の不協和音を増大させている。

国際社会が特に注目し、問題視しているのはチベットの人権状況である。チベット人権民主促進センター（本部＝インド・ダラムサラ）の「チベット人権状況」報告（2021年）は①恣意的な勾留、残虐な刑罰、宗教弾圧、言論の自由の抑圧などの深刻な人権侵害が続いている、②チベット人のスマートフォンを没収してダライ・ラマの写真を保存していないか調べたり、家宅捜索を行ったりしている、③チベット人児童に対して学齢前から中国語教育を実施している、④18歳未満の子どもを寺院に入れて出家させないよう父母に強要している――などの問題点を指摘し、中国当局に対して抑圧・同化政策を即時停止するよう訴えている。また、国連人権理事会の専門家グループは2023年4月、チベット族に対する、いわゆる「労働移動」「職業訓練」をめぐって「チベット族を監視し、政治的に教化するため、チベット族の宗教、言語、文化面のアイデンティティーを損壊する口実に使われている」

と指摘されていることに懸念を表明し、「強制労働につながりかねない」との警告を発した。

一方、中国側はチベットにおける人権侵害を否定し、宗教活動も保護されていると一貫して主張している。中国政府が2021年5月に発表した報告書「チベット平和解放と繁栄発展」によれば、自治区におけるチベット仏教の活動拠点は1700ヵ所余りを数え、僧侶・尼僧は約4万6000人に上る。政治面でも自治区の人民代表大会代表439名のうちチベット族など少数民族代表は289名（65・8％）を占めている（2018年1月時点）。共産党政権としてはチベット族主体の自治区の特性を最大限尊重し、民族間の調和と団結に配慮しているという立場である。

ただ、宗教活動ひとつとってもチベット側の自主性に委ねられているわけではなく、寺院や僧侶は政府によって厳しく統制、管理されている。具体的には①各寺院に当局が指導する民主管理委員会を設け、「愛国的僧侶」に実権を委ねる、②チベット仏教独自の転生（生まれ変わり）制度を当局の監督下に置き、ダライ・ラマの関与を排除して共産党の指導に従順な転生者を育成する――などの管理強化が図られている。実際、中国当局の認定を受けた転生ラマ（化身ラマ＝トゥルク）は93名（2022年時点）に上るとされる。

中国がチベット支配に固執する理由は国防、地下資源など多々あるが、長江、黄河、瀾滄江（メコン川）など中国の主要河川の水源がチベット高原に集中しており、国家生存にとっての地政学的位置が死活的に重要だからである。このため、チベットを中央の完璧な統制下に置くことが政策の基本線になっている。習近平（シージンピン）総書記は2021年7月にチベットを訪れた際、チベット政策について「党中央の方針と政策は完全に正しい」と述べ、各民族大衆の間で「中華民族」アイデンティティーを絶えず強化するよう指示した。チベット支配を引き続き強化し、チベット族の「中華民族」化の推進を宣言する内容だった。

はたして党のチベット政策は「完全に正しい」ものだったのかどうか、少し歴史を振り返ってみたい。１９５９年3月にチベット動乱が発生し、ダライ・ラマ14世がインドへ亡命した後、中国は伝統的なチベット社会を刷新する「民主改革」に乗り出した。主要な標的になったのは仏教寺院だった。「民主改革」以前、チベットには大小の寺院が２６７６ヵ所あり、僧侶・尼僧の数は11万４９２５人（総人口の10分の1強）に上っていた。中国はチベット動乱の際に１４８６ヵ所（全体の55・5％）の寺院が反乱に参加したとして、寺院に対して「三反運動（反乱、封建的特権、搾取制度の三つに反対する運動）」を展開し、寺院に民主管理委員会（民主管理小組）を設置して管理・指導を厳格化した。寺院の「民主改革」後、残った寺院は５５３ヵ所だけとなり、僧侶の数も約７０００人へと激減した。文革期にはこれらの寺院も閉鎖、占拠、破壊といった被害をこうむり、最終的には８ヵ所の寺院しか存続できなかった。貴重な経典や文物も破壊行為により大量に失われた。

転機が訪れたのは改革・開放後の１９８０年のことだった。同年3月、北京で第1回チベット工作座談会が開かれ、胡耀邦（フーヤオバン）総書記の指導のもとでチベット政策は柔軟路線へと軌道修正された。胡耀邦は同年5月の講話のなかで、反乱平定の拡大化による後遺症や文革による被害、生活水準の低さなどの問題点を列挙し、「チベットはかなり特殊な大自治区だ。民族の十分な自治がなければ、全国人民の大団結はない」としてチベット族による自治を重視する方針を強調した。新政策は宗教、言語、教育などの面でチベットの独自性を幅広く容認するという点に大きな特徴があり、例えば、教育はチベット語での授業を主とし、漢族主体の一部の学校を除き、小学校はすべてチベット語で教えるとの方針が打ち出された。

しかし、政策緩和の波がチベットに押し寄せるなかで、ラサでは1987、88、89年に相次いで反中国騒乱が勃発し、特に1989年の騒乱ではラサに建国後初の戒厳令が布告される事態となった。これに加えて、同年の天安門事件、ダライ・ラマ14世へのノーベル平和賞授与などによって中国と欧米諸国との緊張が高まり、中国当局はチベットに対する統制強化へと舵を切り、胡耀邦時代の対チベット融和政策は終焉を迎えた。

ダライ・ラマ側の基本的立場は中国によるチベットの「現状」を受け入れず、「独立」を求めず、「高度な自治」の実現を目指すというもので、「中道路線」と位置付けられている。そこには、中国当局が強固なチベット統治を行い、国際社会も「チベットは中国の一部」との中国の主張を承認していることから、仮に「チベット独立」を堅持したとしても実現の可能性はほぼないとの判断がある。しかし、中国はダライ・ラマが「チベット独立の企み」を依然放棄していないと非難する一方、「中道路線」に対してチベッ

ダライ・ラマの居城だったチベット・ラサのポタラ宮。観光開発が進み、手前は広場に改造されている（1999年6月、藤野彰撮影）

トが昔から中国の一部であることを認めず、自治区と四川、雲南、甘粛、青海のチベット族居住地域を含む「大チベット区」を打ち立てようとしているとして反発し、「高度な自治」についてもチベット自治政府の樹立を公言するものだと批判している。

１９３５年生まれのダライ・ラマに残されている時間は限られており、チベット問題は「ポスト14世」をめぐる駆け引きが大きな焦点となってきている。「観音菩薩の化身」とされるダライ・ラマは代々「転生」によって地位が継承されてきた。後継問題について中国はかねてから「中国国内で生まれ変わりを探し出して中央政府が認定し、後継者としての儀式を行う」と主張しており、ダライ・ラマ側による後継擁立を認めない考えだ。これに対し、ダライ・ラマは「年長者で真に敬われている者を（次のダライ・ラマに選べばよい。（後継者を選ぶ方法は）チベット人が決めるべきだ」（『読売新聞』２０１８年11月６日）として中国による後継擁立を牽制している。米国は２０２０年12月に「チベット政策支援法」を制定して中国政府が15世選定に介入しないよう圧力をかけており、将来の事態の展開いかんでは問題が混迷する可能性がある。

というのは、ダライ・ラマに次ぐ高位のチベット仏教指導者パンチェン・ラマの後継をめぐって問題がこじれた前例があるからだ。パンチェン・ラマ10世が１９８９年に死去した際、中国とダライ・ラマの双方がその転生者を擁立し、「２人のパンチェン・ラマ11世」が存在するという異常事態が生じた（中国側の11世は宗教指導者として公に活動しているものの、ダライ・ラマ側の11世は中国当局の監視下に置かれ、所在不明）。中国側もダライ・ラマ側も同じ事態の再来は避けたいのが本音とみられるが、双方がそれぞれ独自に15世を擁立することになれば、チベット問題のさらなる複雑化は必至である。（藤野　彰）

13

習近平政権の「宗教中国化」

★宗教管理政策の段階的強化と細分化★

中国社会における宗教は、改革・開放以降の40年間で復興を遂げた。諸宗教を合わせた信者数の推計は総人口の14％を超える2億人に達し、どんな僻地にも廟や教会、モスクといった宗教施設が立地する。インターネットでは、宗教団体が公益活動への寄付を呼びかけている。

無視できない社会勢力に成長した宗教に対する習近平（シージンピン）政権の政策は、自らの政治目標である「社会主義現代化強国」の実現に向けて宗教信者を動員することと、一党専制の政治・社会秩序を揺るがさないよう宗教組織の運営に党・国家が積極的に介入することとの両輪からなる。

２０２２年の第20回共産党大会の活動報告において習近平は、前回の党大会に引き続き「宗教中国化の方向を堅持し、宗教が社会主義社会に適応するよう導く」と述べ、「宗教中国化」政策を継続する方針を改めて示した。宗教中国化とは、習近平政権が２０１５年に提起した宗教政策の方針である。欧米の思想・文化やイスラム原理主義が宗教活動を通じて中国社会に浸透することを防ぎ、諸宗教を中国の伝統文化と現体制に適応させることを目的とする。

〔表1〕中国の公認5宗教と「愛国宗教団体」

	愛国宗教団体	設立年	本部	代表 （2023年5月時点）
道教	中国道教協会	1957	北京	李光富 会長
仏教	中国仏教協会	1953	北京	演覚 会長
イスラム教	中国イスラム教協会	1953	北京	楊発明 会長
キリスト教 カトリック	中国天主教愛国会	1957	北京	李山 主席
	中国天主教主教団	1980	北京	沈斌 主席
キリスト教 プロテスタント	中国基督教三自愛国運動委員会	1954	上海	徐暁鴻 主席
	中国基督教協会	1980	上海	呉巍 会長

ただ、宗教中国化は習近平の独自政策とは言えない。むしろ中華人民共和国の建国後、特に1980年代の改革・開放期以降の歴代指導者による宗教政策の延長線上に策定されたものだ。まず1949年からの宗教政策の変遷を振り返りたい。

現在の宗教管理政策の枠組みは、1950年代に成立した公認宗教制度にさかのぼる。当時の共産党政権は、道教、仏教、イスラム教、キリスト教プロテスタント、同カトリックの5宗教を公認する代わりに、宗教指導者と信者による「愛国宗教団体」を各宗教に結成させ、この団体を通じて宗教組織の掌握を図った〔表1〕。各団体は、共産党の国家建設に協力する宗教指導者の育成を急いだが、1966年に文化大革命が発動されると、公認団体を含む宗教関係者の迫害が全土に広がり、宗教施設は破壊または接収された。

宗教活動が復活したのは改革・開放政策以降である。共産党中央が1982年に公表した「わが国の社会主義時期の宗教問題に関する基本観点と基本政策〔通称「19号文件」〕」は、文革期の宗教政策の誤りを認め、宗教活動の再開を容認した。急速な市場経済化によって社会が不安定化するなかで、宗教は精神的価値や社会的なつながりを求める人々を引き寄せ、1990年代以降の中国は爆発的な宗教復興を経験した。

想定を超える信者増に直面した江沢民（ジアンヅーミン）政権は、宗教組織が社会主義体制を崩壊させる一因となった東欧を反面教師に、宗教政策の軸足を開放から統制に移した。1999年には、新興宗教色の強い気功集団「法輪功」の信者多数が共産党中枢の北京・中南海を包囲する政治事件を起こし、宗教政策の引き締めが加速した。江沢民は2001年の全国宗教工作会議の席上、「宗教に対する政府の管理は、決して緩むことがあってはならない」と強調し、宗教政策の綱領として以下の4原則を示した。

宗教信仰の自由を認める。
宗教管理の法制度化を進める。
宗教を社会主義社会に適応させる。
宗教団体は独立・自主・自営の原則を貫く（外国の宗教組織の影響を排除する）。

胡錦濤（フージンタオ）政権はこれを引き継ぎ、宗教活動全般に対する管理を初めて包括的に定めた「宗教事務条例」を2004年に公布した。

胡錦濤政権の宗教政策の特徴は、公認宗教の信者に自発的な社会参加を促した点にある。2007年の第17回党大会で胡錦濤は「宗教界の指導者や信者に、経済・社会の発展において積極的な役割を発揮してもらう」と宣言し、党創設以来、初めて宗教に関する項目を党規約に書き込んだ。胡錦濤政権期の中国は経済大国の地位を確立した反面、格差拡大や公害、暴動など、社会矛盾が顕在化した。党は「和諧社会（調和のとれた社会）」をスローガンに、社会秩序の安定を最優先課題としており、宗教はその手段として動員されたと言える。党の要請に応え、宗教界は福祉・教育分野を中心に社会活動を展開し、2008年の四川大地震ではすべての公認宗教団体が被災地復興を支援した。

イスラム教の主要行事「ラマダン（断食月）」の開始にあたり、国旗掲揚式を行う公認団体「中国イスラム教協会」の幹部たち。同協会の楊発明会長は「愛国は信仰の一部である。強国の志と偉大なる祖国のために尽くそう」と信者らに語った（2023年4月23日、中国イスラム教協会ホームページ）

しかし、信者が増加し、宗教団体による社会貢献活動が活発になっても、中国社会で宗教が政治的に敏感な存在であることに変化はなかった。共産党の宗教政策が、無神論のイデオロギーを堅持しながら、宗教の長期的な存続を認めるという矛盾を内包するためである。共産党は、党員の宗教信仰を原則として禁じる一方で、「宗教は大衆性を有し、民族問題と混じりあい、国際環境の影響を受ける。宗教は長期的に存続する」（19号文件）との観点から、公認宗教制度の範囲内で宗教活動を認めてきた。

同様の矛盾は憲法も抱えており、第36条で国民の信教の自由を保障すると同時に、「国家は正常な宗教活動を保護する」として、信教の自由の範囲は、政策の実行は地方政府の裁量に依る部分が大きい。信教の自由の範囲は、政策現場の恣意的な運用により、憲法の規定よりもさらに縮小しているのが実態である。

１９８０年代以降の宗教政策の変遷をたどると、江沢民の４原則を基本指針に、宗教の「統制と活用」のどちらに軸足を置くかに政権の特徴が見られる。２０１２年からの習近平政権では、社会政策全体の引き締めを反映し、統制強化へと大きな揺り戻しが生じた。

２０１５年の中央統一戦線工作会議における「宗教中国化」の提起後、２０１７年には宗教事務条例が13年ぶりに改訂された。宗教原理主義やテロ抑止、非公認の宗教活動に対する罰則が強化され、条文は旧条例の全48条から全77条に拡充された。

２０２０年には、中国国内における外国人の宗教活動について、「外国人宗教活動管理規定実施細則」の改訂案が公開され、外国人による宗教教育の実施や、宗教書籍の中国への持ち込みが禁じられた。同規則に違反した場合は「反スパイ法」容疑に問う内容も追加され、外国人の宗教関係者の活動に対する制限が厳格化された。

翌２０２１年には、聖職者と宗教学校、およびオンラインの宗教活動に対する規制を強化する三つの行政法規が相次いで公布された。

聖職者の管理を定めた「宗教人員管理規則」は、愛国的であり、共産党の指導を擁護することを聖職者任命の条件とした。同規則により、党中央統一戦線工作部が聖職者の任免を統一的に管理する制度が整えられた。

宗教学校への管理を強化する「宗教学校管理規則」では、宗教学校においても社会主義教育を行って教師と学生の国家意識を増強し、愛国的な宗教者を育成することが新たに義務化された。

オンラインの宗教活動を制限する「インターネット宗教情報サービス管理規則」は、コロナ禍で急速に普及したオンラインの宗教活動を、省レベルの政府による許可制とした。

２０２２年には、宗教団体の財務に対する監督を強化する「宗教活動場所財務管理規則」が施行された。

以上のように、習近平政権の発足から10年余りの宗教政策を概観すると、聖職者の任免や宗教学校のカリキュラム、宗教団体の財務管理といった、宗教組織の運営の根幹をなす事柄について、党・政府が介入を強める制度が段階的に構築されたことが分かる。同時に、教育や行政と宗教との分離も複数の規則に明記された。宗教が社会事業に動員された胡錦濤政権とは異なり、習近平時代には諸宗教が一般社会に与える影響の排除が進んでいる。

習近平政権による宗教活動の管理強化に対し、公認宗教の指導者は「宗教界は自浄作用を発揮し、古い規則や悪習を改めるべきだ（沈斌（シェンビン）・中国天主教主教団主席）」などと述べ、宗教中国化を宗教者自身が積極的に進める姿勢で応じた。

２０２２年６月の第19回全国宗教団体連合会議では、公認宗教の全７団体が「倹約を尊び贅沢を戒める共同提議」を発表した。７団体の指導者は、「宗教の名を借りた蓄財や浪費が宗教の社会的イメージを損ない、宗教中国化の深化を妨げている」と指摘した。そのうえで、質素倹約は社会主義社会の価値観と各宗教の教義に共通すると主張し、宗教活動の簡素化を求める学習会を各地の宗教施設に主催させた（『人民政協報』２０２２年６月９日）。

２０２１年の共産党創立１００年の記念行事では、主要５宗教の公認団体は共産党史の学習を最重要活動に定めた。中国道教協会は、党創立１００年を記念するシンポジウムを北京で開催し、日中戦争期に道教の廟が抗日戦の基地となった歴史を振り返った（『中国民族報』２０２１年５月20日）。こうした活動を通じ、共産党政権の宣伝活動と宗教行事との一体化が進んだ。

党・政府による宗教組織内部への介入を強める習近平政権は、宗教中国化の実行ぶりを基準に宗教勢力の分別を進めている。これに対し、教義上の理由から宗教中国化を受け入れられない宗教勢力は地下組織に戻っており、政教関係の緊張が高まっている。少数民族の宗教やキリスト教といった建国当初から続く宗教・民族問題の解決は、より困難になっている。

（佐藤千歳）

II

低成長期経済の新発展戦略

14

国家主導で進む「数字中国」建設

★デジタル・トランスフォーメーション戦略の行方★

中国の経済体制は、建国後の社会主義計画経済から改革・開放を経て、社会主義市場経済へとその姿を大きく変えてきた。しかし、中長期的目標・計画を策定し、中国共産党の強いリーダーシップのもとでその達成を目指す、というスタイルは一貫して変わらない。

創設100周年を迎えた中国共産党は2021年、「第1の100年」の奮闘目標である「小康（ややゆとりのある）社会の全面的完成」を正式に宣言し、「第2の100年の奮闘目標の達成に向けた最初の5年」と位置付ける「国民経済・社会発展の第14次5ヵ年計画および2035年までの長期目標」（以下「第14次5ヵ年計画」と略称）を発表した。目指すのは「高質量発展（質の高い発展）」。中国共産党の第20回党大会（二十大）の習近平（シージンピン）総書記による報告演説でも、経済に関する報告の冒頭で「質の高い発展は社会主義現代化国家の全面的建設の最重要任務である」と述べ、「首要任務（最重要任務）」との強い言葉で質の高い発展を重視する姿勢を示した。これまでの「規模」を追い求める発展を改め、イノベーションを根本的な原動力とした、質の高い発展を目指す。

現在最もイノベーションが生まれている分野が「デジタル」である。「第14次5ヵ年計画」ではこの「デジタル」について、「経済」「社会」「政府」の具体的な取り組みプランが示され、「数字中国」の建設に向けた本格的な第一歩を踏み出した。ここからはその取り組み方針を見ていく。

デジタル技術をベースとする新経済分野のイノベーションは目覚ましいスピードで進んできた（第15章参照）。しかし、「第14次5ヵ年計画」でも指摘されているように、2035年までにイノベーション先進国入りを目指す中国にとって、現時点においては、イノベーション力は質の高い発展要求に適応できていない。中国のイノベーションは、巨大な国内市場を背景に、すでにある技術を応用する「社会実装型」が特徴である。例えば、パソコンやスマートフォン（スマホ）の基本ソフト（OS）市場は米国企業の独占が続く。ソフト、ハード両面における海外技術への依存度は高い。

中国が急ぐのが独自の研究開発、特に基礎研究分野の強化である。「第14次5ヵ年計画」では、社会全体における研究開発費を年平均7％以上増やすとしたうえで、基礎研究比率を総額の8％以上にまで高める目標を掲げた。税制優遇など企業にインセンティブを与え、技術者の育成や外国人専門家の招致にも力を入れる。

研究開発の強化によって生まれた新技術を、積極的に社会へと実装、導入していく計画となっている。デジタル経済分野の重点産業には、「クラウド・コンピューティング」「ビッグデータ」「モノのインターネット（IoT）」「インダストリアル・インターネット」「ブロックチェーン」「人工知能（AI）」「仮想現実（VR）と拡張現実（AR）」の7分野が指定されている。

「デジタル社会」については、日常生活のあらゆるシーンにデジタル技術が溶け込み、すでに人々の

コロナ禍が拡大するなか、北京の公園の入り口に設置された「健康コード」(西村友作撮影)

暮らしを支えている。中国政府は、民間サービスで培ったノウハウを活用することで、公共サービスや社会運営におけるイノベーションを促進し、より便利な社会の構築を目指している。

キーワードの一つが、「インターネット＋公共サービス」。中国政府は2015年、インターネット技術と他のあらゆる産業との連携を後押しすることで、既存産業の新たな発展を促すことを目的とする「互聯網＋」(インターネット・プラス)政策を打ち出した。例えば、「インターネット＋消費」のネットショッピングや、「インターネット＋金融」のフィンテックは、近年目覚ましい成長を遂げている。これを公共サービス分野にまで広げ、より良い社会の実現を目指す。

「第14次5ヵ年計画」では、「教育」「医療」「高齢者介護」「育児」「雇用」「スポーツ・文化」「障害者支援」などが重点分野に指定されている。まさに、中国が抱える大きな社会問題が存在する分野である。

中国社会にはいまだに様々な問題が山積している。特に農村部の問題が顕著で、都市部との所得や教育格差、社会保障制度の整備遅れなど、不均衡発展は依然として未解決のままとなっている。「第14次5ヵ年計画」でも、「数字郷村(デジタル・ビレッジ)」構想に言及されている。公立学校における「オンライン授業」で教育格差を、「インターネット病院」で医療格差の解消を図る。

デジタル社会が進むことで顕在化してくるのが「デジタル格差問題」だろう。高齢者を中心に、スマホを使えない「デジタル難民」が一定の割合で存在する。例えば、新型コロナウイルス感染拡大以降は、自分の健康状態をスマホ上で証明できる「健康コード」が日常的に利用された。導入された直後は、一部の「デジタル難民」が商業施設や交通機関の利用を拒否されるという問題が起こった（コロナ禍において中国で実施されたデジタル防疫に関しては、「西村友作『数字中国（デジタル・チャイナ）――コロナ後の「新経済」』中公新書ラクレ、２０２２年」を参照）。中国政府は、全面的な数字中国の建設に向け、デジタルスキルの教育やトレーニングの強化を通じ、高齢者や障害者などを含む全市民がデジタルライフを享受できる環境整備に取り組んでいく。

「デジタル政府」の現状を見てみると、民間部門に比べて政府部門におけるデジタル化は遅れている。中国政府は今後、デジタル技術を幅広く政府管理に応用することで、行政サービスの効率性、利便性を高めると同時に、そこで得たデータを使って政府部門の意思決定能力を高めたいと考えている。

中国政府が目指しているのは「スマート行政」である。証明書、契約書、サイン・印鑑、領収書などをすべてデジタル化し、煩雑な行政手続き・サービスを、インターネットを通じてワンストップで完了できる環境づくりを推進する。

デジタル「評価システム」の導入による、低質な行政サービスの改善も期待される。民間で幅広く利用されているライドシェアやデリバリーサービスでは、「評価システム」の導入によりサービスの質が段違いに高まった。北京のような大都市ですら、行政サービスの質は低く、市民からは不満の声が多く聞かれる。民間で培ったノウハウによる行政サービスの改善効果が期待されている。

デジタル技術を利用した政府部門の意思決定メカニズムを構築し、ビッグデータに基づく正確でタイムリーな監視、予測、早期警報のレベルを向上させる。また、公共データの公開・共有も強化する。

〔図1〕国家データ局の機能と目標

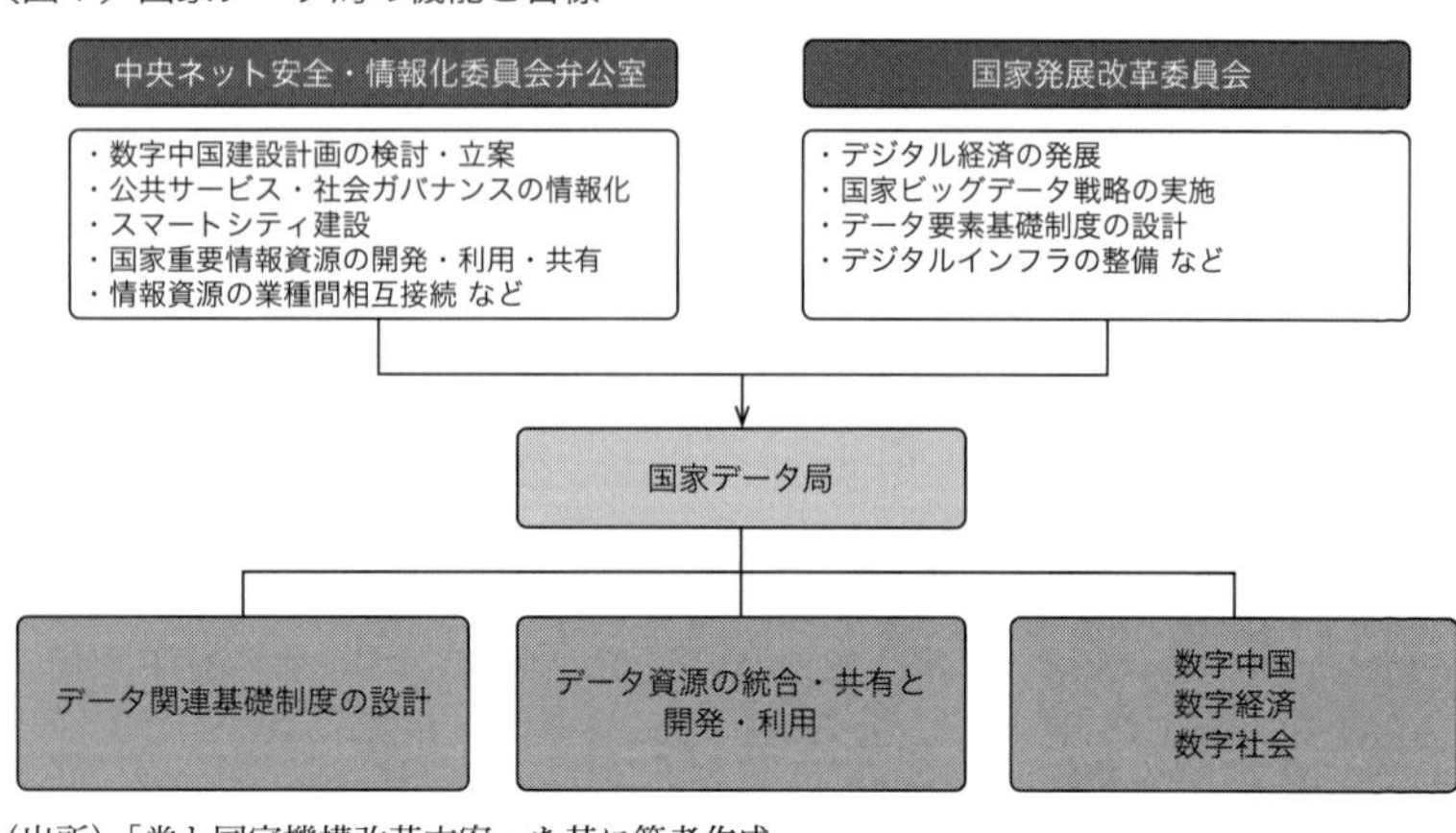

(出所)「党と国家機構改革方案」を基に筆者作成

有識者による公共データへのアクセス、利用を促すことで、「証拠に基づく政策立案(evidence-based policy making = EBPM)」能力を高める狙いがあるとみられる。

この「数字中国」建設を担う新たな部門「国家データ局」の創設が、2023年3月の全国人民代表大会(全人代=国会)で採択された「党と国家機構改革方案」で示され、同年10月に正式に発足した。

これまで複数部門に分散していたデータ利活用を担う機能を集中させ、データを生産要素に用いて経済成長へとつなげる狙いがある。主な職責として、データ関連基礎制度の設計、データ資源の統合・共有と開発・利用、数字中国の計画と構築などを担う(図1)。今後は、国家データ局が旗振り役となり、経済、社会、政治などの分野でデジタル・トランスフォーメーション(DX)を進め、イノベーション駆動型の経済成長を目指す。

本章で紹介した以外にも、中国政府は中央銀行デジタル通貨(CBDC)、通称「デジタル人民元」の正式発行に向けた取り組みも進めている(第16章参照)。民間においても、農業、生産、物流など様々な分野におけるスマート化が積極的に進められている。中国社会におけるデジタル化は今後ますます加速していくであろう。(西村友作)

15

変貌する「ニューエコノミー」

★「B to C 型」から「B to B 型」へ★

近年、中国では、情報技術やテクノロジーの発展を背景に、デジタル技術をベースとする「新経済（ニューエコノミー）」が急成長している。

新経済の大きな特徴は、経済活動において最も信用が必要とされる「決済」が起点となっている点である。モバイル・インターネットの時代に突入し、すでにスマートフォン（スマホ）が社会インフラとなった中国では、スマホにインストールされたデジタル決済アプリをプラットフォームにして、過去になかった新しいタイプのビジネスが次々に生まれ、それらが互いに結び付いた巨大なビジネスエコシステムが形成され、中国社会全体に拡がっている。

まずは新経済の発展過程を簡単に振り返っておこう。

スマホが普及する以前、インターネットへのアクセスはパソコンがメインであった。この時代に、オンライン決済に先鞭をつけたのがアリババである。２００３年に同社が始めたEC（電子商取引）サイト「淘宝網（タオバオ）」における取引の円滑化がオンライン決済「アリペイ」開発の目的であった。

２０１０年代に入り、高速通信網の整備が進むと、スマホの時代が幕を開ける。この時代の変化に素早く対応したのもアリペイだった。２００９年には、中国初のモバイル決済アプリであるアリペイアプリを発表、これまでパソコン上でしかできなかったオンライン決済手段を携帯することが可能となった。

クレジットカードや非接触型ＩＣカードなど、旧来型のキャッシュレス決済ツールは店舗側が専用の読み取り機を用意する必要がある。これは導入コストがかかってしまうため、店側の負担が大きい。中国でも、「銀聯カード（デビットカード）」が２０００年代から普及していたが、専用の読み取り機導入の必要性から、百貨店やスーパー、コンビニなど、一部の大手小売店でしか利用できなかった。

アリペイが中国で初めて導入したＱＲコード決済は全く逆の発想だった。多くの国民が持ち歩くようになったスマホをスキャナーとして使う決済方法を開発し、人海戦術であらゆる店にモバイル決済専用のＱＲコードを配って回った。この方式による支払いは、比較的小さな売店や道端の露天商、屋台など、レジが設置されていないお店が採用している。機械などの購入は一切必要なく、決済用ＱＲコードをプリントアウトしてお店に貼り付けるだけで完了するため、導入コストはほぼ無料に近い。

店舗側のコスト問題をクリアしたことに加え、ユーザーにとってもカードを取り出すことなくスマホの操作だけで支払いができる利便性が受け、実店舗におけるモバイル決済は爆発的に普及。２０１６年ごろになると、レストラン、スーパー、コンビニといった通常の販売店だけではなく、道端の露天商を含め、スマホで決済できない店を探す方が難しくなった。

無人コンビニなど「買う」場面、フードデリバリーなど「食べる」場面、シェア自転車など「移動する」場面、無人カラオケなど「遊ぶ」場面など、生活の様々な消費シーンにおいてモバイル決済が使わ

〔図1〕中国新経済のエコシステム

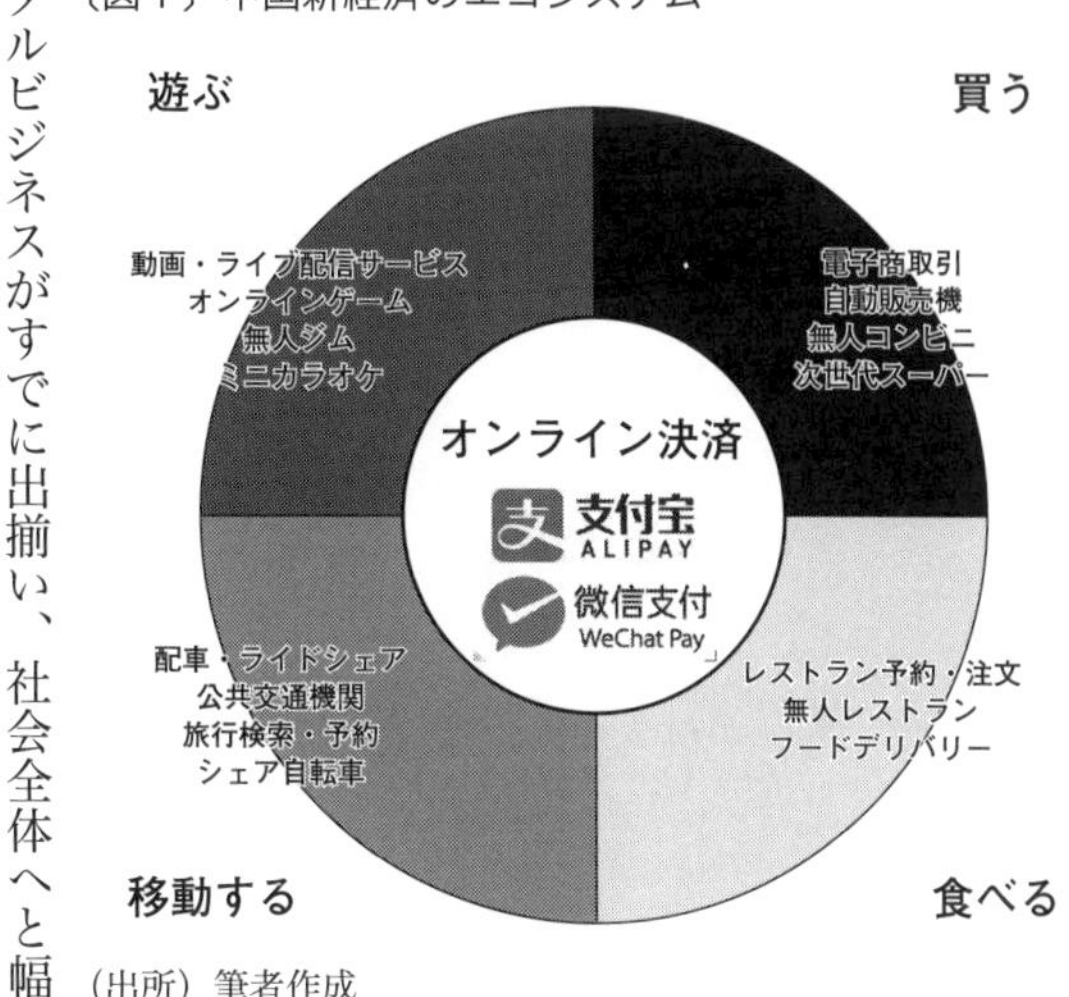

（出所）筆者作成

れている〔図1〕。これらの消費シーンだけではなく、公共料金の支払い、レストランでの割り勘などユーザー同士の送金、祝儀やお年玉、宗教施設でのお布施や大道芸人への「おひねり」の支払いに至るまで、ありとあらゆる場所でモバイル決済が利用されており、財布を持たずにスマホ1台で生活できる社会が実現している（中国社会に広がる「新経済」のエコシステムの詳細は、「西村友作『キャッシュレス国家――「中国新経済」の光と影』文春新書、２０１９年」を参照）。

以上見てきたように、２０１０年代に中国経済の成長を牽引してきたデジタル決済をプラットフォームとする新経済はＢｔｏＣ（企業対消費者取引）型サービスが中心であった。ＢｔｏＣ分野では様々なデジタルビジネスがすでに出揃い、社会全体へと幅広く行き渡るなか、近年では個人情報保護や独占禁止といった観点からプラットフォーマーに対する規制も強化されており、今後は成長ペースが鈍化していくと考えられる。

今後高い成長が見込まれるのがＢｔｏＢ（企業対企業取引）型のデジタルビジネスである。中国の情報通信行政を担う中国工業・情報化省に属する中国情報通信研究院によると、２０２０年におけるデ

〔図2〕産業別のデジタル経済浸透度

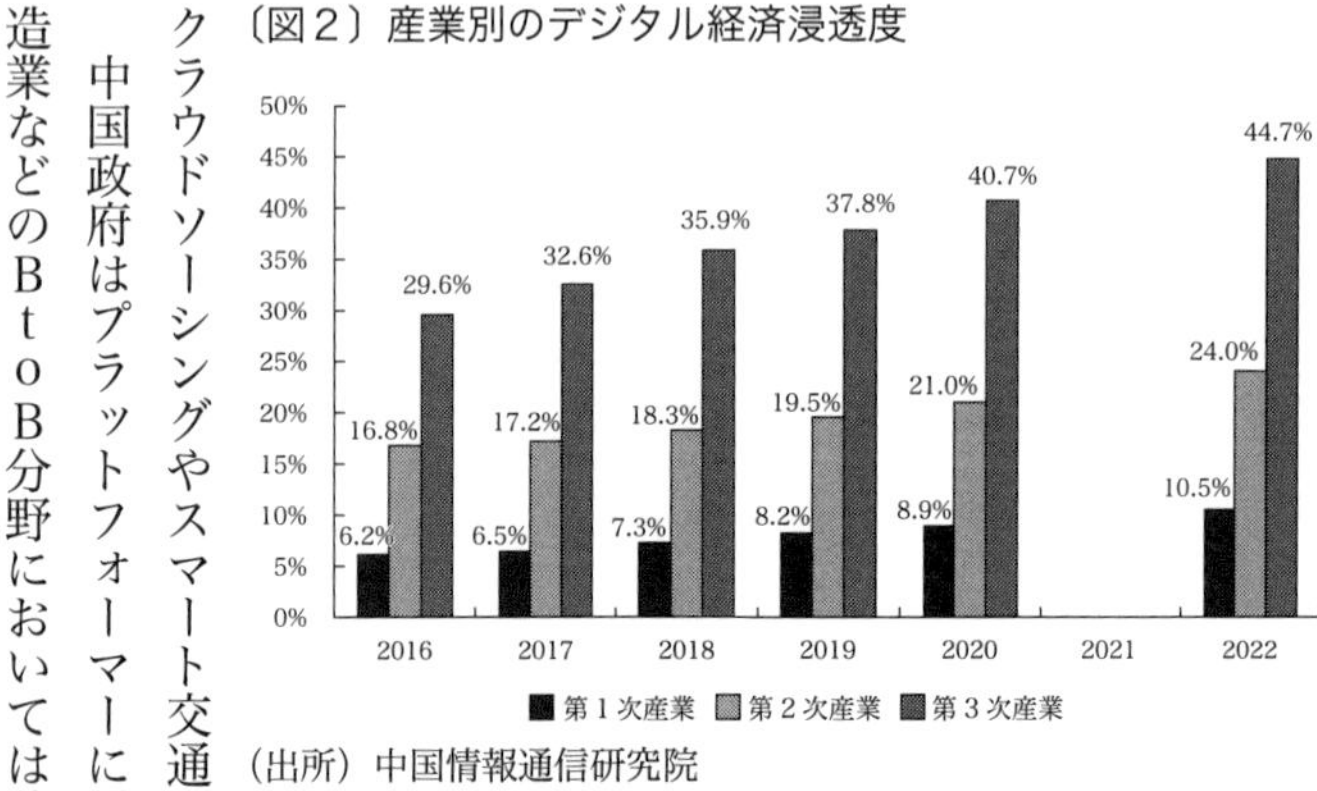

（出所）中国情報通信研究院
注：2021年は未公表

ジタル化浸透度は、第3次産業が44・7%であるのに対し、第2次産業が24・0%、第1次産業が10・5%となっている〔図2〕。これまで比較的デジタル化が遅れてきた製造業や農業の伸びしろは大きい。

5年に一度発表される国民経済の長期的な発展のための目標と方向性を示したグランドデザイン「第14次5ヵ年計画（2021～2025年）」では、従来型産業のデジタル・トランスフォーメーション（DX）についてその方向性が示されている。第2次産業においては、工業インターネットプラットフォームやDX推進センターを建設し、研究開発や設計、製造、経営管理、マーケティングなど一連の関連業務のデジタル化を進める。また、工業団地のデジタル化改造も加速させる。第1次産業ではスマートアグリ（農業）の開発や生産・運営管理のデジタル化、第3次産業でも、クラウドソーシングやスマート交通・物流などを積極的に推進する計画となっている。

中国政府はプラットフォーマーに対し、BtoC分野においては規制を強化する一方で、農業や製造業などのBtoB分野においては積極的にサポートする方針である。中国の経済政策を決定するうえで重要な役割を担う国務院の中核組織・国家発展改革委員会などの関連部門が2021年12月に共同で発表した「プラットフォーム経済の規範的、健全かつ持続的な発展の推進に関する若干の意見」では、DXを通じた農業や製造業の産業高度化において重要な役割を担うプラットフォーマーを支持する方針が示された。

プラットフォーマーもBtoB型ビジネスに注力し始めている。アリババ傘下の「迅犀（シュンシー）」は、アリババに集まる膨大なビッグデータを分析し、消費者のニーズの変化をリアルタイムで商品生産に反映させるデジタル工場の運営を始めた。世界経済フォーラム（World Economic Forum）の報告書によると、デジタル工場により、販売効率は40%向上し、工場での作業効率は3倍になるという。より具体的には、製品の開発時間と生産時間はそれぞれ66%と75%短縮でき、最低発注量は業界平均と比較して98%減、在庫も30%減、さらには水の消費量も50%減らすことができる。もともと「世界の工場」として強みのある製造業のアップグレードを図る狙いがうかがえる。

またアリババ以外にも、自動運転システム「Apollo（アポロ）」を手掛ける百度（バイドゥ）は、スマートカーや無人配送ロボットの開発に取り組んでいる。テンセント（騰訊控股）やファーウェイ（華為技術）などもBtoB型ビジネスに力を入れる。

中国のデジタル経済は中長期的には、BtoC型ビジネスの成長ペースが鈍化していく一方で、政府の支持を得たプラットフォーマーを中心としたBtoB型ビジネスが発展していくだろう。

（西村友作）

16

中央銀行デジタル通貨の試み

★「デジタル人民元」は普及するのか★

プラットフォーマーが提供するデジタル決済サービスはすでに中国社会に幅広く普及し、ほぼすべての国民が現金に代わる「通貨」として利用している。これらに加え、中国政府が新たなキャッシュレスツールとして世に送り出そうとしているのが、中国の中央銀行デジタル通貨（CBDC）、通称「デジタル人民元」である。

中国政府がデジタル人民元を推進する要因の一つとして、決済分野における過度な民間プラットフォーマーへの依存によるリスクの高まりが考えられる。例えば、災害や停電などでスマートフォン（スマホ）が使えなくなったり、技術的問題が発生したりして決済が行えなくなってしまった場合、国全体の経済活動に甚大な影響を及ぼす可能性がある。また、プラットフォーマーは決済事業以外に、様々な金融サービスを幅広く提供している。これら民間企業は金融機関ではないため、万が一破綻した場合においても、ユーザーから預かる資金は預金保険の対象とならない。さらに、政府はマネーロンダリングや脱税などを防止する必要があるが、決済などに関するデータが既存の金融システム外のプラットフォーム上に蓄積されており、監督管理が十分に行き届かないリスクもある。この他にも、決済事業者によるユーザーの囲い込みや独占問題、個人情報・プライバシー保護問題などがあり、新経済エコシステムが拡大すればするほど、問題が顕在化したときの中国経済に与える影響は大きくなる。

そこで、国家が発行主体であるデジタル人民元を発行することで、より安全で、包摂的な決済インフラを構築し、基礎的な金融サービスの水準と効率を高め、デジタル経済のさらなる発展を推進しようという狙いがうかがえる。

デジタル人民元と既存のデジタル決済の違いは、その設計や特徴からもうかがい知ることができる。デジタル人民元は、中央銀行による「集中管理モデル」、仲介機関を介する「二層構造」を採用している。つまり、中国人民銀行が個人に対し直接デジタル人民元を発行するのではなく、指定仲介機関を経由することとなる。中国人民銀行は、デジタル人民元の発行から回収までの全ライフサイクル管理を担当する、運用体系のなかで中心的な地位にある。一方、指定仲介機関はデジタル人民元と現金の両替や流通サービスの提供に責任を負う〔図1〕。

〔図1〕デジタル人民元の「二層構造」

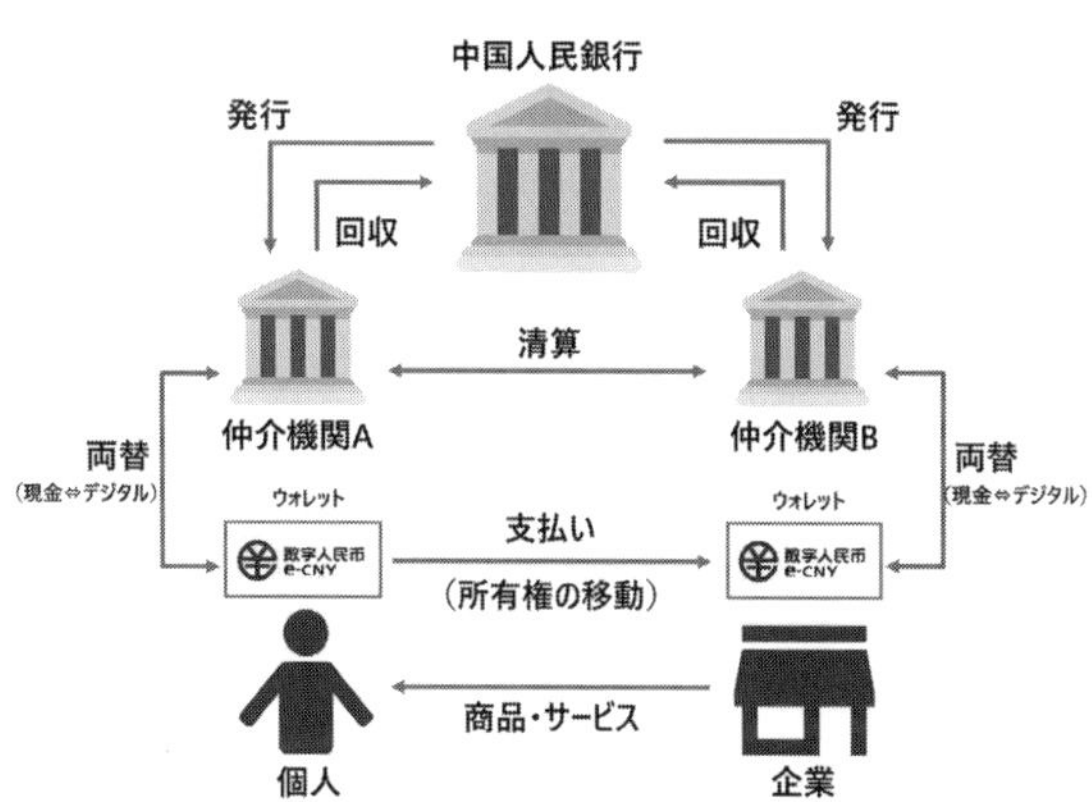

(出所) 筆者作成

指定仲介機関には、資産規模、収益能力、リスク管理能力、現金サービス能力、支払いサービス能力およびイノベーション能力等の面における当局の要求を満たす商業銀行が選ばれる。その他の商業銀行や第三者決済機関は指定仲介機関と共同で、決済商品の設計、システム開発、市場普及や運営維持といったデジタル人民元の流通に関するサービスを提供する役割を果たすこととなる。

デジタル人民元設計には、安全性、包括性、利便性、プログラマブル性、コントロール可能な匿名性といった特徴がある。安全性の面においては、二重払い、偽造や違法コピー、取引改竄などができないように設計されている。包括性の面では、デジタル人民元の利用には必ずしも銀行口座は必要なく、両替コストもかからないため、利用ハードルは低い。利便性の面では、オンライン、オフラインを問わず決済ができる設計となっている。

プログラマブル性とは、あらかじめ定めた条件を満たせば、事前にプログラムされた処理を自動的に実行することを指す。例えば、中国の携帯電話はプリペイド式が主流だが、残金が一定の金額を下回ったら、事前に設定しておいた金額を自動的に入金できるオートチャージ機能などが想定される。

現金には「匿名性」の特徴があるが、クレジットカードやデジタル決済ツールは実名で登録している銀行口座と紐づいているため、決済業者は様々な個人情報を把握することができる。一方、デジタル人民元は個人情報やプライバシー保護を重視しており、取引で交換されるのが暗号化された情報であるため、基本的には利用者個人を特定できない。ただし、マネーロンダリングやテロ資金供与防止の観点から、「少額は匿名、多額は法に基づき遡及可能」という原則のもと、中央銀行は利用者を特定できる設計になっている。これが「コントロール可能な匿名性」という意味である。

それでは今後、デジタル人民元の利用は中国国民の間で広がっていくのであろうか。

中国政府としては、短期間でデジタル人民元を一気に普及させ、現金や既存のデジタル決済に取って代わると考えているわけではない。中国人民銀行が２０２１年７月に発表した『中国デジタル人民元研究開発進展白書』においても、「実物人民元に対するニーズが存在する限り、人民銀行は実物人民元の供給を止めることや行政命令で交換させるようなことはしない」と明記してある。

また、消費者目線から見ると、政府主導で進めるサービスは顧客ニーズを吸い取って具現化していくのが得意とは言えず、すでに使い慣れている既存のデジタル決済ツールと比べて、デジタル人民元の使い勝手は決していいとは言えない。デジタル人民元を幅広く普及させるためには、利用を促す何らかのインセンティブを与える必要がある。

こうした点を踏まえると、確かに、短期間でデジタル人民元が大きくシェアを伸ばすことは想像しがたい。しかし、中長期的に普及が進むポテンシャルはあるだろう。

中国建設銀行のデジタル人民元ウォレット（西村友作撮影）

その理由が「手数料」の存在である。デジタル人民元は現金と同じ扱いであるため、中国人民銀行は指定仲介機関から両替や流通サービスにかかる費用を徴収しないし、指定仲介機関もユーザーからいかなる費用も受け取らない。一方、既存のデジタル決済では、少額ではあるが手数料がかかっている。個人商店や屋台など、取引金額が小さければ大した影響はないかもしれないが、百貨店やショッピングモール、コンビニなどのチェーン店になれば一日の取引金額は大きい。店舗運営者からすると、コストはなるべく抑えたい。もし既存のデジタル決済業者が手数料を据え置くのであれば、リアルの消費現場では、デジタル人民元の利用が進むと考えられる。

もう一つの可能性が公的機関での利用である。最近ではほとんど見なくなったが、民間でキャッシュレス決済が幅広く普及していく過程において、遅々として利用できなかった場所が公立の施設だった。中国政府は現在、全面的な数字中国の建設に向け、社会全体のデジタル・トランスフォーメーション（DX）を積極的に進めている（第14章参照）。公共、行政サービスのデジタル化によってネット上で手続きから支払いまでワンストップでできるようになれば、これらのシーンでは、デジタル人民元の利用を促す方向に進むだろう。

今後、デジタル人民元が正式に発行された場合においても、現金や既存のデジタル決済ツールと共存しつつ、中長期的には徐々にその存在感を高めていくであろう。

（西村友作）

17

深化するイノベーション

★新常態における「創造大国」への転換★

2000年以降、10％を超える経済成長率が続いた中国経済は、このところ成長鈍化が著しい。中国政府はこの成長鈍化を「新常態（ニューノーマル）」と呼び、いわゆる「創造大国」への転換を目指している。そのためには、経済発展パターンを資本や労働の投入に依存した「粗放型」から、科学技術の進歩や労働者の熟練化などの「生産性の上昇」に頼る「集約型」に転換させ、産業構造の高度化（産業高度化）やイノベーション能力の深化に取り組むことが不可欠となる。

中国政府もその重要性を認識しており、産業高度化を目的として「大衆創業・万衆創新（大衆による起業、万人によるイノベーション）」「互聯網＋（インターネット・プラス）」「中国製造2025」など、多種多様なイノベーション関連政策を発表してきた。産業高度化を進める推進力としてのベンチャーを支え、支援するために、中央政府や地方政府は基金を設立し、ベンチャーやベンチャーキャピタル（VC）に投資するようになった。

「中国製造2025」とは、2015年に策定された、「製造大国」から「製造強国」に転換し、産業高度化を目指す中国の国家戦略である。具体的には、第1段階として2020年までに工業化をほぼ実現し、「製造大国」としての地位をより確固たるものにしたうえで、２０２５年までに製造業の全体的な資質を大幅に向上させ、イノベーション能力を顕著に増強し、労働生産性を上昇させる。第２段階として、２０３５年までに中国の製造業全体の水準を世界の「製造強国」の中位レベルに引き上げる。最終的には、第３段階として、中華人民共和国建国１００周年（２０４９年）には、総合力において世界トップレベルの「製造強国」となることを目指している。

〔図１〕主要国における特許出願件数

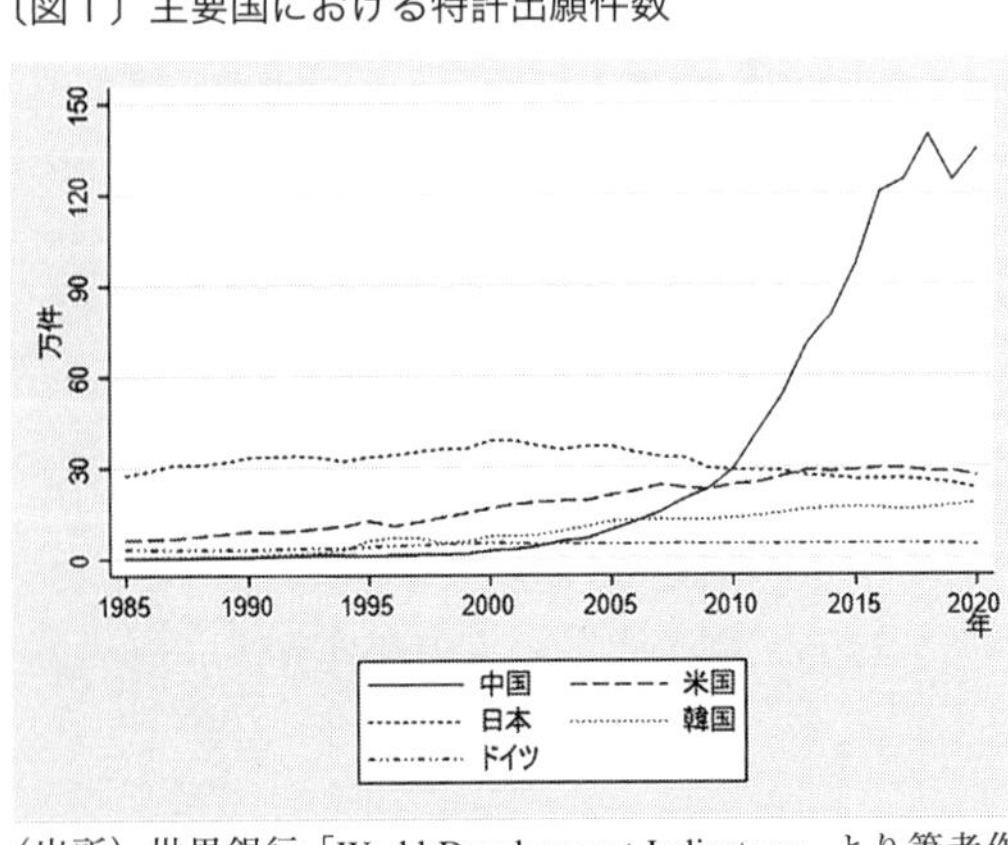

（出所）世界銀行「World Development Indicators」より筆者作成

つまり、「中国製造２０２５」はこの３段階における第1段階の10年間にわたるアクションプランと位置付けられる（真家陽一「産業高度化に向けた政策の潮流――国家戦略「中国製造２０２５」の動向」『中国創造大国への道：ビジネス最前線に迫る（服部健治・湯浅健司・日本経済研究センター編著）』第３章、文眞堂、２０１８年）。中国はいま、「Made in China」（中国での製造）から「Created in China」（中国での創造）への転換、いわゆる「創造大国」への急速な転換を目指している。この様子は、統計データからも確認することができる。

〔図1〕は特許出願件数を国際比較したものであり、中国のイノベーションへの取り組みを「アウトプット」の側面から確認することができる。中国の特許出願件数は2000年ごろから急激な増加を見せ、2010年前後には日本を追い抜いて世界一となった。この指標は「特許の質を考慮せず、その数だけでイノベーションの水準を完全に把握することはできない」という限界がある。特に、中国においては研究費の配分基準として特許数が重視され、そのために「特許をとりあえず申請する」という状況にあることが知られている。しかし、特許出願件数はイノベーションの状況を把握するために広く一般的に用いられているものであり、この指標から中国の「創造大国」化への「本気度」を視覚的に確認することができる。

中国のイノベーションへの取り組みは1978年の改革・開放政策以後に本格化した。当時、大躍進政策や文化大革命を経験した中国経済は極めて疲弊しており、中国は経済的にも技術的にも、典型的な後進国であった。10億人弱の人民の生活を守り豊かにするためには、今でいうところのイノベーションではなく、工業化、先進国への技術的キャッチアップが喫緊の課題であった。しかし、先進国技術の導入のためには、資本が決定的に不足しており、なおかつそれを学習し身につけるための知識や技術の受容能力も不足していた。

しかし、不足からビジネスチャンスを見つけ出す商才に長けた多くの中国人は、技術的キャッチアップのため、「垂直分裂」という産業組織を自然発生的に構築した。垂直分裂とは、垂直統合（自社の製品やサービスの工程を上流から下流まで統合して一手に担うこと）とほぼ正反対の概念であり、従来一つの企業のなかで垂直統合されていたいろいろな工程ないし機能が、複数の企業によって別々に担われることを指す（丸川知雄『現代中国の産業——勃興する中国企業の強さと脆さ』中央公論新社、2007年）。

東京大学の丸川知雄によれば、中国ではパソコン産業、テレビなどの家電産業から自動車産業まで、多岐にわたる産業において垂直分裂が観察されるという。そのなかでもとりわけ特徴的であるのが、携帯電話機産業、特に中国政府の認可を受けた携帯電話機ではなく、正式な認可を受けていない「山寨（シャンジャイ）携帯」の生産工程である。「山寨」とは、山賊のすみか、などの意味があるが、それが転じて「コピーや偽物」を意味する。日本などにおける携帯電話機の生産は、外装やＩＣチップまで、ほぼ一貫して同一企業内で生産され、組み立てられるが、山寨携帯の生産工程は、極めて細かく「分裂」している。丸川によると、携帯電話機の企画や販売を手掛けるインテグレーターと呼ばれる企業が、基盤やソフトの設計会社、金型メーカー、ケースの設計会社をつなぎ、基盤やソフトの設計会社はＩＣチップのメーカーや各種部品メーカーをつなぐことで、インテグレーター（と基盤やソフトの設計会社）が主体となりながら、各企業が様々な携帯電話機の部品の開発・生産を担っており、極めて細かな企業間分業が観察されるという。

この垂直分裂の仕組みこそが、最先端技術の結晶である携帯電話機を、技術力を持たない中国の中小メーカーが生産できた理由である。一社で、携帯電話機を構成するすべての部品の技術をキャッチアップすることは難しくとも、それぞれの部品技術のキャッチアップを各社で分担することにより、極めて速いスピードで、産業全体として技術のキャッチアップが達成できたことは非常に興味深い。垂直分裂により、技術水準の低い小規模企業もハイテク市場への参入が可能になり、中国の多くの市場で旺盛な参入が散見された。その結果、非常に激しい企業間競争が生じ、言い換えれば、激烈な価格競争が生じたため、最終製品の価格も低く抑えられるようになったのである（渡邉真理子『中国の産業はどのように発展してきたか』勁草書房、２０１３年）。

市民の足として急速に普及したシェアサイクル
（2023年8月、天津市にて三竝康平撮影）

２０１７年ごろから、中国ではＱＲコード決済やシェアリングビジネス（シェアサイクルなど）が急速に普及し、近年はＡＩ（人工知能）やロボットなど、いわゆるディープテックと呼ばれる分野においてもイノベーションの深化が目覚ましい。企業による個人情報の活用への忌避感が諸外国と比較して弱い（または、その対価として快適なサービスが無償で受けられるのであれば受け入れてみるという消費者が多い）点や、完全ではないサービスであってもひとまず社会実装を試みる傾向とそれを受け入れる風土がうまく重なり、中国はイノベーティブな企業にとってのサンドボックスのような状況になっている可能性が高い（三竝康平「日本および中国における企業のＡＩ・ＩｏＴ利活用の現状と課題」『日中両国のイノベーション戦略とその展開：脱炭素化・デジタル化を中心に（郭四志編著）』第４章、文眞堂、２０２２年）。欧米の大学で最先端の技術を学び、中国に帰国した後にベンチャー企業を創業する中国の若者（海亀族と呼ばれる）が注目を集めているが、世界中の才能が集まりつつある深圳や上海は、数十年後、世界のテクノロジーやアイデア、デザインの中心の一つになっているかもしれない。

（三竝康平）

18

中国独自の経済制度

――★「曖昧な制度」が生み出す第2世代イノベーション★――

前章では、中国が技術的キャッチアップを果たし、目覚ましい勢いでイノベーションを深化させている状況を、「垂直分裂」などをキーワードに国レベルの統計データを追いながら確認した。ところが、企業レベルのそれを基に別の角度から中国企業のイノベーションへの取り組みを見ると、少し異なった状況が観察できる。

〔図1〕によれば、すべての規模以上工業企業（年間の主要業務収入が2000万元以上の工業企業）のなかで、R&D（Research and Development＝研究開発）活動に取り組んでいる企業の割合を見ると、2004年の段階では6・2％であったが、その10年後の2014年では16・9％と、わずか10％の増加にとどまっていた。前章で紹介したような中国政府の強力な科学技術振興政策も一助となり、2021年にはその割合は38・3％へと上昇した。

ただし、期間や指標、産業が異なるため単純に比較はできないが、例えば日本の製造業と比較した場合、総務省統計局の2022年度科学技術研究調査（2021年度実績）によれば、製造業の従業員数300人以上（中国における中規模企業の基準であり、規模以上工業企業という基準にほぼ等しい）の企業の約63・1％

〔図1〕中国において研究開発に取り組む企業の割合

（出所）主に『中国統計年鑑』を基に筆者作成。一部の年度にデータの欠落があるため、2005年から2007年は中国鉱工業企業データベースを基に筆者が推計した。また、2010年は2009年と2011年の中間値とした。

がR&D活動を行っている。中国における割合は2010年ごろから徐々に上昇傾向にあるが、「割合」で見ると、R&D活動はあまり広く行われていないと言える。本章では、この要因を中国の「制度」を鍵として明らかにしてみたい。

まず、本題に入る前に、中国の理解のために、なぜ「制度」が重要なのかを「資本主義」や「社会主義」といった根幹的な例を基に確認したい。そもそも、資本主義は人々を資本家と労働者という二極に分類することで自然発生的な役割分担を実現させ、急速な工業化を達成させた。言い換えれば、産業革命の原動力の一つとなった。ただし、この過程で資本家と労働者の格差は大きく拡大し、労働者の不満も急速に高まることになった。その流れのなかで、「平等」に重きを置く社会主義が誕生する。

中華人民共和国は1949年に建国されたが、建国当初から中国の社会経済システムが完全に社会主義化されていたわけではない。毛沢東（マオゾードン）の指導のもと、既得権層の利害を損なわないよう「漸進的」に社会主義化・計画経済化が進められた。ただし、その後、大躍進運動や文化大革命など経済効率を無視したイデオロギー的な経済政策が推し進められたこと、社会主義・計画経済が抱える「情報の非対称性」などの根本的な問題ゆえに、誤った経済政策が立案されたことなど様々な要因により、社会主義経済システムの限界が露呈した。そこで、毛沢東の死後、鄧小平(ドンシアオピン)主導のもと、改革・開放へと舵を切った。

この政策の大きな柱の一つは、市場化、すなわち計画経済から市場経済へと経済システムを大きく転換させることにある。当然のことながら、中国の体制は社会主義のままで、という注釈がついている。この点が非常に重要な点である。一般的理解として、資本主義は市場経済、社会主義は計画経済とペアが決まっているなかで、中国は社会主義と市場経済のペアを選択したことになる。社会主義的な平等を重視しつつ資本主義的な経済システムを導入するという大きな矛盾、そして、1949年ごろから今日までの間に経済体制が何度も転換するという大きな変化の波は、旧ソ連が崩壊したことを踏まえれば、中国の社会経済を大きく混乱させる要因となるという予測は簡単にたつ。しかし、改革・開放政策が施行されてから45年が経過し、中国は日本を追い越し、世界第2位の経済大国となった。中国は制度的な矛盾から生じる様々な課題を、後で紹介する「曖昧な制度」を構築することで克服し、飛躍的な経済発展を達成した。

ここで、中国において企業が研究開発にあまり取り組んでいない要因に議論を戻したい。本章では、これを説明する一つの鍵として「構造化された不確実性」という議論を援用する。構造化された不確実性(Structured Uncertainty)とは、D・ブレズニッツとM・マーフリー(Breznitz, Dan and Michael Murphree, *Run of the Red Queen: Government, Innovation, Globalization, and Economic Growth in China.*, Yale University Press, 2011)が

第18章
中国独自の経済制度

提起した概念である。これは、「広範囲に交差した忠誠心、絡み合った権威のマトリックス、制度化されない無数の組織、個人の権威や人的ネットワークに対する継続的で強力な信頼」と定義されている。

中国には、中央政府と地方政府間の複雑な命令系統があり、また、官僚組織のなかに「関係（グワンシー）」と呼ばれる独特な人的ネットワークが存在する。そして、それが組織や地域の枠を超えてつながっているため、組織をより複雑にしているなど、様々な「曖昧さ」が存在する（加藤弘之『「曖昧な制度」としての中国型資本主義』NTT出版、2013年）。神戸大学の加藤弘之は、これらの特徴を「曖昧な制度」としてまとめた。曖昧な制度とは、高い不確実性に対処するため、リスクの分散化を図りつつ、個人の活動の自由度を最大限に高め、その利得を最大化するように設計された中国独自のルール、予想、規範、組織を指す、という。構造化された不確実性について端的に説明するとすれば、それは中国に内在する曖昧な制度により生み出された不確実性であると言える。

現在の中国は、加藤が指摘するようにルールや目標モデルから組織の構造、責任の所在に至るまで、様々な側面に「曖昧さ」を内包している。そのため、不確実性が高い中国においては、企業は長期の研究開発期間を要するリスクが高い最先端の技術開発としての自主イノベーションを手控えるようになった。これが、研究開発に取り組む企業の割合が中国において低い要因の一つである。

しかし、中国企業はイノベーションにまったく取り組まなかったわけではなく、「第2世代イノベーション」に取り組む企業が現れた。ブレズニッツとマーフリーによれば、第2世代イノベーションとは、既存の技術を用い、主にデザインや機能の側面を中心とした新商品開発を指す。中国企業は「構造化された不確実性」の存在を踏まえ、アメリカや日本などで追求される、長期の研究開発期間を要するリスクの高い最先端のイノベーションを手控え、短期間で確実に成果が得られる低リスクの第2世代イノベーションを行うという選択をする、という傾向があるという。つまり、多くの中国企業は、最新のコア技術については、それを持つ外国企業を買収する、あるいは技術自体を秘密裏に模倣する、などの手法で外部依存し、その周辺技術やデザインの開発に力を入れた。その結果、革新的ではないものの、ある種の（第2世代的な）技術進歩が起こり、結果的に中国では一部の企業や産業の急成長が達成された。

〔図2〕中国における知的財産保護指数（地域別）

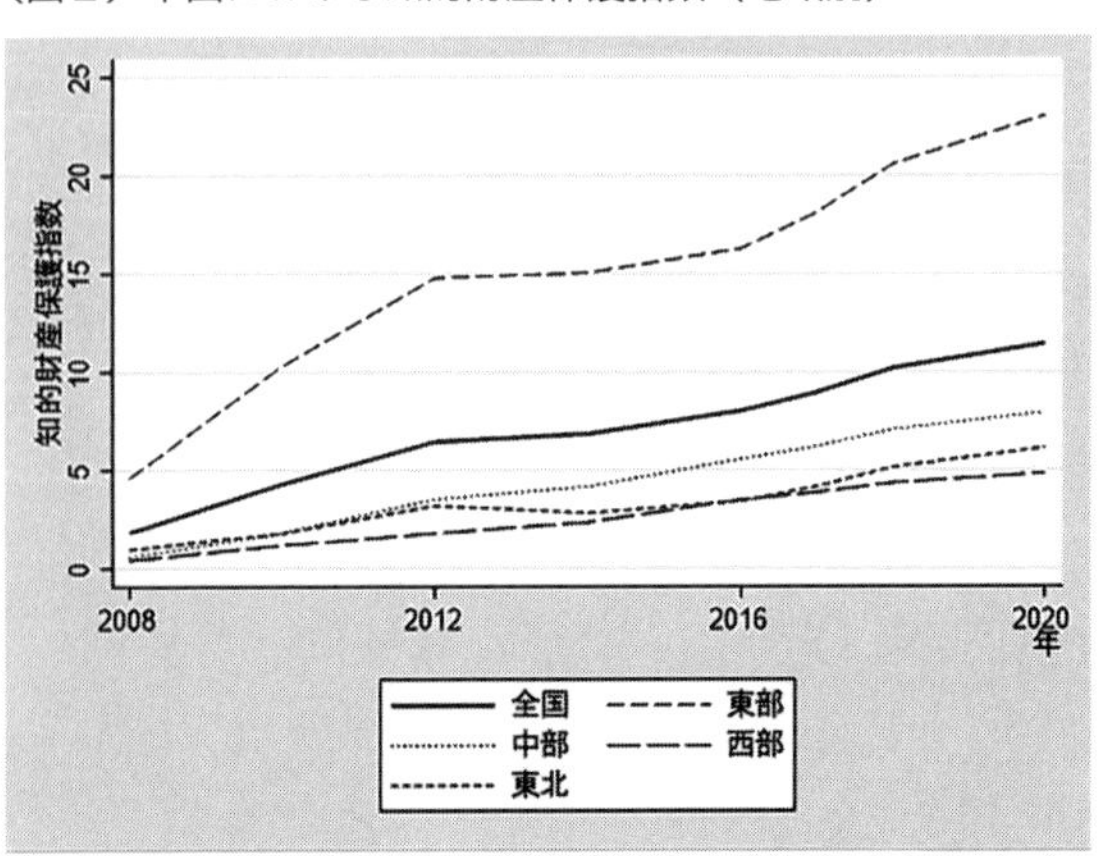

（出所）国民経済研究所「中国分省份市場化指数報告」各年版を基に筆者作成

注：同報告書に記載されているデータは2年または3年おきであるため、公表されていない年度のデータについては、前後の年度のデータの中間値をとるなど、グラフ化できるよう実験的に調整した。

一方、中国政府はいま、第2世代イノベーションだけではない、コア技術の開発力強化や自主イノベーションの推進を目指し、知的財産制度の整備や国際化を進めている。〔図2〕は、中国における知的財産保護指数を地域別で示している。データについては、北京に本拠を置く国民経済研究所が中心となって取りまとめている、中国の市場化や民有化、制度化についての状況を省別に定量的に示している「中国分省份市場化指数報告」（このデータの詳細については中兼和津次・三竝康平「民営化、市場化と制度化の連鎖関係――民営化は市場の発展に必要か」『二重の罠を超えて進む中国型資本主義（加藤弘之・梶谷懐編）』第7章、ミネルヴァ書房、２０１6年を参照）内に収録されている、各地域の知的財産保護や研究開発活動に関する指標を総合した「知的財産保護」に関する項目の得点を利用した。〔図2〕によれば、知的財産保護の水準について、東部（沿海部）地域は他地域を大きく引き離す形で、ある程度整備が進んでいるものの、その他地域は全国平均を下回り、比較的未整備な状況が示されている。

「創造大国」へと変貌を遂げようとする中国にとって、このまま「第2世代イノベーション」を深化させてゆくことが望ましいのか、それともコア技術の開発も伴う最先端の「自主イノベーション」へと技術開発を転換させていくことが望ましいのか、いますぐに結論を出すことは難しい。しかし、後者を選択する場合、知財環境の整備に加え、構造化された不確実性などの制度的要因も再び課題として浮かび上がるだろう。その意味でも、中国の制度環境はこれからも注視していく必要がある。

（三竝康平）

19

先行き不透明な不動産市場

★コロナマネー流入と痛みを伴う規制★

２０２０年、中国の不動産取引は、新型コロナの感染拡大に伴うロックダウンなどによって一時期下火になったが、中国経済の復調とともに不動産（住宅）価格も対前月比でプラス成長に転じ始めた。そして、中国国内の経済活動が徐々に回復していくなかで、新型コロナウイルスで打撃を受けた実体経済の支援のために投下された資金が不動産投機に流用される現象が起きた。

零細企業向け銀行融資の金利優遇とともに利息の50％を地元政府として補塡していた広東省深圳市などで、不動産を担保にビジネスローンを借りて、別の不動産に投機する「房抵貸」が問題になった。『第一財経日報』（２０２０年４月21日）は、深圳市の政策を使って、米国向けに電子製品を輸出していた同市南山区の工場経営者が自宅を担保に地元政府の利子補助を受け、住宅ローン金利よりも大幅に低い１・９％（通常の住宅金利は４・75％）でビジネスローンを組んだと紹介した。この経営者はビジネスローンで得た資金で新たな住宅を購入して不動産経営に転じたという。

２０２０年４月22日の国務院新聞弁公室主催の記者会見で香

〔表1〕大手不動産デベロッパーのレバレッジ（2020年6月時点）

企業名	総負債／総資産	（有利子負債－現預金）／自己資本	現預金／短期有利子負債
中国恒大	85%	266%	0.26
碧桂園	82%	38%	1.83
万科	76%	27%	2.00
融創中国	82%	149%	0.47
華夏幸福	77%	217%	0.47

（出所）2021年2月19日付『財経』を基に筆者作成

港フェニックステレビの記者が、深圳市の不動産市場の振れ幅が大きくなった問題をめぐり、「政府が支援するビジネスローンが不動産市場に不正に流入している」と指摘、これに対して、肖遠企（シアオユエンチー）・中国銀行保険監督管理委員会首席リスク官兼スポークスマンが「深圳では確かにこのような状況が発生している」「断固として是正させる」と回答し、「房抵貸」の実態調査を行うことを明らかにした。それから約1年後の第一財経公式サイトの記事（2021年3月18日）によると、深圳市当局が調査した結果、深圳農商銀行光明支店、平安銀行深圳支店等の関係者が「房抵貸」などの違法な融資に関わっていたとして処罰された。「房抵貸」はコロナマネーの流入の過熱現象を表す象徴的な出来事として注目された。

2020年は一部の大手不動産デベロッパーの負債比率が危険な水準に達していた。大手不動産デベロッパーのレバレッジを見ると、中国恒大などの2020年上半期の総資産に対する負債比率は80％を超えた〔表1〕。これは例えば、1万円の元手で5万円の投資を行っていることを意味する。自己資金の4倍を借り入れた状態で市場価値が20％下落すれば、純資産（元手の1万円）はすべて吹き飛ぶ。

この不動産リスクに対処するために、中国政府は「デレバレッジ」政策に向けた新たな政策を打ち出した。2020年は2017年の第19回党大会で習近平（シージンピン）総書記が打ち出した「三大攻堅戦」（三つの難関突破戦＝重大・金融リスク防止、貧困脱却、環境汚染防止）の目標達成の最終年であり、「重大・金融リスク防止」実現のためにも、デベロッパーの財務状況に応じて新規資金調達を制限する「Three Red Lines」を導入したのである。この「Three Red Lines」の内容は正式に対外発表されていない。しかし、2020年8月、中国人民銀行および住房城郷建設省（日本の国土交通省に相当）と大手デベロッパーとの座談会に関する報道などによると、①総負債／総資産70％以下、②（有利子負債－現預金）／自己資本100％以下、③現金／短期有利子負債1・0以上（短期負債を上回る現金の保有）――の三つが評価軸として設定されたという〔表1〕。上記①～③のすべての項目を達成すれば「緑」とされ、新規資金調達に対する有利子負債調達制限は前年度末比＋15％以内、上記①～③のうち2項目を達成すると「黄」で新規資金調達に対する有利子負債調達制限は同＋10％以内、上記①～③のうち1項目を達成すると「オレンジ」とされ、新規資金調達に対する有利子負債調達制限は同5％以内、すべて未達は「赤」で新規資金調達に対する有利子負債の増加は不可とされた。翌年1月には、「Three Red Lines」規制に加えて、中国人民銀行は中資系銀行の不動産向け貸出制限策として銀行の規模に応じて不動産貸出比率や個人向け住宅ローン比率の上限を定める総量規制も導入した。

一連の不動産デベロッパーの財務体質を改善させる措置は不動産市場全体の持続可能な安定成長に資するものであり、措置自体に間違いはなかっただろう。しかし、その後の副作用を見れば、「やり過ぎた」という声もある。恒大集団のデフォルトリスクの顕在化はその代表的な副作用の一つだ。

恒大集団は深圳市に本拠を置く大手不動産開発事業者で「万科」「碧桂園」と並ぶ「三強」と称され、コストを抑えたマンションを大量に建設し、中所得層を取り込んで成長してきた。創業者の許家印（シュージアイン）は世界22位、中国3位の大富豪である（2019年3月時点）。デレバレッジが進められるなか、2021

〔図１〕不動産投資と販売面積（対前年同月比、累計伸び率）

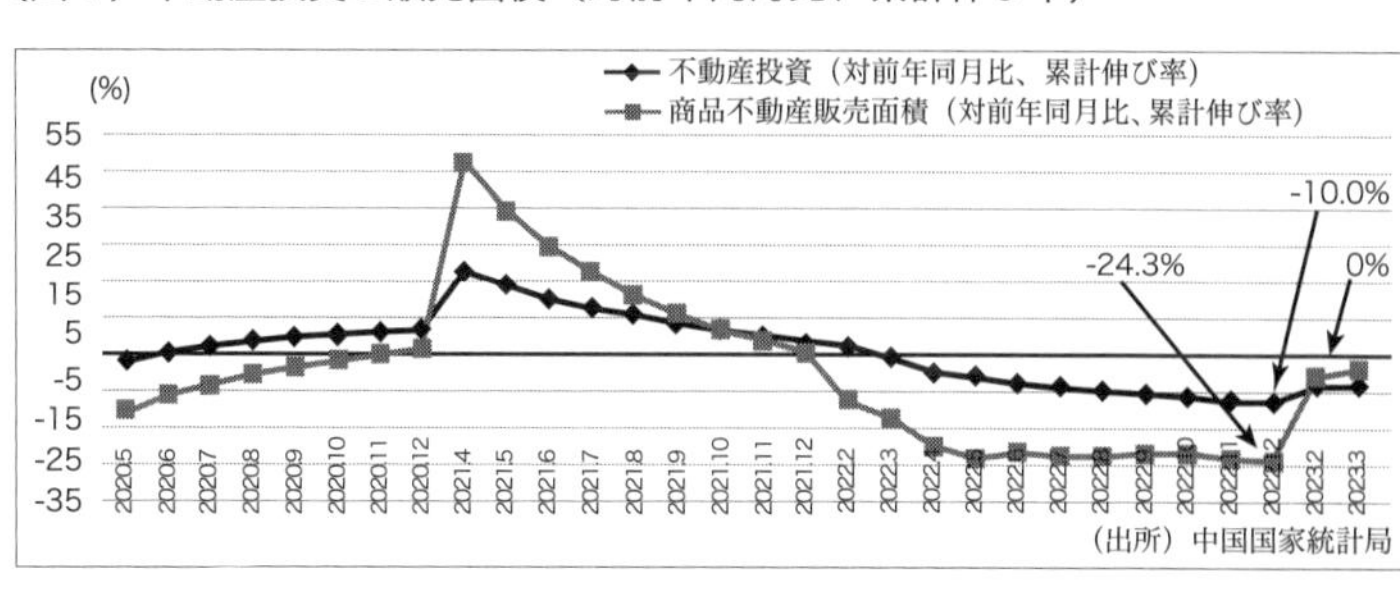

（出所）中国国家統計局

年9月から利払い日が相次いで到来した恒大集団の社債のなかで9月23日期限のドル建て利払いを実行できなかったと報じられ、恒大集団の理財商品や建設前不動産を事前購入した購入者による抗議活動が散発的に発生した。恒大集団をめぐるトラブルは続き、２０２３年2月末時点で債務履行などを求める訴訟案件は１３１７件に上り、請求金額などは計３１２４億５５００万元に達したという。

恒大集団の社債デフォルトリスクが顕在化した後、２０２２年は中国の不動産市場にとって過去最悪の1年であった。中国国家統計局によると、２０２２年の不動産投資は前年比10・0%減少（１９９９年以降で初めて減少）、２０２２年の不動産販売（床面積ベース）は24・3%減で１９９２年の統計開始以来最大の落ち込みとなった〔図1〕。２０２２年における地方政府の主要な財源の一つである土地譲渡収入も前年比で約23・3%減となり、地方財政の大きな打撃になった。

当初、２０２２年は5年に一度の党大会開催年であることから景気回復が見込まれていた。しかし、ロシアによるウクライナ侵攻による世界経済の減速、中国国内でのオミクロン株の新型コロナの感染急拡大によるロックダウンなど想定外のことが発生した。「上海ロックダウン」以降、資材供給が滞るようになり、いつどこで同様の事態が発生するか見通せないなか、工事現場の管理がままならないことが原因となって、住宅の予約購入者に期日通りに住宅が引き渡されない問題が発生し、一部で抗議活動も行われた。

中国の不動産デベロッパーのビジネスモデルは自転車操業的なところがあり、例えば、物件完成前から住宅ローンの前払いが行われ、一部のプロジェクトは前払いされた資金を他のプロジェクトに流用している。こうした自転車操業的な商慣習も背景となり、資金がショートしたまま放置され、マンションが完成しないのではないかと懸念した消費者が住宅ローンの返済を拒否する事態も発生した。不動産デベロッパーの資金繰りはますます厳しくなる悪循環に陥った。

こうしたなか、建設停止の主要因である不動産デベロッパーの資金繰り難を解消するために、地方政府が主導して問題が生じている不動産プロジェクトに資金支援を行う救済基金が設立された。いわゆる「保交楼（不動産の引き渡し保証）」が実施されていくことになる。また、２０２２年に入り、需要を下支えする各種支援も行われ、例えば、中国人民銀行が住宅ローン金利の目安とされる最優遇貸出金利（ＬＰＲ）５年物の金利を３度にわたって引き下げた（２０２２年１月＝４・65％→４・６％、５月＝４・６％→４・45％、８月＝４・65％→４・３％）。

２０２２年10月の党大会後の11月に中国人民銀行と中国銀行保険監督管理委員会が発表した「当面の金融による不動産市場の安定的で健全な発展の支援強化に関する通知（金融16条）」で、政府の不動産デベロッパーに対する全面的支援の方針も鮮明に示された。これまで当局は銀行などに不動産デベロッパーを支援するよう指導していたが、不動産デベロッパーの責任を厳しく追及する政府の姿勢は変わっておらず、銀行は不動産デベロッパーをどこまで救うべきか躊躇するところがあった。ところが、本通知によって銀行等の懸念が払拭されたのである。２０２２年11月22日の国務院常務会議で金融支援強化の方針も示され、流動性支援が指示された。不動産セクターに窓口指導を通じて「兆円」

単位の資金が割り振られ、大手金融機関6行から、「万科」「碧桂園」など大手デベロッパーに対して2022年11月時点で1・3兆元以上の融資枠が設定されるなど不動産デベロッパーをめぐる環境は大きく変わっていった。

中国当局は党大会後に大手の優良デベロッパーを中心とした支援策に動いたが、近年の不動産デベロッパーへの規制強化は不動産の潜在リスクを相当な痛みを伴いながらも低減させることができ、一歩間違えれば、経済全体を潰しかねない不動産バブルに早いタイミングで対処した点は評価できるだろう。規制によって潜在リスクが相当剥落し、中長期の課題に対して痛みを伴う改革を行ったと言える。

他方で、不動産業は中国の国内総生産（GDP）の最大3割を占め、不動産デベロッパーなどが購入する土地利用権は地方政府収入の3分の1強を占めており、不動産市場の低迷は地方政府収入にも打撃となる。2023年3月5日、李克強（リーコーチアン）首相（当時）は全国人民代表大会（全人代＝国会）の政府活動報告で「一部の地方政府の財政難がさらに深刻になっている。一部の中小金融機関のリスクが顕在化している」と現状の根本的な問題を率直に認めた。実際、不動産市場が数多くのリスクを抱え、2022年のGDP成長率は3％にとどまり、目標の5・5％に届かなかった。これはオミクロン株の感染拡大下でもゼロコロナ政策を維持したことに加えて、不動産への過度な規制が不動産取引を麻痺させ、中国経済の低迷に拍車をかけたことも原因である。2023年3月に発表された国際通貨基金（IMF）の中国経済年次報告で不動産危機への懸念が示されたように不動産リスクは引き続き予断を許さない。

（安生隆行）

20

内外情勢に揺れる株式市場

★「コロナテックバブル」と国産化政策への期待★

2020年上半期の中国本土の株式市場はハイテク株銘柄を中心に株価が上昇し、「コロナテックバブル」の様相を呈した。新型コロナウイルスの感染拡大に伴う経済活動の自粛の影響を受けて、中国では2020年2月、3億人が在宅勤務をしたともいわれ、テレワークが爆発的に普及した。

この時期、チャイナテックが注目され、テクノロジー関連銘柄に資金が集まった。例えば、在宅勤務関連銘柄に該当する大手ソフトウェア会社「金蝶国際（Kingdee）」（本社・広東省深圳市）や大手ソフト開発販売会社「金山軟件（Kingsoft）」（関連会社がMicrosoft Officeと互換性がある、文書作成、表計算、プレゼンテーション用のオフィスソフトなどを提供）、また、外出制限をきっかけに宅配事業の売上高が大幅に伸びたデリバリーサービス大手「美団（Meituan）」の株価が上昇した。テクノロジー・ハイテク関連銘柄が多い深圳成分指数（深圳上場A株のうち、時価総額や流動性等を考慮した主要500銘柄が対象）を見ると、2019年12月末を1000とした指数ベースで2020年2月3日の94・09をボトムに一時的な乱高下はあったものの、2020年7月13日の132・69まで急騰した〔図1〕。

〔図1〕上海総合・深圳成分指数

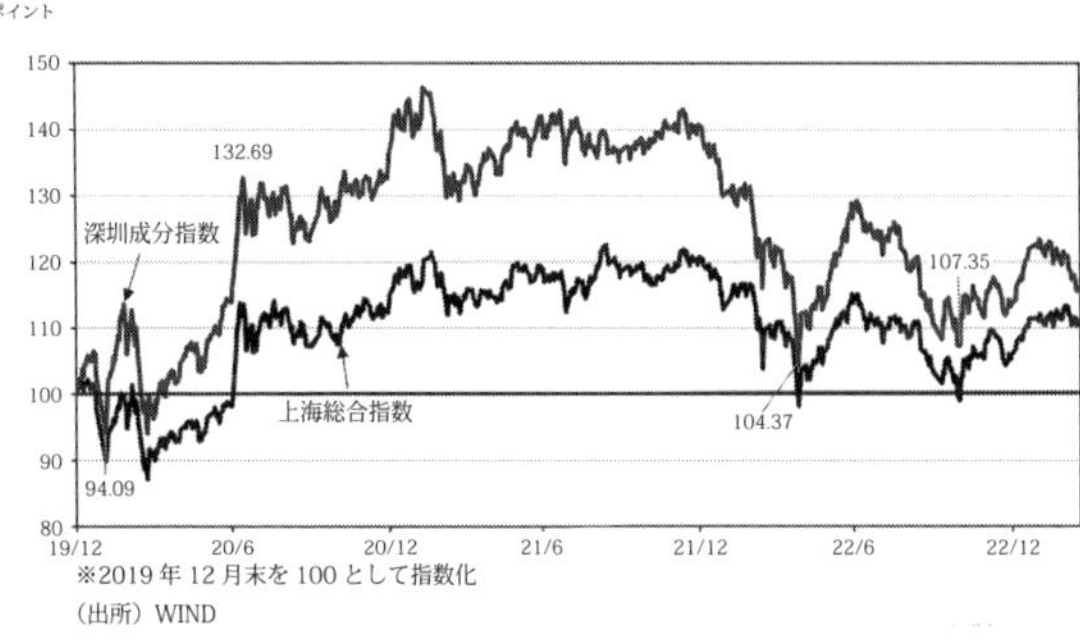

※2019年12月末を100として指数化
（出所）WIND

ところが、2020年下半期以降、中国政府による不動産デベロッパーへのデレバレッジ政策や2020年11月のフィンテック最大手「アントグループ」のIPO（新規株式公開）延期、2021年4月の「アリババ」への過料処分、教育産業やゲーム産業に対する管理強化など当局の一連の措置が市場心理を徐々に冷ましていった。

2022年は5年に一度の中国共産党大会が開催されることから当初は景気が良くなるとの期待感があった。ところが、2022年に入っても厳しい経済情勢が続き、相場展開は冴えなかった。同年2月24日にロシアがウクライナに侵攻すると、グローバルマーケットではリスクオフが一気に広がり、中国でも国内外をめぐる情勢から同年10月の党大会後まで低迷が続いた。ロシアのウクライナ侵攻の中国への影響について言えば、従来からの米中対立を背景に、西側諸国とロシアとの分断がマーケットで意識され、中国はロシア陣営ではないかとの疑念が広がり、投資家の警戒感が高まった。加えて、中国国内では、年始からオミクロン株が猛威を振るい、ゼロコロナ政策のもと、吉林省長春市や深圳市、河北省廊坊市、上海市など各地で都市封鎖が行われ、経済統計が軒並み悪化したことで市場心理を冷やした。

8月にはペロシ米下院議長の台湾訪問があり、政治・経済リスク要因が意識されて相場に悲観的なムードが広がった。10月の党大会を経た政治局常務委員の人事（第3章参照）も、マーケットでの失望売りを招き、例えば、深圳成分指数について、2019年末を100とした指数ベースで見ると、10月31日は107・35と4月26日の104・37に次ぐ安値をつけた（図1）。しかし、第20期中央委員会第1回全体会議（20期1中全会）で習近平（シージンピン）をトップとする3期目の共産党指導部が発足すると、「白紙運動」（第29章参照）などを経てゼロコロナ政策が解除され、対外姿勢も「戦狼外交」から、穏健さを想起させる外交スタイルへと軌道修正された。こうした政策の変化が買い材料となった。2023年に入ってからも、中国金融監督トップが「巨大IT企業の金融業務の是正は基本的に完了した」と表明、金融当局による不動産企業の融資規制の緩和などが好感され、相場は押し上げられた。

以上のように中国共産党の新指導部発足後は復調しつつある中国本土の株式市場だが、2020年に「コロナテックバブル」が落ち着き、2022年の党大会閉幕後の中国共産党指導部の路線転換まで盛り上がりに欠ける時期が長かった。そうしたなかでも、注目に値するのが中国の「信創」関連銘柄である。「信創」関連の一部株価の値動きは代表的な指数よりも好調だった。

「信創」とは「信息（情報）技術創造産業」の略称である。「中国民政省信息センター」（日本の総務省に該当する民政省の関連団体で、行政のIT化などのサービスを提供する組織）は「信創」の定義について「ハード・ソフトウェア、アプリケーションソフト、情報セキュリティーを中心に構成され、自ら制御・研究・生産等が可能な情報インフラの構築を意図した産業領域」と説明している。ただし、この公的機関の説明はやや分かりづらい。このため、中国の地場系証券会社のレポートを基に「信創」を一言で言えば、中国が「国産化」を目指す産業である。「信創」関連となる半導体産業について見ると、例えば、半導体受託製造（ファウンドリー）最大手の「中芯国際集成電路製造（SMIC）」（証券コード981HK）の

〔図２〕香港ハンセン指数・中芯国際（SMIC）・華虹半導体の株価推移

※2019年末を100として指数化
（出所）WIDS

株価は同社が上場する香港市場のハンセン指数と比べて好調に推移しており、半導体受託製造で中国第２位の「華虹半導体」も２０２０年３月23日にボトム（73・65）をつけた後、株価は基本的に上昇基調であった〔図２〕。

「信創」銘柄に買いが集まったのは、２０２０年以降、世界的な半導体需要の高まりによって、主要な半導体関連銘柄が総じて好調であったことに加えて、米中対立が激化していくなか、中国政府の国産化政策がより強力に推し進められるとの期待からであった。

この中国の政策期待の背景になった米中対立は、米中貿易摩擦から先端技術の移転禁止といった技術をめぐる争いに拡大している。例えば、米国は「華為技術（ファーウェイ）」や「ハイクビジョン（Hikvision）」（監視システムを提供する世界最大手の企業）、「ＳＭＩＣ」などの一部の中国企業も「エンティティー・リスト（取引制限リスト）」に加えた。２０２２年９月には米連邦政府から資金提供を受けている米国国内のハイテク企業に対して今後10年間、中国での「先端技術」の施設建設の禁止を指示した。さらに米商務省は同年10月、中国向けに輸出されるＡＩ（人工知能）処理やスーパーコンピューターに利用される半導体、先進的な半導体製造装置の輸出管理を発表した。このように米国は中国のハイテク能力そのものを封じ込める戦略にシフトし、規制内容は半導体やその製造装置、半導体を使用するメーカーやサービス業種全般に及んでいる。

米国の対中規制に対して、中国は「科学技術の自立自強」という目標を掲げており、自律的でコントロール可能なサプライチェーン（供給網）を強化してコア技術の国産化を推進している。2023年3月、李克強（リーコーチアン）首相（当時）が全国人民代表大会（全人代＝国会）で行った政府活動報告は「産業チェーンにおける脆弱部分を重点的に補強する。新型挙国体制を整え、コア技術開発において政府主導を徹底する。科学技術政策は自立自強に焦点を定める。新型挙国体制を整え、コア技術開発において政府主導を徹底する」と表明しており、挙国体制で「自己完結型サプライチェーン」を確立する強い意思が看取される書きぶりになっている。こうした流れのなかで、例えば「SMIC」は米国の制裁を契機に自主開発を加速させ、将来的にはハイエンドの半導体の中国国産化につながるとの読みに加えて、西側陣営に属さない新興国の受注拡大への期待感が高まった。

他方、米国の対中規制を、中国国内産業が成長する原動力ととらえる政策期待だけでは先行きに限界がある。実際、中国の半導体企業が米国や韓国に技術力で追いつけるかどうか判然とせず、関連の中国企業の業績もついてきていない。このため、2023年春先の中国国内のマーケットでは、米国企業の対中投資制限の大統領令への署名の見通しが一部メディアで報じられると、海外勢の売り越しが優勢となり、ハイテク銘柄も含めて全体的に軟調な展開となった。加えて、「SMIC」など米国のエンティティーリストの対象になっている企業に投資することで、その投資元が米国政府の制裁対象になる恐れがあることから、リスト入りした中国企業の株式購入を躊躇する傾向もある。米国の対中規制は規制対象企業への投資資金の流入を難しくさせている。こうしたなかで、「信創」関係企業がマーケットの期待通りにイノベーションを起こしてコア技術を開発することで中国の国内産業を牽引することができるか注目される。

（安生隆行）

21

後退する国有企業改革

★市場原理と一線画し、党の管理・指導を強化★

国有企業改革は中国共産党の歴代政権が一貫して重視してきた政策課題だ。中国では社会主義計画経済がすべてだった1970年代まで、企業といえば国営企業を指した。国営企業には経営という視点がなく、政府が立てた生産計画などを実行するだけ。工場や事務所の敷地内で従業員に住居、食堂、商店、学校、病院などの生活インフラを提供する存在との位置付けが大きく、効率は極めて悪かった。

1978年に改革・開放政策が始まって以降、国営企業でも経営者に権限を与えるなどの改革が進み、1993年の全国人民代表大会（全人代＝国会）で「国有企業の所有権は国にあるが、経営権は企業に与える」という憲法改正案が採択され、国営企業は国有企業と呼ばれるようになった。国有企業は株式会社化や株式上場、生活インフラ機能の分離・売却といった施策を通じ、経営の現代化を加速。2000年代に入って中国が世界経済のなかで存在感を増すと、国際的な影響力を持つ国有企業が続々と登場した。

米経済誌『フォーチュン』がまとめた2022年版の世界企業500社番付（2022年の売上高順位）を国・地域別に見ると、

中国（香港を含む）から136社がランク入りした。送電事業で国内シェア7割を握る国家電網が世界3位に着け、石油化学の中国石油天然気集団（CNPC）と中国石油化工集団（シノペック）が4位、5位で続き、建設・エンジニアリングの中国建築集団が9位に入った。いずれも大型の国有企業だ。中国が国・地域別の企業数で米国（124社）や日本（47社）を抑えて首位にある状況は、国有企業が事実上支えている。

中国の国有企業の数は2018年時点で約20万3000社あった。この膨大な数の企業に対し、国務院（中央政府）の国有資産監督管理委員会（国資委）が「中央企業」と呼ばれる大型国有企業を管轄、残りを全国に31ある省・直轄市・自治区など地方政府が所管する管理体制を敷いている。国家電網やCNPCは前者の代表例である。後者の代表例は自動車大手の上海汽車集団や広州汽車集団で、それぞれ上海市政府、広州市政府が所管している。

2023年1月、国家電網を視察した李克強首相（当時、中国政府公式サイトより転載）

国有企業は売上高や資産規模の大きい会社が多く、ざっくり言うと「中国経済に占めるウエイトは30％前後」（中国政府系シンクタンクの研究員）とされる。民営企業の成長や外資企業の進出に伴い、国有企業の改革が本格化した「25年前の70～80％からは大きく低下した」（同）ものの、エネルギーや通信、金融など安全保障に関わり、当局が民営や外資の参入を規制している分野では圧倒的な存在感を保っている。

かつて日本に日本国有鉄道（国鉄、ＪＲ各社の前身）、日本電信電話公社（ＮＴＴグループの前身）があったように、世界では発展途上国を中心に国有企業や国営企業、公共企業体の存在が珍しくない。中国の国有企業には世界的に見て、どんな特徴があるのだろう。

一つは共産党による指導が確立していることだ。共産党は一定以上の規模がある企業に「党組」と呼ぶ党支部を設立することを求めている。新興の民営企業などが置く党組は共産党との「お付き合い」の側面が大きいが、国有企業では共産党が党組を通じ、経営トップの人事を左右している。人事権を握る党組トップの書記が国有企業の最高権力者であり、董事長（会長）や総経理（社長）を兼務するのが通例だ。

このため、中国の国有企業では共産党の意向を受け、日本の常識では理解できないトップ人事などが起こることがある。例えば、２０１５年には、携帯電話事業でライバル関係にある中国聯合網絡通信集団（チャイナユニコム）と中国電信集団（チャイナテレコム）がお互いの董事長を入れ替える人事を行った。日本でＮＴＴとＫＤＤＩの社長がある日突然入れ替わることなどありえない。

共産党は民営企業とはやや異なる貢献を国有企業に求めることもある。２０２３年1月中旬、李克（リーコー）強（チアン）首相（当時）は国家電網を視察し、同社幹部を慰労した。党中央や国務院の指導方針を伝える一方で、直後に控えた春節（旧正月）の電力供給に万全を期すよう求めた。中国の一般市民が一年中で最も楽しみにしている春節の休暇中に社会不満が起こることを避けたい意向がうかがわれる。

もう一つは、中国の大型国有企業の上場に優良事業だけを対象とした「部分上場」が多いことだ。「全体上場」すると、国有資産が流出してしまうとの共産党の懸念を反映している。例えば、CNPCは中国国内の資産や事業のほとんどを子会社の中国石油天然気（ペトロチャイナ）に移したうえで、香港などの株式市場に上場させている。この仕組みではグループ全体の財務情報が開示されず、投資家からは評判が悪い。

では、習近平（シージンピン）政権の国有企業改革にはどんな特徴があるのだろう。出発点とされるのが、2013年11月に開かれた共産党の重要会議、第18期中央委員会第3回全体会議（18期3中全会）だ。3中全会の決定事項は、経済改革の大前提として「資源の配分において、市場が決定的な役割を担うようにする」と明記。企業と政府の機能の線引きを明確にし、安全保障などの特別な分野を除き、「企業が法律や規制に基づいて自ら意思決定することとし、政府はもう審査や許認可を行わない」と宣言した。

この文面は、習政権が日本の国鉄改革のように国有企業の分割・民営化を進めるかのごとく読める。しかし、中国の共産党と国有企業は前述した特殊な関係にあり、「国有企業改革＝民営化・市場メカニズム重視」という日米欧の常識が通用しない。むしろ、習近平は権力基盤を固めるにつれ、国有企業への管理や指導を強める方向に動いている。

習政権の国有企業改革に関する二つ目の節目は、2015年8月にまとめた「国有企業改革の深化に関する指導意見」だ。現代的な企業制度の整備や混合所有制の推進などに触れつつ、「党の国有企業に対する指導を強化・改善し、強くて優れていて大きな国有企業をつくる」ことを目標に掲げた。この時期から、習政権の目指す国有企業改革が分割・民営化とは逆方向であることがはっきりしてくる。

中央企業の経営統合が象徴的だ。国資委によると、2012年時点で117社あった中央企業は統合・再編により、2023年11月時点で97社にまで減った。例えば、2015年6月、それぞれ国有の鉄道車両大手だった中国南車集団と中国北車集団が合併し、地下鉄車両で世界シェアの約5割を占める中国中車集団が誕生した。南車、北車とも2000年代に旧鉄道省の鉄道車両製造部門が企業として分離・独立して生まれた歴史を持つが、合併で半ば先祖返りした。

このほか、製鉄業界では宝鋼集団と武漢鋼鉄集団が宝武鋼鉄集団、セメント業界では中国建築材料集団と中国中材集団が中国建材集団として経営統合した。確かに、大型国有企業の統合には中国勢同士の消耗戦を避け、鉄道車両なら日立製作所や仏アルストムなど海外大手に対抗できるようにする効果はある。しかし、組織の肥大化で企業統治が行き届かなくなったりする恐れがある。

習政権は2020年6月には、「国有企業3年行動計画」と呼ぶ新たな国有企業改革の枠組みを始動させた。この計画の目標として、国有企業が①核心的な競争力を持つ市場主体になる、②イノベーション分野で大きな役割を果たす、③サプライチェーン（供給網）のレベル向上をリードする、④社会民生の保障と重大な課題への対応で特殊な役割を果たす、⑤国の経済安全分野で基礎的な役割を果たす――の5点を掲げた。つまり、国有企業が国有企業のまま、果たす役割を広げることを志向している。新華社は2023年2月、この計画の「主な目標・任務が達成された」と報じており、中国経済は国有企業が栄えて民営企業が衰える「国進民退」が広がる懸念がぬぐえなくなっている。

（山田周平）

22

激増する農産物輸入

★自給率の高い世界最大の輸入大国★

中国は2020年以降、穀物の輸入を激増させ、国際的な注目を集めている。中国の穀物輸入の中心はトウモロコシなどの飼料穀物と小麦なので、この点で完全に競合する日本の関心も強い。国連食糧農業機関（FAO）のデータベースであるFAOSTATによれば、中国は2012年ごろから穀物輸入を増大させつつあったが、2015年に初めて日本を抜いて世界最大の穀物輸入国となった。2016年と2018〜19年には日本の輸入量の方が多かったが、2017年と2020年以降は中国が世界最大の穀物輸入国である。2022年の中国の穀物輸入量は日本の輸入量の2・3倍にも達した。

このように書くと、中国の農産物輸入の中心が穀物だと誤解されるかもしれないが、中国の農産物輸入に占める穀物の割合はそれほど大きくない。現在、中国の大部分の農産物は国際競争力を失っており、多くの農産物の輸入が増えている（ほとんど唯一の例外は野菜であり、今でも大量の輸出を行っている）。

中国は2003年に農産物（水産物を除く）の純輸入国（金額ベース）に転落すると、2008年ごろから純輸入額（輸入額－輸出額）を急激に増大させた。輸入農産物には綿花や羊毛といった工業原料も含まれるが、大部分は飼料用を含む食料農産物である。ＦＡＯＳＴＡＴによれば、中国は２０１２年に米国を抜いて世界最大の農産物輸入国となり、同じ年に日本を抜いて世界最大の農産物純輸入国ともなった（なお、米国は世界最大の農産物輸出国でもある）。その後、米国の農産物輸入額が中国を上回った時期（２０１５〜１９年）もあるが、２０２０年以降は再び中国が世界最大の農産物輸入国となっている。中国は１９６０年代前半や改革・開放初期にも農産物の純輸入国（輸入の中心は小麦）であったが、最近の輸入額と比べればわずかなものでしかない。日本も高度経済成長期に農産物輸入が激増したが、近年の中国の農産物輸入増加のスピードは高度経済成長期の日本をも上回る。２０２２年の中国の農産物純輸入額は、日本の３・３倍にもなる。

農業農村省の統計によれば、中国の農産物輸入額に占める割合が高いのは、食用油糧種子（搾油原料となる農産物のこと。輸入の大部分は大豆で、ほかにナタネ・ゴマなど）と食用植物油（パーム油・ナタネ油・大豆油など）、畜産物（食肉や乳製品など）、穀物（主にトウモロコシ・大麦・コーリャンなどの飼料穀物。２０２０年以降増えた輸入小麦の用途も主に飼料用）、果物（主にドリアン・バナナなどの熱帯果実であるが、サクランボの輸入も多い）などである。水産物の輸入も多い。２０２１年と２２年の農産物輸入総額（水産物を除く）に占める割合は、食用油糧種子・食用植物油が合わせて35％前後、畜産物が25％前後、穀物が10％弱、果物が７％強である。

開発途上国が経済発展すると、多くの国で油脂や動物性食品（食肉・乳製品・タマゴ・魚介類等）、果物などの消費が増え、主食の消費が減少する。こうした食生活の変化は一般に食生活の高度化と呼ばれる。アジアにおける食生活の高度化は、同時に食生活の洋風化でもある。中国の食生活の変化もその例外ではない。ＦＡＯＳＴＡＴによれば、中国の一人当たり年間食料消費量は２０００〜２１年の21年間に、植物油が６・２キロから８・９キロに、食肉が44・０キロから62・８キロに、ミルク・乳製品（生乳換算）が８・５キロから34・２キロに、魚介類が24・１キロから39・９キロに、果物が42・３キロから１０９・２キロにそれぞれ増えた。穀物の食用消費も１６２・１キロから１７３・９キロに増えているが、日本や台湾の穀物直接消費が１００キロ程度であることからすると、今後は徐々に減少することになろう。

近年、中国で輸入が増えているのは、食生活の高度化により需要が増える農産物ばかりであり、穀物の輸入も大部分は飼料用である。大豆は重量の約20％が油脂であり、油を搾ったかすである大豆かすの重量の40％以上は蛋白質である。大豆かすは家畜の蛋白質源として重要な配合飼料原料となる。アジアを中心に開発途上国の経済成長が進む現在、植物油原料としても飼料原料としても重要な大豆の需要は爆発的に増大している。

中国の農産物輸入増大の需要側の要因は食生活の高度化にあるが、食料の国内需要が増大するなかで国内生産はどのように推移したのであろうか。ＦＡＯＳＴＡＴに基づき、２０００年と２０２２年の国内生産量を比較すると、米は１・11倍、小麦は１・38倍、トウモロコシは実に２・62倍に増えている。穀物以外の主要農産物の生産動向を見ると、イモ類こそ０・79倍に減少しているが、大豆は１・32倍、植物油は２・31倍、砂糖は１・57倍、野菜は２・04倍、果物は２・11倍にそれぞれ増えている（植物油と砂糖は２０００年と２０２１年との比較）。畜産物についても、牛肉は１・53倍、豚肉は１・40倍、家禽肉は１・97倍、家禽卵は１・56倍、ミルク・乳製品は３・33倍に増えている。つまり、中国の農業生産は、ほとんどすべての食料農産物において現在も着実に成長を続けているが、国内需要の伸びが大きく、国内生産がそれに追い付かない農産物の輸入が増えているのである。

農産物の品目別自給率は、国内生産量を国内消費仕向量（国内生産量＋輸入量－輸出量±在庫調整）で割ることで求められる。ＦＡＯＳＴＡＴによれば、中国の２０２１年の穀物自給率は穀物全体で93・１％、内訳を見ると、米１０４・４％、小麦90・９％、トウモロコシ91・７％、その他の穀物36・１％であった。小麦は近年、飼料用の輸入が増大しており、その分、自給率が低下しているが、食用に限れば自給率は１００％近かったと想定される。トウモロコシとその他の穀物の主な用途は飼料であり、国際機関等では粗粒穀物（coarse grain）と総称される。この年の粗粒穀物の自給率を計算すると、87・０％となる。

中共中央・国務院は２０１４年1号文件において「穀物の基本自給と口糧（食用穀物）の絶対的安全を確保する」方針を打ち出したが、飼料穀物の需要が激増する現局面においても、何とかこの基準は守られている。一方、大豆の自給率は14・５％しかない。植物油の自給率は67・８％であるが、輸入した大豆やナタネを国内で搾油することで見かけ上の自給率が向上しているに過ぎない。米農務省によれば、中国の大豆かすの自給率は１００％以上であるが、元の大豆の大部分は輸入である。近年、飼料用に大量に輸入されているキャッサバの自給率も12・３％しかない。要するに、現在の中国は主食用の穀物自給にはまったく問題がないが、油脂と家畜飼料（特に大豆）の自給には大きな問題がある。

２０２1年の畜産物自給率を見ると、肉類全体の１０１・４％、家禽のタマゴの１００・３％は高いが、ミルク・乳製品は60・７％しかない。肉類も豚肉１１０・４％、家禽肉98・１％は高いが、牛肉は71・５％しかない。羊肉は94・６％である。牛肉の自給率は２０１０年には１００・４％あったが、その後は消費量が激増する一方、生産量があまり伸びなかったので、自給率が急速に低下している。

それでは、今後の中国の食料需給の見通しはどのようなものであろうか。この点で参考になるのは日本の経験である。日本の国内農業の生産規模は1980年代まで拡大したが、食生活の洋風化に対応できず、飼料穀物や大豆などの輸入が激増した。1990年代以降、食生活の洋風化は一段落したが、今度は国内農業が衰退することで徐々に食料自給率が低下した（生源寺眞一『農業再建』岩波書店、2008年）。中国の一人当たり食肉消費や魚介類消費はすでに停滞（直近5年間の食肉と魚介類の消費量の伸びはいずれも1キロ程度）しており、植物油やタマゴの消費の伸びも鈍化している。ミルク・乳製品や果物の消費の伸びはまだ衰えていないが、全体として食生活の高度化は終焉に近づいている。中国では、総人口も（一人当たり食料消費量の大きい）生産年齢人口もピークを過ぎているので、食料の総需要も遠からずピークを迎えるであろう。

内モンゴル自治区赤峰市の穀物畑。左からコーリャン、アワ、トウモロコシ。コーリャンとトウモロコシの主な用途は飼料、アワは食用。内モンゴル東部は中国の重要な穀倉地帯である（2007年8月、池上彰英撮影）

供給面に目を向けると、中国の食糧作物にはなお十分な増産可能性があると思われる。特に、今後も需要が伸びると予想されるトウモロコシと大豆の主産地が、耕地の転用機会が少なく、農業労働力も比較的豊富に存在する黒龍江省・吉林省・内モンゴル自治区などであることは、将来見通しを明るいものにしている。米と小麦の主産地は黒龍江省を除いて耕地面積が減少しているが、食糧生産に対する政府の支援策もあり、作付面積は増えている。

穀物よりも問題なのは食肉である。食肉も穀物も中国に国際競争力がない点では同じであるが、穀物生産の潜在生産力が高いのに対して、食肉の場合、豚肉は糞尿処理という環境問題を抱え、牛肉と羊肉は草地不足という資源問題を抱えているので、増産余力が小さい（家禽の肉とタマゴにはこうした問題は存在しない）。このように中国の畜産業の未来には不安があるものの、日本のように国内農業の衰退により食料自給率が一層低下するという事態の発生は当面想定しにくい。

最後に、中国の２０２１年の穀物輸入量は米、トウモロコシが世界1位、小麦が世界2位であり、食肉輸入量は豚肉、牛肉、家禽肉、羊肉のすべてにおいて世界1位であった。ところが、それでも２０２１年の穀物自給率は米が１００％を超え、トウモロコシと小麦も90％を超えた。食肉自給率も豚肉１１０％、家禽肉98％、羊肉95％であり、牛肉の72％を除けば極めて高い水準にあった（ＦＡＯＳＴＡＴ）。高い食料自給率と大量の食料輸入の併存が、大国中国の食料需給の最大の特徴なのである。

（池上彰英）

23

労働力不足と農業の担い手

★誰が農業をするのか、どのように農業をするのか★

蔡昉（ツァイファン）（当時、中国社会科学院人口労働経済研究所長）らは2000年代後半に発表された著作で、中国が2004年前後に「ルイスの転換点」を迎えたという議論を展開して注目された。「ルイスの転換点」とは、農業部門の過剰労働力が枯渇し、生存賃金での工業部門への無制限労働供給が終焉する時点のことで、この時点を過ぎると農業部門においても工業部門においても単純労働力が不足して賃金上昇が始まる。実際に、このころから農業雇用賃金は急速な上昇を開始し、農作業の機械化も進んだ。

同じ時期から使われるようになった新しい用語に「三八六一九九部隊」がある。「三八」は国際婦人デー、「六一」は国際子どもの日、「九九」は老人の日であり、それぞれ女性、子ども、年寄りを意味する。青壮年労働力の多くが出稼ぎ等の形で都市に移動してしまったために、農村に残るのは年寄りと子ども、女性ばかりとなり、彼らが農業の主力部隊となっている状態を揶揄して「三八六一九九部隊」というようになったのである。

こうした状況が深刻化するなかで、2013年中央1号文件は「新型農業経営体系の構築」という方針を打ち出した。新型農業経営体系の構築とは、農地の集団所有制（「集体所有制」）および各戸請負制という中国農業の基本的経営制度の根幹は堅持したうえで、家庭農場や農民合作社等への農地の集積を進め、家族経営を中心とする様々な形態の大規模農業経営をつくり出すとともに、それを補完する機械作業、病害虫防除、農業技術指導、農業生産資材供給、農産物販売等の領域における社会的サービス組織を整備しようとするものである。

陳錫文（当時、中央農村工作指導小組副組長）は、２０１３年に新型農業経営体系の構築という方針が打ち出された理由として、「誰が農業をするのか」「どのように農業をするのか」という課題があったからだとしている。「誰が農業をするのか」は、青壮年労働力の農外流出が進むなかで、どのようなタイプの経営を農業の中核的な担い手として育てるべきかという問題意識を示している。また「どのように農業をするのか」は、大多数の零細農家にとって農業が副業化、兼業化するなかで、農業の生産性と収益性を引き上げるにはどうしたらよいかという問題意識を示している。本章では、まず中国の基本的な農業制度の変遷について説明し、次いで農業経営体系の現況について紹介したい。

中国共産党は中華人民共和国建国前後に、地主や富農から取り上げた農地を小作農や農業労働者に分配する「土地改革」を実施した。つまり、建国後の一時期、中国にも耕作者が自らの農地を所有する自作農体制が存在した。しかしながら、間もなく農業集団化運動が始まり、互助組と初級合作社の段階を経て１９５６年に高級合作社が成立すると、農民はいったん手に入れた農地を取り上げられ、農地の集団所有制が成立した。１９５８年には複数の高級合作社が合併して人民公社が成立する。人民公社は、人民公社―生産大隊―生産隊の「三級所有制」（三つのレベルでの集団所有制）をとったが、農地や役畜、大型農機具などの所有権は１９６２年以降原則として生産隊に属した。

人民公社の集団農業システムのもとで農民の労働意欲は低く、中国の農業生産は長期にわたって低迷した。こうした状況に対して、1978年の中国共産党第11期中央委員会第3回全体会議（11期3中全会）以降、抜本的な農村体制改革が実施された。そのなかで最も重要なのは農業生産責任制の導入である。農業生産責任制は、農地の所有主体と利用主体（農業経営主体）を分離する制度改革であり、1981〜83年ごろには農家を単位とする生産責任制すなわち各戸請負制が普及した。各戸請負制の普及により農家の労働意欲が高まり、爆発的な食糧増産がもたらされた。各戸請負制の普及とほぼ時を同じくして人民公社制度は廃止され、旧人民公社は行政機関としての郷鎮政府に改組された。旧生産大隊は、農民の自治組織であり、かつ郷鎮政府の下請的な役割も有する「村民委員会」（「行政村」）に改組された。旧生産隊は「村民小組」に改組されたが、村民小組には行政的な役割はなく、法律上の明確な位置付けもないので、名義上存在しても組織としての実体を有さないケースも少なくない。

中国の農村には行政村のほかに「自然村」が存在する。自然村は地理的、歴史的に形成された、一定の対内的凝集力と対外的独立性を有するインフォーマルな村落組織である。中国の自然村は北方では規模が大きく、行政村の範囲と一致することが多いが、南方では規模が小さく、複数の自然村が行政村を構成するのが一般的である。南方では自然村と村民小組が一致することも多い。中国の農地の所有権は農村集団（「農村集体」）にあるとされるが、この場合の農村集団は具体的にどのレベルの村を指すのであろうか。北方の農村では村民委員会が農地の所有者であるケースが多く、南方の農村では村民小組が農地の所有者であるケースが多い。こうした実態は、農地の所有権が本来自然村にあると考えることでよく理解できる。農業農村省によれば、2019年の集団所有耕地のうち所有権が村民委員会にある耕地の割合は36％、同じく村民小組にある耕地の割合は52％（残りの12％の所有権の所在は不明）であった。ただし、農地の所有権が村民委員会にあろうと村民小組にあろうと、実際の農地の管理を行うのは、ほとんどのケースで村民委員会である。

各戸請負制の導入により、集団所有の農地は集団を構成する農民（村民）に家族数に応じて平等に配分された。このとき農家に与えられた権利が農地の請負経営権である。農地の請負期間は第1期には15年であったが、１９９６〜９８年ごろに開始された第2期には30年とされた。２０２６〜２８年ごろに開始される予定の第3期も請負期間を30年とすることが決まっている。中国共産党は、各戸請負制が全面的に普及した直後の１９８４年中央1号文件において、農地請負制度の安定化をうたうとともに、早くも農地の流動化（能力の高い農家に農地を集めること）を奨励していた。その後、現在に至るまで、集団的土地所有を前提とした農地請負制度の安定化および農地流動化の促進による大規模経営の育成という農業政策の基本方針は一貫している。

農家に十分な労働力があった時代には農地の流動化はあまり進まなかったが、農業労働力の不足や弱体化が進むにつれて、農地流動化率（各戸請負耕地面積に占める貸付等権利移動面積の割合）は急速に上昇した。農地流動化率が農業省（現農業農村省）から公表されるようになって以降、この数字は２００８年8・9％、２０１０年14・7％、２０１５年33・3％と推移し、２０１８年には37・8％まで上昇した（その後、農地流動化率は停滞しており、２０２１年には37・3％であった）。

初期の農地権利移動は集団内（村内）の農家間で行われることが多かったが、徐々に村外の農民や企業等への貸付が増えたことで、制度的な矛盾が生じた。というのは、農地を請け負う権利を有するのは集団に属する村民だけであるから、たとえ有償であっても請負経営権を村外の人や企業に譲渡することは許されないからである。そこで、２０１４年中央1号文件は農地に関する権利関係を、集団所有権と集団の構成員である農家の請負経営権という「二権」分離から、集団所有権、集団の構成員である農家のみが有する権利である請負権、集団の構成員でない農家や企業でも手に入れることが可能な経営権という「三権」分離に整理し直した。これに伴い、「農村土地請負法」も改正された。

新型農業経営体系における、農業の主な担い手は家庭農場と農民合作社である。家庭農場とは大規模な専業家族経営農家のことであり、農業農村省によれば、全国の認定家庭農場は２０２１年に３９1万あった。認定家庭農場の67％が耕種農業部門、18％が畜産部門であり、８％が耕畜複合経営であった。食糧生産を行う家庭農場の平均経営面積は10ヘクタール近かった。農民合作社は直訳すれば農業協同組合であるが、日本の農協が農家に対する流通、金融、保険などのサービスに特化して経営規模も大きいのに対して、中国の農民合作社は自ら農業経営を行うタイプ、農家に対して農産物の代理販売や機械作業などのサービスを提供するタイプ、両方を行うタイプなど様々あり、一般に経営規模は小さい。全国の登録農民合作社は２０２１年に２０３万あり、社員（組合員）数は６００６万に達した。合作社社員の96％は一般の農家であるが、家庭農場や企業なども社員となっている。

このほか、近年急速に発展しているのが機械作業受託組織である。現在、中国の多くの農家は労働力不足に直面しており、手作業による農地管理に限界を感じているが、かといって自ら機械化を進めるだけの資金力も技術力もない。このような状況において、他の農業経営主体の機械作業を有償で請け負う合作社や企業、専門農家などが受託面積を増やしている。２０２１年の全国請負耕地総面積

江蘇省南通市の農業機械サービス合作社。多くのトラクターやコンバインを擁し、周辺の農家の機械作業を受託している。この合作社は家庭農場としても登記しており、広い農地を借りて米と小麦を生産し、精米と販売も行っている（2019年8月、池上彰英撮影）

に占める機械作業受委託面積（延べ面積）の割合は、耕耘、播種・田植え、病害虫防除、収穫のいずれの作業においても30％前後に達し、そのうちの3分の2は零細経営農家が委託したものであった。委託農家の総数は約４３００万で、全国農家の20％近くを占めた。

中国では、家庭農場等の大規模農業経営と、零細農家の機械作業委託が同時並行で発展しており、大規模経営はもちろんのこと、零細経営も高い農業生産性を享受することができる。こうした傾向は、特に北方の食糧主産地や東南沿海地域において顕著である。西部山間地域では機械化が遅れ、耕作放棄地も増えているが、中国全体としてはこうした制度革新により、高い農業生産力を維持できているのである。

（池上彰英）

24

強化される脱炭素化の取り組み

★「3060目標」の実現可能性と課題★

脱炭素化は世界的な流れである。中国も例外ではない。習近平国家主席は2020年9月の国連総会で、脱炭素化は中国の持続可能な発展にとっての内的要求でもあるとして、CO_2（二酸化炭素）排出量を2030年までにピークアウトさせ、温室効果ガス（GHG）排出量を2060年までに実質ゼロとする脱炭素「3060目標」を公表した。続いて、中国政府は第26回気候変動枠組条約締約国会議（COP26）開催直前の2021年10月28日、「3060目標」を明記した2030年国別目標（NDC）と今世紀中葉に向けた長期低排出発展戦略を国連に提出した〔表1〕。

注目すべきは、中国が目指す炭素排出実質ゼロの目標年次は、先進国が目指す2050年より10年遅いが、CO_2ピークアウトからの期間は約30年と設定され、先進国より短いことである。例えば、日本の場合、ピークアウトは2013年で、実質ゼロの2050年までは37年となる。また、中国では、「3060目標」を国際公約として位置付け、国家の威信をかけて達成しなければならないとしている。

国内では、「3060目標」達成に向けた最初の通過点とな

〔表1〕中国が国際公約した温暖化防止目標の推移

	一次エネルギー消費に占める非化石エネルギーの比率			風力と太陽光・熱発電設備容量	森林蓄積量（2005年比）	GDP当たりCO_2排出量の削減目標（2005年比）		CO_2排出量ピークアウト目標年次	GH 排出量実質ゼロ目標年次
	2020年	2030年	2060年	2030年	2030年	2020年	2030年		
2020年自主行動計画目標（2010年1月、政府が国連に提出）	15%					40～45%減			
「パリ協定」に向けた2030年目標（INDC）（2015年6月、政府が国連に提出）	15%	20%			45億m^3増	40～45%減	60～65%減	2030年前後	
GHG排出実質ゼロ目標（2020年9月、習近平国家主席が国連総会で表明）								2030年まで	2060年まで
2030年目標（NDC）の引き上げ（2020年12月、習近平国家主席が国連気候サミットで発表）		25%		12億kW以上	60億m^3増		65%以上減	2030年まで	2060年まで
2030年目標（NDC）更新と本世紀中葉長期温室効果ガス低排出発展戦略（2021年10月、政府が国連に提出）		25%	80%以上	12億kW以上	60億m^3増		65%以上減	2030年まで	2060年まで

（出所）国務院（http://www.gov.cn/）と国営新華社通信（http://xinhuaet.com/）等ウェブサイトでの公式発表に基づき、筆者作成

る「第14次5ヵ年計画における近代的エネルギーシステム計画」（2022年3月）を中心とする脱炭素・エネルギー関連の5ヵ年計画が体系的に策定された。

第13次5ヵ年計画では、クリーン・低炭素・安全・高効率を特徴とする近代的エネルギーシステムの構築を目指すと規定した。それに対し、今回では、エネルギー安全の確保、「3060目標」の達成にとって、近代的エネルギーシステムが不可欠と強調したうえで、その構築を加速するとした。

具体的は、2025年に一次エネルギー生産能力を2020年比5・2億tce（石炭換算トン。$1tce=10^6 \times 7Kcal$）増の46億tce以上に拡大する〔表2〕。一次エネルギー消費の自給率は82・8％と推定され、2020年実績より0・9ポイント高くなる。また、電力の安定供給を図り、発電設備容量を30億kW前後に拡大する等のエネルギー別目標も明記した。脱炭素化については、GDP（国内総生産）

表2）主要脱炭素・エネルギー需給の計画目標

	水準			エネルギー構造（%）				年平均伸び率（%）		備考（斜体数字は推定値）
	2015年	2020年	2025年	2015年	2020年	2025年	2030年	2015-20	2020-25	
一次エネルギー消費（億tce）	43.4	49.8	55.6	100.0	100.0	100.0	100.0	2.8	2.2	2025年55.6億tceは、再エネ消費量と比率から算出。関連計画では公表されていない
化石エネルギー（億tce）	38.2	41.9	44.0	88.0	84.1	79.2	75.0	1.9	1.0	「一次消費 - 非化石」で算出
石炭（億tce）	27.7	28.3		63.8	56.8			0.4		2022年6月時点で未公表
（億トン）	39.6	41.9						1.1		
石油（億tce）	7.9	9.4		18.3	18.9			3.5		2022年6月時点で未公表
（億トン）	5.5	7.0						5.2		
天然ガス（億tce）	2.6	4.2		5.9	8.4			10.3		2022年6月時点で未公表
（億m³）	1,930.0	3,329.0						11.5		
非化石エネルギー（億tce）	5.2	7.9	11.6	12.0	15.9	20.8	25.0	8.7	7.9	推定。比率は「全体計画」明記の20%を超過
再生可能エネルギー	4.6	6.8	10.0	10.6	13.6	18.0		8.1	8.0	消費量と比率は「再エネ計画」による。公表は記載無し
原子力	0.6	1.1	1.6	1.4	2.3	2.8		13.1	7.0	消費量は「全体計画」明記の容量目標、稼働率一定で推定
一次エネルギー供給能力（億tce）	36.2	40.8	46.0	100.0	100.0	100.0		2.4	2.4	拘束値、下限値。「全体計画」による。
化石エネルギー（億tce）	31.0	35.0	34.4	85.5	85.9	74.8		2.5	-0.4	「供給能力－非化石」で算出
石炭（億トン）	37.5	38.9						0.7		2022年6月時点で未公表
石油（億トン）	2.1	1.9	2.0					-1.9	0.5	期待値。「近代的エネルギーシステム計画」による
天然ガス（億m³）	1,350.0	1,925.0	2,300.0					7.4	3.6	下限値。「近代的エネルギーシステム計画」による
非化石エネルギー（億tce）	5.3	5.8	11.6	14.5	14.1	25.2		1.9	15.0	消費量に等しいと仮定
再生可能エネルギー	4.6	6.9	10.0	12.8	16.9	21.7		8.2	7.8	消費量に等しいと仮定
原子力	0.6	1.1	1.6	1.7	2.8	3.4		13.1	7.0	消費量に等しいと仮定
一次エネルギー消費の自給率（%）	83.5	81.9	82.8							「生産量 / 消費量」で算出
化石エネルギーの自給率（%）	81.1	83.7	78.3							「生産量 / 消費量」で算出
石炭自給率（%）	94.7	92.8								2022年6月時点で未公表
石炭純輸入量（億トン）	2.1	3.0						7.5		
石油自給率（%）	39.1	27.7								2022年6月時点で未公表
石油純輸入量（億トン）	3.3	5.1						8.9		
天然ガス自給率（億m³）	69.9	57.8								2022年6月時点で未公表
天然ガス純輸入量（億m³）	580.0	1,404.0						19.3		
GDP当たりエネルギー消費（2020年基準）	115.9	100.0	86.5					-2.9	-2.9	拘束値。20年比13.5%減。「全体計画」による
GDP当たりCO_2排出量（2020年基準）	123.2	100.0	82.0					-4.1	-3.9	拘束値。20年比18%減。「全体計画」による
石炭火力送電端効率（%）	38.6	40.3						0.8		2022年6月時点で未公表

（出所）「再生可能エネルギー発展第14次5ヵ年計画」（2022/6）、「第14次5ヵ年計画における近代的エネルギーシステム計画」（2022/3）「2030年までのCO2ピークアウト行動方案」（2021/10）、「「3060目標」達成に向けた活動に関する共産党中央と国務院の意見」（2021/10）、「国民経済と社会発展第14次5ヵ年計画及び2023年長期綱要」（＝「全体計画」、2021/3）等に基づき、筆者作成

当たりエネルギー消費量を２０２０年比13・5％減、ＧＤＰ当たりＣＯ$_2$排出量を18％減、非化石エネルギー比率を20％へ高める目標を定めた。また、発電電力量に占める非化石電源比率を２０２０年の33・9％から39％前後、最終エネルギー消費に占める電力比率を27％から30％前後、自動車新車販売に占める新エネルギー自動車（ＮＥＶ：電気車［ＢＥＶ］、プラグインハイブリッド車［ＰＨＥＶ］と水素燃料電池車［ＦＣＶ］を含む。ハイブリッド車［ＨＶ］を含まない）の比率を５・４％から20％へ高めるとした。

非化石電源、特に風力や太陽光資源が豊富な西北部等での大型発電基地と洋上風力発電基地の建設、太陽熱発電の開発を加速するとした。２０２５年の容量目標は設定されなかったが、発電量を倍増すると明記された。稼働率が一定と仮定すれば、風力と太陽光・熱の発電設備容量は、２０２５年に10・７億ｋＷと計算される。なお、２０３０年に12億ｋＷに拡大することは明記されている。

さらに、変動電源の増大に伴う電力安定供給を目指すために、西北部等における柔軟性を備える高効率石炭火力の増強、需要地と結ぶ超高圧送電網の整備を一体化して推進するとした。同時に、既存石炭火力の柔軟性を高める改造の規模を２０２５年に累積で２億ｋＷ以上、揚水発電の設備容量を２０２０年の３１４９万ｋＷから６２００万ｋＷ以上に拡大し、調整力のある電源の比率を２０２１年の約６％から24％へ高めると明記した。需要側で蓄電池や電気自動車の利活用等を図り、デマンドレスポンス能力を最大負荷の３％～５％へ高める目標も明記した。

原子力については、安全確保を前提に、沿海地域での開発を積極的かつ秩序よく推進し、稼働容量を２０２０年の４９８８万ｋＷから２０２５年に７０００万ｋＷへ拡大するとした。

これらの目標を達成できたとして、２０３０年ＮＤＣ達成には、２０２６年以降の５年間、非化石エネルギー比率をさらに年間1ポイントずつ引き上げ、排出原単位を年率3・7％以上低減させる必要がある。決して簡単ではない。

中国は2010年1月、2020年に排出原単位を2005年比40〜45％削減する等の自主行動目標を国連に提出した。取り組みの結果、2020年に排出原単位は48・4％減少し、上限目標をも3・4ポイント超過達成した。非化石エネルギー比率は15・9％となり、目標を0・9ポイント超過達成した。中国が「有言実行」を国際社会に示した。

今回の計画目標のうち、排出原単位削減、非化石比率上昇等の「拘束力のある目標」はいずれも達成されよう。超過達成もありうる。例えば、関連計画を総合してみると、2025年の非化石比率は20・8％と推定され、全体計画で設定した20％より高く、2030年NDCの25％目標に大きく近づく。また、2022年のNEV販売比率は前年比12・2ポイント増の25・6％へ上昇し、2025年に20％とする政府目標を3年も前倒しで5・6ポイント超過達成した。つまり、中国は、国際公約の超過達成を戦略的に狙っているのである。

一方、国内計画で掲げたエネルギー源別目標はすべて達成できるかどうか疑問である。

例えば、原子力発電については、安全性懸念の広がりや、代替電源としての風力や太陽光発電のコスト競争力の向上等により、目標実現の可能性は極めて低い。2011年以降、5ヵ年計画での開発目標が2期連続達成できなかった。2020年目標は8800万kW以上（うち、建設中3000万kW以上）であるが、実績は6842万kW（うち、建設中1854万kW）にとどまった。建設期間は約60ヵ月なので、仮に2020年末時点で建設中のものが2025年までに全部完成できても、目標の

7000万kWに届かない。それに対し、2020年、太陽光発電と風力発電はそれぞれの計画目標を1・48億kW、6653万kW上回り、超過達成した。原子力発電開発の低迷を、再生可能エネルギー電源で補う構図がすでに出来上がってきている。

また、電力安定供給に不可欠な調整力を確保できるかも懸念される。例えば、調整力として技術性や経済性が最も優れている揚水発電を2030年に1・2億kWに拡大することが目標である。2021年の設備容量は3639万kWであるので、目標達成には、年平均930万kWを完成する必要がある。一方、2021年までの11年間の年平均増加量は177万kWであった。抜本的な対策がない限り、目標達成は困難であろう。特に、用地買収と住民移転が関わる用地確保が鍵になると考えられる。

2022年には、ウクライナ危機に端を発した世界規模のエネルギー危機の影響を最小限に食い止めるために、輸入依存度が高く、価格上昇の激しい石油と天然ガスの消費が減少したのに対し、自給率が高く、割安な石炭の消費が増加し、エネルギー消費に占める比率も上昇した。脱炭素化と相容れない石炭消費を2026年から減少させることが国連に提出された目標の一つである。石炭消費を早期に減少させることが「3060目標」にとって喫緊の課題であろう。

（李　志東）

25

加速する再エネ開発と自動車の電動化

★万国共通課題への戦略的な挑戦★

脱炭素化は万国共通の目標である。実現するには、あらゆる分野での脱化石燃料化が不可欠である。当然、化石電源から非化石電源への転換による電源構成の脱炭素化、石油系内燃機関車（ICEV）から新エネルギー自動車（NEV：電気車［BEV］、プラグインハイブリッド車［PHEV］と水素燃料電池車［FCV］を含む。ハイブリッド車［HV］を含まない）への転換という自動車の電動化は避けて通れない。

中国では、全国人民代表大会（全人代＝国会）常務委員会が2009年に「気候変動への積極的対応に関する決議」を採択したことを機に、政府と議会が結束して脱炭素社会に向けた取り組みを本格化させた。その一環として、「戦略的新興産業の育成と発展に関する国務院決定」（2010年）では、再生可能エネルギー（再エネ）産業とNEV産業を戦略的新興産業に指定し、産業育成と再エネ開発、NEV普及を推進してきた。世界に成功例がないなか、中国はこれらの革命的転換の先頭に立とうとしている。

中国国家統計局と電力企業連合会によると、2022年の発電設備容量は前年比7・8％増の25・6億kW、発電電力量は3・

〔図1〕中国発電電力量の電源構成の推移

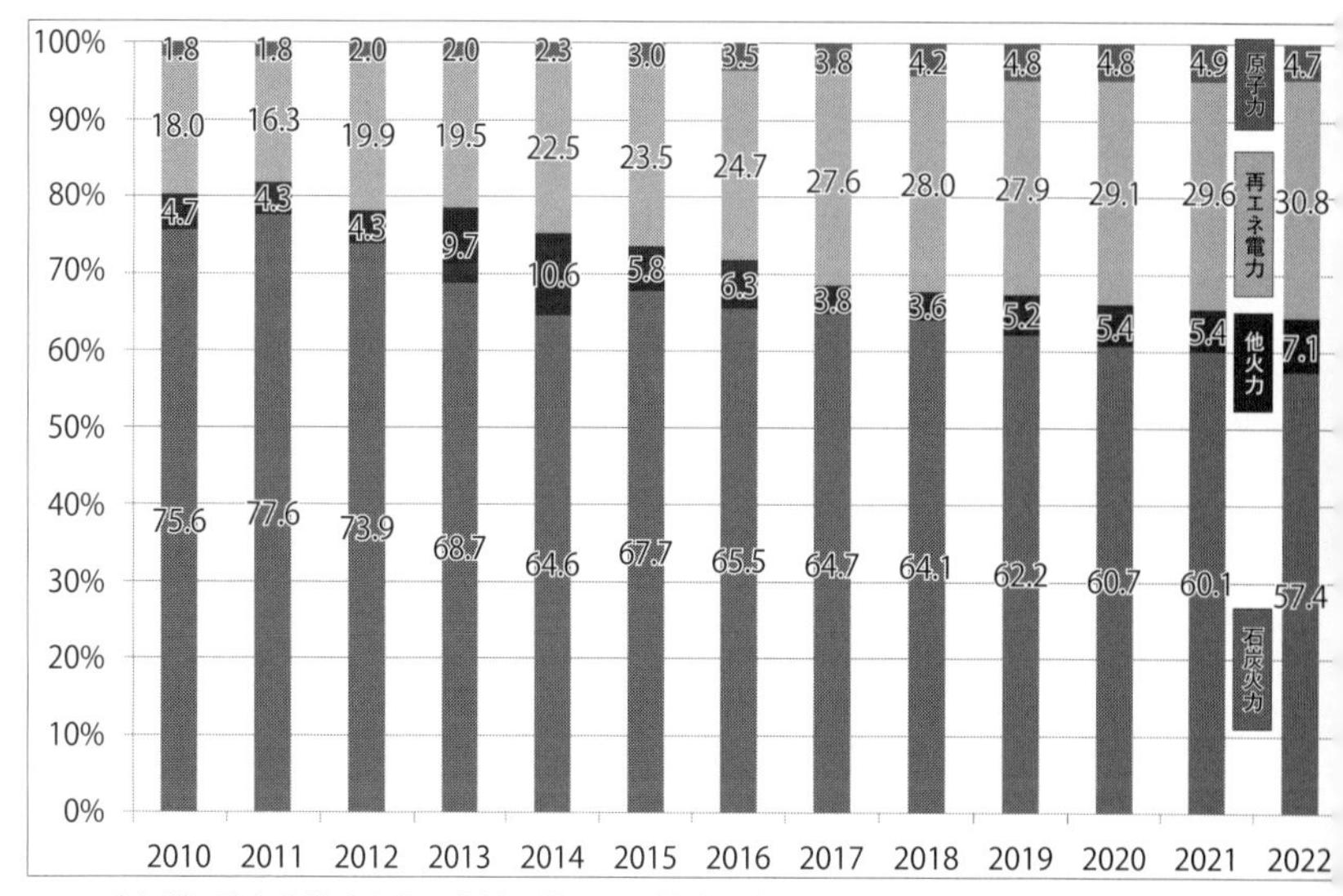

（出所）電力企業連合会の資料に基づき、筆者作成
（注）2022年は速報値

７％増の８・８兆ｋＷｈとなった。内訳では、石炭火力は容量が１・２％増の11・２億ｋＷ、発電量が０・７％増の５・08兆ｋＷｈとなったものの、容量比率は２・９ポイント減の43・８％、発電量比率は２・７ポイント減の57・４％へ低下した〔図1〕。一方、再エネ電源を見ると、太陽光・熱発電は28・１％増の３・93億ｋＷ、風力は11・２％増の３・65億ｋＷ、水力は５・８％増の４・14億ｋＷ、バイオマス発電は８・５％増の４１３２万ｋＷ、合計で14・３％増の12・17億ｋＷへ拡大した。

再エネ電源の容量比率は２・７ポイント上昇の47・５％、発電量比率は１・２ポイント上昇の30・８％となった。このうち、変動電源である太陽光・熱発電と風力の設備容量比率は２・８ポイント上昇の29・６％、発電量比率は１・７ポイント上昇の13・４％へ上昇した。

一方、原子力の設備容量は４・３％増の５５５３万ｋＷへ拡大したものの、その比率は横ばいの２・

2％であり、発電量比率は0・2ポイント下落の4・7％となった。その結果、非化石電源全体の設備容量比率は2・6ポイント上昇の49・7％、発電量比率は1ポイント上昇の35・5％となった。つまり、電源構成の脱炭素化は変動電源が牽引した。

再エネ電源が拡大できた理由として、①再エネ事業者が優先的に送電線に接続できる制度、②再エネ電力を割高な価格で買い取るよう義務付ける「固定価格買取制度（FIT）」、③買電コスト上昇分を全国の農業向け以外の電力ユーザーに電力料金サーチャージを上乗せして吸収する「社会全体での費用負担制度」――などを総合対策として導入したことが挙げられる。

FITは再エネ開発者の利益を保証する制度として中心的な役割を果たしている。実際、FITは、風力や太陽光発電導入量の急拡大と開発コストの急速な低下をもたらした一方、電力料金サーチャージ単価を2006年の1000kWh当たり1元から19元へ上昇させた。そうしたなか、政府が脱FITに向けた取り組みを加速した。2019年1月にコスト補塡の要らない風力と太陽光発電については、開発の許認可権を地方自治体に移譲し、開発規模を制限しないとした。同年4月から5月にかけて、FITを適用する場合でも、開発規模を補塡用財源内に抑制すること、入札制の実施、FIT価格の引き下げと一律価格制から上限価格制への変更等を決定した。さらに、2021年より、陸上風力と大型太陽光発電に向けたFIT制度を廃止した。

また、再エネ電力の利用目標規制・グリーン証書取引制度も2020年に導入された。各省・直轄市・自治区に電力消費量に占める再エネ電力の利用目標を課し、目標達成を義務付ける。各地域はさらに、売電事業者や直接取引に参加する需要家、自家発電を行う需要家に対して、利用目標を課すうえで、グリーン証書取引を行わせる。自社で目標分を確保できなければ、他社の目標超過分を購入するか、再エネ電力グリーン証書を購入しなければならない。目標未達成者は、信用不良リストに載って公表される等の罰が科せられる。

世界初の利用者規制と市場メカニズムの併用によって、以下の効果が期待される。売電事業者が再エネ電力を購入せざるをえなくなり、再エネ電力の出力を抑制するインセンティブがなくなる。同時に、地方自治体が域内の再エネ電源開発を促進せざるをえなくなり、土地利用や資金調達面での優遇措置を講じる可能性が大きい。これらによって、域内における再エネ電源開発が促進される。それに対し、再エネ資源の乏しい地域は、目標達成のために、資源豊富な地域での再エネ電源開発や地域間送電網整備などに協力せざるをえなくなるので、域外における再エネ電源開発も促進される。

道路輸送部門の脱炭素化、つまり、自動車の電動化も大きく進んでいる。中国自動車工業協会（CAAM）によると、2022年の自動車生産量は前年比3・4％増の2702万台、販売量（輸出を含む）は2・1％増の2686万台であった。生産、販売とも2年連続で増加した。このうち、NEVは、生産量が96・9％増の706万台、販売量が93・4％増の689万台（うち、BEVが357万台）であった。NEV販売比率は12・2ポイント上昇の25・6％となり、2025年に20％とする政府目標を3年前倒しで、5・6ポイントも超過達成した。

一方、ICEVの年間販売量は12・2％減の1998万台であった。2017年の2810万台をピークに5年連続で減少し、10年ぶりに2000万台割れとなった。2022年6月から取得税の半減措置が実施されたものの、ICEV離れは続いた。NEVシフトの加速が2021年からの自動車

〔図２〕中国の車種別自動車販売台数の推移

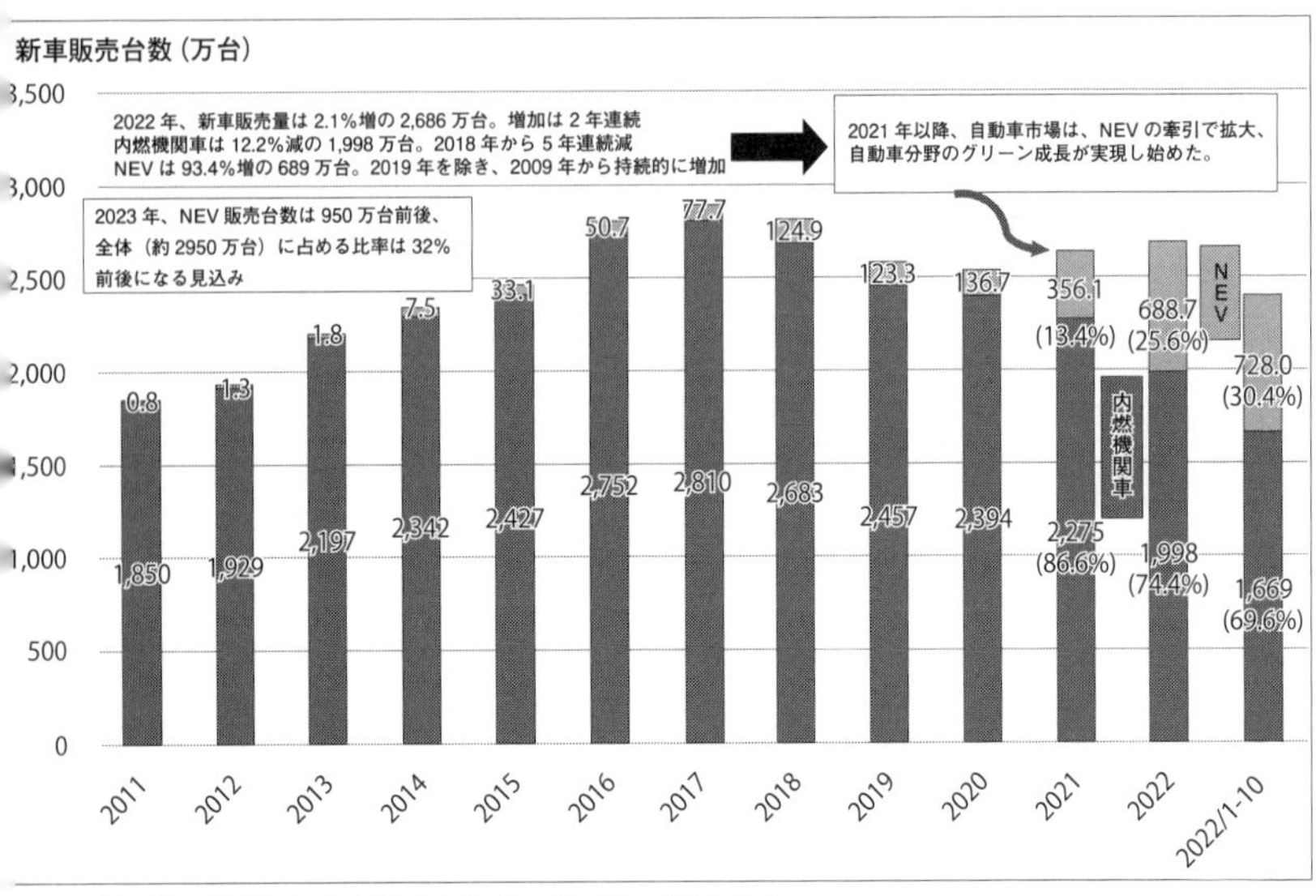

（出所）中国自動車工業協会発表に基づき、筆者作成

市場の拡大を牽引したのである〔図２〕。
背景にあるのが、国内におけるＩＣＥＶに対するＮＥＶの優位性である。例えば、自動車取得税（従価税、10％）と消費税（排気量別従価税、1～40％）、自動車税（排気量別従量税、年間60～５４００元）は、ＮＥＶに対して免除されている。ＮＥＶに対して購入時補助金（２０２２年のＥＶ乗用車への上限は１・39万元。２０２３年から廃止）もある。こういった優遇策と企業努力の結果、ＮＥＶの取得・保有コストがガソリン車より２万～５万元安くなったとの試算がある。

走行コストでは、ウクライナ危機の影響で中国のガソリン価格は２０２２年、一時は33％も高騰した。一方で電力料金が安定しているため、ガソリン車に対するＢＥＶの走行コストは15％（普通充電）～38％（急速充電）へ低下した。

北京など大都市でのＩＣＥＶに対する登録・走行日制限等の影響もあるが、より重要なのは、ＢＹＤ等民族系メーカーを中心に低価格から高価格まで多様なNEVを投入し、消費者に幅広い選択肢を提供できたことであろう。2022年の乗用車販売量に占める民族系メーカーのシェアは、石油系で39％にとどまったのに対し、NEVでは79％に達した。2023年5月時点で、少なくとも390車種1920モデルのBEVが販売され、価格は最低で3・3万元、最高で180万元、1回充電での航続距離は最短で300km、最長で1032km、となっている。

また、BEV乗用車の平均航続距離が2016年の253kmから2021年の400km超へ、主流車種航続距離は2022年に600kmへ延伸したことや充電の利便性が向上したことも大きい。中国充電聯盟と公安省によると、充電器の設置数が2022年末時点で521万基に拡大し、前年比で259万基増えた。NEV保有台数は1310万台に拡大し、同526万台増となった。充電器設置数対NEV保有台数の倍率は、ストックベースで2021年末の3倍から2・5倍へ、増加量ベースでは2倍に改善された。このほか、電池自体を交換する「電池交換ステーション」は前年比675ヵ所増の1973ヵ所となった。

今後については、2022年8月25日、交通運輸省、国家エネルギー局、国家電網と南方電網が共同で「公道沿線充電インフラ建設加速の行動方案」を公表した。NEVで「家に戻れる、都会を離れられる、農村部にも遠出できる」ことを目標に、充電サービスを、①2022年末までに全国高速道路サービスエリア、②2023年末までに条件の整った一般国道と地方公道のサービスエリア、③2025年までに農村部公道沿線――にまで拡大する、と明記した。同時に、充電インフラ事業者に、補助金や低利融資等の政策支援を拡充するとした。充電インフラが全国隅々まで整備できれば、NE

V導入がさらに加速するに違いない。

さらに、2019年に導入されたNEVクレジット目標規制・取引制度（対象企業に販売でのNEV比率を課し、不足・超過分のクレジット取引を認める制度）の影響も無視できない。自動車メーカーに課すICEV販売量に対するNEVクレジット目標は2020年の12%から2021年に14%、2022年に16%、2023年に18%へ引き上げられた。ちなみに、自動車産業を管轄する工業情報化省によると、NEVクレジット目標は2024年に28%、2025年に38%へと年間10ポイントずつ引き上げられる予定である。

こういった普及対策の体系的見直しがNEVへの転換を促したと考えられる。国際競争力向上などに伴う輸出拡大の影響も無視できない。CAAMによると、2022年の自動車輸出台数は前年比54・4%増の311万台であったが、NEVは199%増の68万台となった。全体に占める比率は6・4ポイント上昇の21・8%まで上がった。

電源構成の脱炭素化と自動車の電動化は万国共通の課題である。中国は戦略的に挑戦した結果、世界最大の再エネ発電基地と再エネ発電装置の供給基地、世界最大のNEV生産・販売国、保有国、輸出国に成長した。中国は今後も世界の先頭に立ち続けるか、その取り組みが国際社会にとって「他山の石」となるか注目されよう。

（李　志東）

26

止まらない米中の技術覇権争い

★現実味を増すハイテク切り離し★

技術をめぐる中国と米国の覇権争いが止まらない。習近平（シージンピン）政権が2035年に「科学技術強国」となる目標を掲げるのに対し、米国が最先端技術の中国への移転・輸出を制限して牽制する構図だ。特に、安全保障上欠かせない戦略物資である半導体について、中国が自給率の向上を目指す一方、米国は同盟国・地域を巻き込んだ対中包囲網の構築を進めている。ハイテク分野で米陣営と中国のデカップリング（切り離し）が現実味を増している。

まずは米国の動きを検証しよう。2018年3月、「米国第一」を掲げたトランプ政権（当時）は中国政府による米国企業への技術移転の強制、ハイテク産業振興策「中国製造2025」における不公正な補助金などの問題点を指摘し、米中貿易戦争が幕を開けた。同年4月には、中国通信機器大手の中興通訊（ZTE）がイランや北朝鮮への不正輸出を行っていたとして、同社と米国企業の取引を7年間禁止する制裁を決めた。

ZTEは当時、スマートフォン（スマホ）の有力メーカーだったが、頭脳にあたる「ロジック半導体」を米国企業からの調達に依存しており、生産を継続できなくなる経営危機に直面し

2023年4月、投資家向けイベントで講演するファーウェイの孟晩舟CFO（同社公式サイトより）

た。結局は他の調達手段を見つけられず、同年7月には米政府が求める罰金の支払いや経営陣の刷新に応じ、制裁を解除してもらった。この「ＺＴＥ事件」は中国を代表するハイテク企業の生殺与奪の権を実は米政府が握っていたことを白日の下にさらした。

米政府は続いて、中国通信機器最大手の華為技術（ファーウェイ）に狙いを定めた。米国の要請を受けたカナダ司法省が２０１８年12月、対イラン制裁への違反を理由として、ファーウェイ創業者である任正非（レンジョンフェイ）・最高経営責任者（ＣＥＯ）の長女の孟（モン）晩舟（ワンジョウ）・最高財務責任者（ＣＦＯ）を逮捕した。

米政府は２０１９年5月には、自国の安保・外交上の利益に反する人物・団体のリスト「エンティティー・リスト（ＥＬ）」にファーウェイと関連68社を載せ、米国由来の技術やソフトを25％以上使用した製品・サービスの輸出を許可制にした。その後も段階的に制裁を強化し、２０２０年5月には全世界の企業に対し、米国由来の技術・ソフトを少しでも使った製品・サービスについて、ファーウェイへの輸出を全面的に禁止した。

この制裁の目的は事実上、ファーウェイがスマホや基地局（通信インフラ機器）に載せる最先端半導体の調達を封じることだった。ファーウェイはＺＴＥと異なり、子会社の海思半導体（ハイシリコン）

を使って自社が必要とするロジック半導体を開発する能力を持つ。ただ、自社では工場を持たないため、開発した最先端の半導体チップの製造を台湾最大の半導体メーカー、台湾積体電路製造（ＴＳＭＣ）に委託していた。

ＴＳＭＣは有力メーカーではあるものの、米国由来の技術・ソフトをまったく使わずに半導体工場を動かすことはできない。ＴＳＭＣは当時、ハイシリコンが売上高の十数％を占める得意先だったが、２０２０年５月には米制裁に従ってハイシリコンからの新規受注を中止し、同年９月には半導体チップの出荷を停止した。

「２０２２年の経営は依然として大きな圧力に直面しており、全体としては予想通りの業績だった」。ファーウェイが２０２３年３月末に開いた決算説明会で、職務に復帰していた孟晩舟ＣＦＯは当期純利益が前年度比で約７割減少した２０２２年12月期決算をこう総括した。世界の通信機器市場でシェアを急拡大してきたファーウェイは制裁によって勢いを失い、米国にとっては高速通信規格「５Ｇ」以降の通信・半導体技術で直接の脅威となる可能性が薄れた。

一般に、半導体は通信機器だけでなく、ミサイルの弾道計算に使うなど、安保上欠かせない技術とされる。中国としては安定調達したいのはもちろん、回路の線幅が細く演算能力が高い先端半導体を自力で開発・生産したい。米政府のファーウェイ制裁はその動きを封じる一環と言えよう。

米政府はバイデン政権への交代後も手を緩めず、２０２２年夏以降に相次いで新たな対中規制を発表した。まず、同年８月成立の「ＣＨＩＰＳ・科学法」は米国、韓国、台湾のメーカーが今後10年間、中国国内で新たに先端半導体の生産能力を持つことを事実上禁止した。そして、同年10月と12月に発表した規制は適用する半導体技術の範囲を広げた。それ以前は主にスマホなどに載るロジック半導体が規制・制裁対象だったが、①半導体メモリー、②AI（人工知能）用半導体――が加わった。

米政府の対中規制・制裁はこの段階で、ファーウェイ関連だけでなく、先端技術で開発・製造する集積回路（IC）全般の封じ込めを目指す「第2ラウンド」に突入したと言える。例えば、10月に原則禁止した「回路線幅16／14ナノ（10億分の1）メートル以下のロジック半導体」関連製品の対中輸出は、中国メーカーが最先端の半導体製造装置を輸入し、TSMCに代わる存在へと育つことを警戒した措置だ。12月発表の制裁は、AI用半導体を手がける有力スタートアップ企業をELに追加している。

一方で、日本政府は2023年7月、線幅16／14ナノメートル以下のロジック半導体の製造装置などを輸出管理の規制対象に加えた。米政府はかねて、製造装置で米国並みの技術力を持つ日本・オランダに対中規制への同調を求めており、日本はこれに応じた格好だ。さらに米国は水面下で、半導体産業に強みを持つ日本、韓国、台湾の4ヵ国・地域で協力する「チップ4」と呼ぶ構想を進めているとされる。半導体での対中包囲網が着々と出来上がりつつある。

ここからは、中国による半導体産業の振興策を振り返ろう。政府が2000年に公表した通称「18号文書」が実質的な出発点だ。内容は増値税（付加価値税）や関税の減免など税制上の優遇措置が中心であり、2011年公表の通称「新18号文書」で同様の措置を延長している。中国が「世界の工場」の地位を固めようとしていた時期の政策らしく、純粋な産業振興策の色合いが強い。

2000年代にはこれに呼応し、前出のハイシリコンやチップ製造で中国最大手の中芯国際集成電路製造（SMIC）など一定の国際競争力を持つ半導体会社が相次いで誕生した。しかし、18号文書が掲げた「2010年までに（中国を）世界的なＩＣの開発・生産基地に」する目標までは達成できなかった。

現在に直接つながる振興策は、習政権が2014年6月に公表した「国家ＩＣ産業発展推進ガイドライン」である。税制優遇にとどまらず、政府系ファンド「国家集成電路産業投資基金（国家大基金）」を設立して半導体産業を資金面で直接支援する枠組みを築くことを明記した。2019年10月までに2期に分けて組成されたファンドは合計で3400億元に達している。

その流れを受け、前出の中国製造2025が2015年5月に公表された。これは総合的なハイテク産業の振興策だが、半導体を含む次世代の情報通信技術（ＩＣＴ）産業を重点10分野の筆頭に盛り込んでいる。その目的として「国家の情報とネットの安全に関わる半導体チップ」の開発能力を高めることを挙げるなど、18号文書に比べると、軸足が産業振興から安保に移っている。そして、中国製造2025の2017年改訂版は半導体自給率の実績・目標として2016年33％、2020年58％、2030年80％という数値を明記した。前述した通り、米政府は2018年に貿易戦争を発動した直後には、この野心的な振興策を繰り返し批判した。

中国政府・産業界は2019年に入ると、中国製造2025について公の場で言及することがなくなった。米政府の批判をかわす狙いとみられるが、ハイテク振興をあきらめたわけではない。例えば、全国人民代表大会（全人代＝国会）が2021年3月に採択した「第14次5ヵ年計画および2035年までの長期目標」は、ＩＣを国の安全に関わる「基礎的・核心的な領域」の一つに挙げている。この5ヵ年計画は中国国内でイノベーションを加速させ、海外に極力依存しないサプライチェーン（供給網）

を完結させる「国内大循環」という概念を盛り込んでおり、半導体はその成否を左右する産業・技術であると位置付けた。

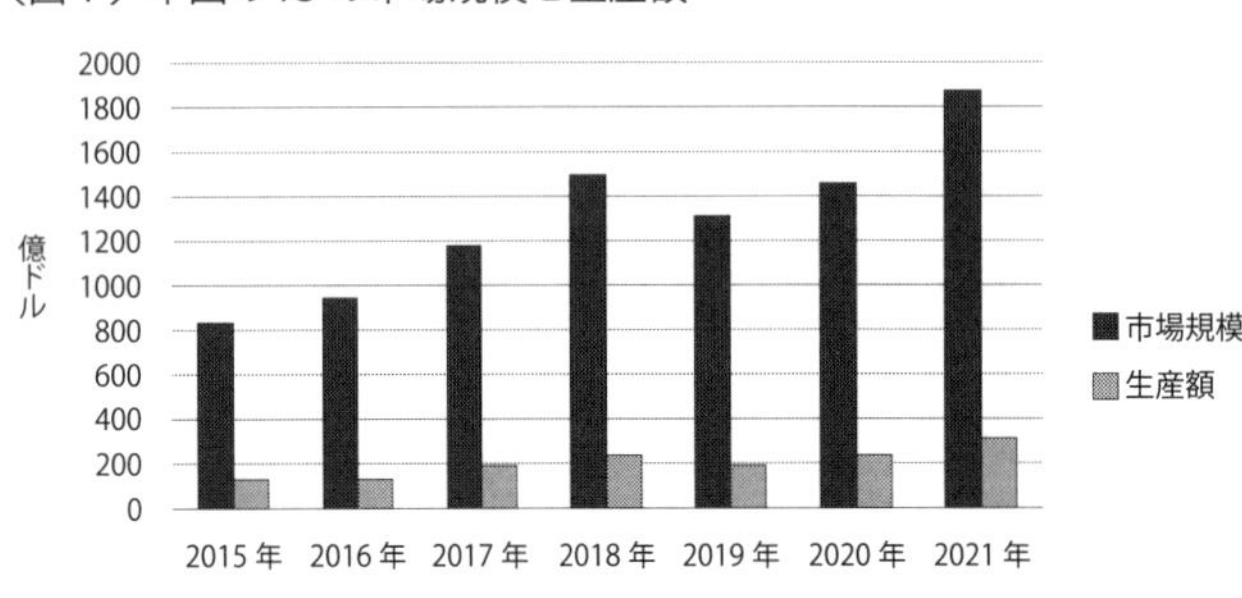

（出所）米ICインサイツの調査を基に筆者作成

さらに、習近平は自らの総書記３期目入りを決めた２０２２年10月の共産党大会の政治報告で、２０３５年に科学技術強国を実現する目標の具体策として「サプライチェーンの強靭性や安全のレベルを着実に高める」ことの必要性に触れた。米国と同盟国・地域による包囲網に屈することはないとの意思を改めて示した格好だ。

しかし、２０２３年時点では、半導体に関する中国の取り組みは苦戦している。米調査会社ＩＣインサイツが２０２２年４月にまとめたリポートによると、中国の２０２１年のＩＣ自給率は16・７%だった。２０２１年の中国のＩＣ生産額が３１２億ドル、ＩＣ市場の規模が１８７０億ドルだったとして、割り算で自給率を導き出している。２０２６年時点の自給率が21・２%になるとの予測も示した。

共産党・政府は信憑性の怪しい指標類を使ってまで政策を正当化することが珍しくないが、ＩＣインサイツの分析への反論は表明していない。中国の半導体振興策の旗振り役である清華大学の魏少軍（ウェイシャオジュン）教授は2023年6月の講演で、中国の金額ベースの自給率が2013年の13%から、2022年に41・4%まで上昇したと語っている。共産党・政府の現状認識もこの線に沿っている可能性がある。自給率は着々と高まっているものの、中国製造2025が掲げた「2030年に80%」という目標からはかなり遠いようだ。

技術面でも、米国、韓国、台湾などとの差は縮まっていない。ファーウェイが2023年8月に発売した高機能スマホには、SMIC製の線幅7ナノメートル級のロジック半導体が搭載されていることが話題になった。米政府が警戒感を示したが、この半導体は一世代前の装置による回路加工の工程数を複数回に増やし、コスト上昇を覚悟して製造したとの見方が有力となっている。微細化技術で先行するTSMCが2022年末に3ナノメートル製品の量産に入ったのに比べると、技術が7〜8年は遅れている。米国が主導する対中禁輸の包囲網で半導体製造装置の輸入が滞り、微細化のペースが落ちてしまった。中国にも製造装置メーカーは存在するが、製造装置はチップ製造に比べて技術の蓄積に時間がかかるとされ、現時点での実力は米国、日本、オランダの競合会社に遠く及ばない。

とはいえ、絶対的な権力を握った習近平が号令をかけている以上、中国が半導体などハイテク産業の育成を簡単にあきらめることは考えにくい。中国が半導体への投資を増やすことは、製造装置や素材で世界的な競争力を持つ日本メーカーにとって商機の側面もある。日本は安保には十分に配慮しつつ、是々非々で中国のハイテク産業と付き合う道筋を探るべきなのだろう。

（山田周平）

27

日中経済交流は量から質へ

★相互補完に商機も政治の緊張に危うさ★

日中の戦後の経済関係は1978年に始まった中国の改革・開放政策が大きな転機となった。中国で改革・開放の総設計師と呼ばれた鄧小平（ドンシアオピン）副首相（当時）は同年10月、日中平和友好条約に調印するため初めて日本を訪問した。鄧小平は滞在中、東海道新幹線に乗ったほか、松下電器産業（現パナソニック）、新日本製鉄（現日本製鉄）、日産自動車の工場を視察。「日本が科学技術を発展させた経験を持ち帰る」と訪日を総括し、経済交流に意欲を示した。

日中間は国交が1972年まで途絶えていたこと、中国が1966〜76年の文化大革命期に事実上の経済鎖国の状態にあったことなどから、経済関係が極めて限定的だった。鄧小平が帰国後、最高権力者として改革・開放を推し進めたのに呼応し、日本政府が1979年度に対中ODA（政府開発援助）を始めた。中国が求める技術や資金を供与する手法で鉄道、電力、通信などのインフラ整備に協力し、プロジェクトを受注した日本企業にとっては中国進出の足掛かりとなった。

1989年6月の天安門事件がこの流れに水をさした。中国共産党・政府が民主化運動を武力弾圧したこの事件で、日本企

〔表1〕日本企業の中国ビジネスの移り変わり

	主な出来事	主なビジネスの形態	主な担い手
〜1980年代	●改革・開放政策が始まる ●天安門事件	対中ＯＤＡを背景とした大型プロジェクト	総合商社、インフラ機器メーカー
1990年代	●日本のバブル経済崩壊 ●南巡講話	労働集約型産業の工場進出	アパレル、食品、電子機器の組み立て
2000年代	●WTO加盟	工場進出が基幹産業に広がる	自動車、電子部品、工作機械
2010年代〜	●世界2位の経済大国に	現地の消費市場の開拓	小売り、外食、サービス

（出所）筆者作成

業の北京駐在員らは一時帰国を余儀なくされ、活動はマヒした。日本政府は国際社会に同調し、対中ＯＤＡの凍結など経済制裁を発動。日本企業の中国進出はこの時期、豊富な労働力や割安な人件費を活用する工場運営にまで広がっていたが、カントリーリスクの高まりからブレーキがかかり、中国ビジネス全般に様子見ムードが広がった。

この空気を打破したのが、鄧小平による１９９２年の「南巡講話」だ。広東省の深圳経済特区と珠海経済特区、上海など経済発展で先行した南部を視察し、「外資からも我々は税収、雇用拡大などの利益を得られる。もっと外資系企業を増やしてもいい」と改革・開放の加速を訴えたのだ。日本政府はすでに、欧米に先駆けて制裁を解除していたが、企業にも中国の投資環境への安心感が広がった。

日本企業の工場進出は１９９０年代後半にかけ、アパレル、食品など労働集約型の軽工業から、電機や自動車といった基幹産業へと拡大していった。バブル経済崩壊後の業績不振にあえいでいた日本の製造業にとって、中国工場を活用したコストダウンは生き残りに欠かせない経営課題の一つに浮上した。

中国は2001年には世界貿易機関（WTO）に加盟し、世界の貿易システムに完全に組み込まれた。香港、台湾などの華人資本が先行し、日本が続いた外資の中国進出だが、WTO加盟による法整備や規制緩和を受けて欧米の大手企業が加わった。中国は家電、パソコン、自動車などあらゆる工業製品の生産が集積する「世界の工場」の地位を固めていった。

この時期の日中の経済関係の深まりは、日本の貿易相手の変遷からも読み取れる。2000年の日本の輸出相手国・地域（金額ベース）は、米国が29・7％を占めて首位。中国は6・3％で台湾、韓国に次ぐ4位にとどまっていた。しかし、中国は2009年に初めて首位に立つと、その後は米国とトップ争いを続けている。輸入相手国・地域としても、2000年の14・5％（2位）から2022年は21・0％（1位）まで増加し、米国の2倍以上の比率を占めている。

一方で、この時期からは経済関係の拡大に伴う摩擦も目立つようになった。日本の千葉県と兵庫県では2007年末から2008年初めにかけて「毒ギョーザ事件」が発生。中国河北省の工場で殺虫剤が混入された冷凍ギョーザを食べた消費者10人が下痢などの中毒症状を訴えた。2010年には、沖縄県・尖閣諸島沖で海上保安庁の巡視船と中国漁船の衝突事件が起きたのを受け、中国政府が世界生産の9割以上を握る希土類（レアアース）の対日輸出を厳しく制限する措置をとった。中国とは普段、縁のない日本の一般市民も日中経済がいかに緊密になっているかを実感する時代となった。

中国は2010年、名目国内総生産（GDP）で日本を抜き、世界第2位の経済大国となった。国際通貨基金（IMF）によると、一人当たり名目GDPは2022年には1万2814ドルと中所得国のなかでも上位に位置するようになった。14億人超の人口を持つ中国はすでに「世界の工場」から

中国で多店舗展開を推進する「ユニクロ」の上海店（同社公式サイトより）

「世界の市場」へと脱皮しており、日中の経済関係に再び質的な変化をもたらしている。

製造業が中心だった日本企業の中国進出は、現地の中間所得層の購買力を目当てとした小売りや外食へと広がった。小売りでは、ファーストリテイリングの「ユニクロ」ブランドの店舗数は２０２３年８月末時点で９２５店と日本（８００店）を上回っている。良品計画の「無印良品」も日本を代表するブランドとして若者の間に定着している。外食では、博多ラーメン店「一風堂」やカレー店「カレーハウスＣｏＣｏ壱番屋」など日本の庶民の味のチェーン店が北京や上海に上陸している。

中国人の旺盛な消費ぶりは日本にいても体感できるようになった。日本政府観光局（ＪＮＴＯ）によると、新型コロナウイルス禍による渡航制限前の２０１９年、中国からの訪日客は約９６０万人と国・地域別で首位だった。２０１０年の６・８倍に激増している。市民の懐が温かくなって海外旅行が身近となり、手頃な目的地として日本に注目が集まった。伸びが目立ち始めた２０１４年ごろには、中国人訪日客が家電製品や紙おむつを大量にまとめ買いする「爆買い」現象が起きた。

爆買いは２０１６年ごろに下火となった。人民元相場がこの時期に下落して中国人の円換算での購買力が落ちたこと、越境電子商取引（EC）の発達で日本製品を中国に居ながらにして買えるようになったこと、訪日目的が買い物ではなく体験重視の「コト消費」にシフトしたことなど、理由はいくつか挙げられる。

ただし、日本の商品の人気が落ちたわけではない。日本化粧品工業会が美容液、香水など主な化粧品16種類の2016年の輸出入額を調べたところ、輸出が輸入を初めて上回った。特に中国向けは増加が続き、2021年は約4000億円と輸出全体の半分を占めた。日本の化粧品を気に入った中国の訪日客が帰国後も「リピート購入」しているようだ。

日本から中国への一方通行だった企業の動きも様変わりしている。日本貿易振興機構（ジェトロ）のまとめでは、2022年末時点の中国の対日直接投資残高は73億6600万ドルと2012年末時点（5億5200万ドル）の13倍以上に増えている。韓国や台湾による対日直接投資に並ぶ水準であり、香港や英領ケイマン諸島を経由した案件を含めた実質的な投資規模はさらに大きい可能性がある。

まず中国企業は2010年ごろに、不振企業を買収する形で日本進出を本格化させた。自動車大手の比亜迪（BYD）による金型大手オギハラの工場買収、家電量販店の蘇寧電器集団によるラオックス買収などがこれに当たる。いずれも当時、中国で成長期を迎えた民営企業が日本企業の持つ技術力やブランド力を一気に手に入れるのが狙いだった。

中国企業が世界的な競争力をつけると、日本経済の質の高さに着目した進出が増えるようになった。例えば、通信機器最大手の華為技術（ファーウェイ）は2023年現在、日本国内に合計4ヵ所の研究開発センターとラボを構えている。同社は日本を通信機器の部品・部材の重要な調達先と位置付けており、これらの拠点で日本のサプライヤーとの共同研究などを行っているもようだ。

ネットサービス大手のアリババ集団や騰訊控股（テンセント）は日本法人を置き、市場開拓を本格化させている。アリババは中国向けに化粧品や日用品を売りたい日本企業に対し、「天猫国際」と呼ぶ越境ＥＣのプラットフォームを提供する。テンセントは中国からの訪日客がスマートフォン（スマホ）決済サービス「ウィーチャットペイ（微信支付）」を使える店舗網を整備した。さらに、両社とも日本国内に専用データセンターを複数建設し、クラウドサービスで顧客を確保している。

２０１０年代後半からは、日本で深圳を中心とする中国の創業・イノベーションへの関心が高まり、コロナ禍前には日本企業による深圳視察がある種のブームになった。この流れを受け、中国で続々と誕生したスタートアップ企業が消費水準の高い日本市場を目指す動きも広がっている。

もちろん、日中の経済協力の前途がバラ色というわけではない。日中関係は歴史認識や領土に関わる摩擦が経済交流に影響する構造を宿命として抱えている。尖閣をめぐっては２０１０年のレアアース輸出規制に続き、日本政府による国有化をきっかけとした反日デモが２０１２年に起き、日本製品のボイコットが広がったことは記憶に新しい。

中国政府は２０２３年８月下旬には、東京電力福島第１原子力発電所の処理水の放出開始に反発し、ホタテなど日本産の水産物の輸入を全面的に停止した。日本側では中国の措置は非科学的な経済的威圧だとの批判が強く、台湾など別の輸出先を探る動きが広がっている。

３期目に入った習近平（シージンピン）政権が中国で事業運営する外国企業への警戒を強めていることも逆風だ。２０２３年７月に施行された改正「反スパイ法」が典型例と言える。改正により、「国家機密」の提供に絞っていたスパイ行為を「国家の安全と利益に関わる文書、データ、資料、物品」の提供や買収に広げている。日本企業も当局の恣意的な判断で摘発対象になる恐れがあり、2023年10月には、アステラス製薬の現地法人の日本人社員がスパイ容疑で逮捕されている。

長引く米中貿易戦争も経済安全保障の側面から、日中の経済交流にブレーキをかけている。米政府が2018年から段階的にファーウェイへの制裁を強化し、日本政府・企業に同調を求めてきた。これを受け、日本の通信事業者はファーウェイ製の基地局（通信インフラ機器）の調達やスマホの販売を取りやめた。米政府はその後、半導体製造装置の対中輸出の規制にも同調するよう求め、日本政府は2023年3月に応じる意向を示している。

そして、2020年初めから日中双方で続いたコロナ禍による渡航制限も経済交流に大きな打撃を与えている。JNTOによると、2023年1～10月の中国からの訪日客は約185万人と、ピークだった2019年の同じ時期の約23％にとどまっている。中国政府は2023年8月上旬に日本への団体旅行を解禁したものの、福島第1原発の処理水放出が直後に始まり、中国人客の復活を期待していた日本のインバウンド（訪日外国人客）産業は出ばなをくじかれた。

とはいえ、世界有数の経済大国二つが東アジアで同居する状況が当面続くことは確実だ。日本は技術力や先行者としての経験、中国は巨大な市場や当局による支援など相手にはない強みを持ち、相互補完性は大きい。日中の産業界や経済関係者は好むと好まざるとにかかわらず、協力の道筋を探らなければ、お互いが損をする結果を招くことになる。

（山田周平）

28

論議呼ぶ「一帯一路」

★浮上する「債務の罠」の懸念★

中国が主導する広域経済圏構想「一帯一路」は、習近平(シージンピン)政権にとって経済、外交、軍事上のいくつもの課題を解決しうる対外政策だ。世界第2位の経済大国である中国と、先進国が集まる欧州を結ぶ「現代版シルクロード」の経済を活性化するという看板を掲げる。太平洋を挟んで米国と対峙する中国にとって後背地を確保する意味合いを持つが、支援対象国における「債務の罠」の懸念や対中感情の悪化など負の側面も浮上している。

「『一帯一路』を共同で建設することは国際的な公共物、国際協力のプラットフォームとして大いに歓迎された」。中国共産党の習近平総書記(国家主席)は2022年10月、自らの任期3期目入りを決めた第20回党大会の政治報告で、過去10年間の実績の一つとして一帯一路構想が国際的な支持を受けたと自賛した。

一帯一路の始動は2013年秋にさかのぼる。習近平は同年9月、訪問先の中央アジア・カザフスタンで中国と欧州を陸路でつなぐ「シルクロード経済ベルト(一帯)」を提唱。さらに同年10月には、インドネシアで南シナ海やインド洋をつなぐ「21世紀海上シルクロード(一路)」を打ち出した。この二つを統合

〔図１〕二つのシルクロード「一帯一路」のルート

（出所）「新華網」より作成

し、２０１４年11月に北京で主宰したアジア太平洋経済協力会議（ＡＰＥＣ）首脳会議で一帯一路構想を世界にアピールしたという流れだ。

２０２３年10月には、一帯一路をテーマにした国際会議の第３回会合を北京で開いた。中国政府の公式発表では、プーチン・ロシア大統領など世界１４０ヵ国以上の国と30以上の国際機関から計４０００人以上が参加した。習近平は開幕式で演説し、一帯一路が構想発表からの10年間で、協力国における鉄道・発電インフラの整備など「大きな成果を得た」と自賛した。さらに「一方的な制裁や経済的な脅迫、デカップリング（切り離し）に反対する」と米国を牽制した。

中国が参加する国際的な経済連携の枠組みはいくつもあるが、一帯一路は中国が主導した資金面の裏付けが用意されている点に特徴がある。一帯一路の沿線に位置する中央アジアやインド洋の国々は経済発展が遅れている例が多い。そこに開発資金を供給する金融機関が相次いで整備されており、２０１５年設立のアジアインフラ投資銀行（ＡＩＩＢ）が代表格だ。

ＡＩＩＢは自らが中国の意思だけに基づいて運営される組織ではないと主張する。確かに、発足時に57ヵ国だった参加国は90を超えた。しかし、中国の出資比率は依然として議決権ベースで26％超と圧倒的に高く、運営で一定以上の主導権を握っている。同じアジアで活動する国際開発金融機関でも、日米が主導するアジア開発銀行（ＡＤＢ）とは対照的だ。

第28章

論議呼ぶ「一帯一路」

ＡＩＩＢを事実上、中国財政省が取り仕切っているのに対し、中国人民銀行（中央銀行）が管轄するのは同じく２０１５年に設立されたシルクロード基金。こちらは中国が1ヵ国で出資・運営するため、第1号案件として、国境紛争を抱えるインドを牽制するうえで重視するパキスタンの水力発電事業を選ぶなど、中国の外交方針に沿った運営が行われているようだ。さらに２０１４年末には、「ＢＲＩＣＳ」と呼ばれる中国、ブラジル、ロシア、インド、南アフリカの新興5大国が共同出資する新開発銀行（通称ＢＲＩＣＳ銀行）も発足した。

では、一帯一路の狙いは何なのか。構想が公表された２０１３年前後に中国が置かれていた状況を見ると、まず国内経済の側面では、外貨準備が２０１３年末時点で3兆８０００億ドルと記録的な水準に達していたことが挙げられる。中国は外貨準備を米国債で運用することが多いが、利回りやリスク分散の観点から別の運用手法のある方が望ましい。

もう一つは鉄鋼やセメントなど素材の過剰生産能力が表面化し、需要拡大の道を求めることが景気対策上、必要になったこと。さらに、中央アジアと国境を接する新疆ウイグル自治区など中国西部は経済発展が遅れがちで、振興策が必要だという事情もあった。

一方、対外関係では環太平洋経済連携協定（ＴＰＰ）の交渉が進んでいたことがある。米国は２０１７年のトランプ政権の発足直後にＴＰＰから離脱したが、２０１３年時点では日本などとともに中国の東隣に巨大な経済圏をつくる方向だった。中国国内では対抗上、米国が第2次世界大戦後の欧州経済の復興を支援し、後の西側陣営の形成につなげた「マーシャルプラン」の中国版を推進すべきだとの議論が起こった。

ＴＰＰには中国自身が２０２１年に加盟を申請したものの、バイデン米政権は２０２２年5月に日本やインドを巻き込み、アジア地域の新たな経済連携「インド太平洋経済枠組み（ＩＰＥＦ）」を発足させた。中国が米国に対抗しうる陣営づくりを望む状況に変わりはない。

中国の資金を中央アジアやインド洋の途上国が求める空港、鉄道、港湾などのインフラ整備向けに融資。そこで必要となる鉄鋼やセメントは中国が供給する。中国が主導権を握る経済圏が出来上がり、完成したインフラは中国が軍事に転用することもできる――。一帯一路は中国が抱える一連の課題にまとめて答えを出しうる枠組みと言える。

一帯一路の具体化はどの程度、進んでいるのだろう。習近平は２０２３年10月の国際会議の演説で、中国が１５０ヵ国以上の国、30以上の国際機関と一帯一路をめぐる協力文書に署名済みだと表明した。シルクロードと地理的に離れた署名国も多く、例えば、パナマ運河を擁する中米パナマとは２０１７年11月に署名している。パナマは長年、台湾当局を外交承認してきたが、中国は同年6月の国交樹立から時間を空けずに取り込んだ。

中国政府は２０１８年1月に初めて公表した「北極政策白書」で、北極海を通る航路を「氷上のシルクロード」と呼び、一帯一路と結び付ける考えも示している。一帯一路構想は地理的概念を離れ、中国に都合のよい経済圏づくりという性格が強まっている。

一帯一路が中国の経済外交のツールに育ったのは事実だが、実際の経済効果は評価が難しい。中国政府の公式サイト「一帯一路網」には、中国と欧州を結ぶ貨物列車「中欧班列」が２０２２年、前年の９％増に当たる1万６５６２本運行されたなど、実績を誇示する数字がいくつも並ぶ。しかし、この列車が走る鉄道付近で起こったはずのロシアによるウクライナ侵攻への言及がないなど、情報が客観性に欠けている。

仏投資銀行ナティクシスは2022年6月、2020～21年の中国からの一帯一路関連投資は2015～19年と比べて年平均で62％減ったとの調査を発表している。地域別で最大投資先のアジア向けが210億ドルから70億ドルに落ちた。コロナ禍が主因だが、インド洋の島国スリランカなどで債務不履行（デフォルト）が発生し、貸し出しに慎重になった側面もありそうだ。

スリランカは債務の利払いに窮した港湾局が2017年12月、南部ハンバントタ港の運営権（99年間）を中国国有企業に譲り渡し、債務の罠の典型例だとの見方が出ていた。スリランカは結局、2022年5月に債務不履行状態に陥り、中国は全体の52％に当たる73億ドル分の債権が回収不能となった。中国政府系の中国輸出入銀行が2023年10月の国際会議直前、スリランカと債務再編で合意したことが明らかになった。

インドネシアでは、首都ジャカルタ―バンドンを結ぶ高速鉄道建設を中国が日本に競り勝って2015年に受注したものの、2023年10月に4年遅れでようやく開業した。パキスタンでも、中国が2015年から43年間租借している南西部グワダル港の経済特区で、中国の利権に反発する現地住民の抗議活動が伝えられる。主要7ヵ国で唯一、一帯一路をめぐる協力文書に署名していたイタリアは2023年10月の国際会議の直前に、中国側に構想から離脱する意向を伝えている。構想発表から10年を経た一帯一路は、中国が自賛するほど順調に影響力を広げているわけではない。

（山田周平）

流動化する社会の地殻変動

29

社会を揺るがしたコロナ禍

★政権の強圧姿勢が国民の不満を増幅★

中国で初めて確認された新型コロナウイルス感染は、２００２〜０３年に大流行した重症急性呼吸器症候群（新型肺炎＝ＳＡＲＳ）の感染規模をはるかに上回る「パンデミック」（感染症の世界的な大流行）として世界を揺るがせた。国際社会では習近平（シージンピン）政権の初動対応への批判が根強く、米中対立を先鋭化させた。政権がとった厳しい防疫措置も中国の経済・社会に大きな傷痕を残した。

コロナに関する中国の最初の公式的な対外発表は２０１９年12月31日、湖北省武漢市の衛生健康委員会のサイトで公表された「肺炎感染」に関する通達だ。世界保健機関（ＷＨＯ）は、最も早い患者の発症日を２０１９年12月８日としている。中国国営メディアは２０２０年１月９日、複数の患者から新型コロナウイルスが検出されたと報道し、中国政府は「人から人への感染」を認めた。ＷＨＯのテドロス事務局長は「国際的な公衆衛生上の緊急事態」を宣言した。

初動対応に際し、地元当局の動きは鈍かった。武漢市では１月18日、４万世帯以上が料理を持ち寄る伝統の宴会「万家宴」が開催された。すでに死亡する患者も現れるなか、市政府は行

第29章

社会を揺るがしたコロナ禍

事を中止しなかった（『読売新聞』２０２０年1月31日）。武漢市長は26日の記者会見で、連休による帰省などで約５００万人がすでに市を離れていると明かした。習政権は湖北省トップの共産党委員会書記と武漢市トップの市党委書記を解任する。事実上の更迭だった。

危機感を強めた政権は1月23日、人口約１１００万人の武漢市のロックダウン（都市封鎖）に踏み切った。前例のない封鎖は約2ヵ月半続き、日本政府はこの間、チャーター機を武漢市に派遣し、湖北省在住の在留邦人を帰国させた。

初動対応では、当局の情報統制も汚点となった。それを象徴するのが、武漢市の眼科医師、李文亮（リーウェンリアン）（当時34歳）への対応だ。李医師は当局の正式発表前、ＳＮＳ（ソーシャル・ネットワーキング・サービス）のグループチャットに「7人がＳＡＲＳと診断された」と投稿し、注意を呼びかけた。市公安局は李医師を派出所に呼び出し、訓戒処分とした。李医師はその後も勤務を続け、自らも新型コロナに感染して死去した。中国では、李医師に対してはホイッスル・ブロワー（内部告発者）として同情論が根強い。武漢市長は1月末、中国中央テレビに「地方政府は権限を与えられて初めて発表できる」と述べた。暗に上部組織を批判したとの見方がある。

感染死亡者の遺族には、情報開示の遅れが感染拡大を招いたと訴える人もいたが、当局は他の遺族との接触を妨害するなど圧力を強めた。関係者によれば、武漢市などの住民のなかには、市政府や省政府を相手取った損害賠償請求訴訟を準備したものの、警察当局から警告され、提訴を断念したケースもあるという（『読売新聞』２０２０年5月18日、10月9日）。

当局が公表する感染者数などの統計に対する疑義も多く、特に武漢市の死者数をめぐっては、公式発表の数字が実態よりはるかに少ないのではないかとの見方が出ていた。それを裏付けるように、当局は4月、流行初期に算入漏れがあったとして、死者数は公表していた人数より1290人多い3869人だと発表した（『読売新聞』2020年4月18日）。

感染拡大による影響は内外で広がり続けた。中国の国会にあたる全国人民代表大会は開幕日が3月5日から5月22日に延期された。経済の先行きが不透明だとし、2020年の国内総生産（GDP）の成長率目標の設定も見送られた。日中両政府は、4月に予定していた習近平国家主席の国賓来日を延期した。2020年夏の東京五輪・パラリンピックも1年延期された。

コロナは米中関係の悪化にも拍車をかけた。ポンペオ米国務長官が「武漢ウイルス」と発言したのに対し、中国外務省報道官はツイッターで、ウイルスについて「米軍が武漢に持ち込んだ可能性」を主張。2020年9月の国連総会では、トランプ大統領が中国を「疫病を世界に解き放った国」と表現し、習主席もコロナについて「政治問題化することに反対する」と述べ、名指しは避けつつ米国を批判した。

中国の国内世論でも、感染拡大の責任は中国にあるとの指摘への反発は強かった。中国中央テレビキャスターは2020年2月の時点で、「ごめんなさい、迷惑をかけましたと、世界に頭を下げてみてはどうか」とSNSで呼びかけたが、批判が殺到し、アカウントは閉鎖に追い込まれた。

中国は、都市封鎖や全住民を対象としたPCR検査、スマートフォンを通じた行動追跡、移動制限などの強制力を伴う感染対策を迅速に打ち出せる「社会主義体制の優位性」を宣伝するようになった。習主席は2020年9月、コロナ対策についての演説で、国家制度の優劣の判断基準は「重大リスクに際して各方面に命令できるかどうか」にあると述べた。

住民の行動を徹底的に規制する感染対策は、「ゼロコロナ政策」と呼ばれる。確かに欧米や日本に比べて感染を抑え込む効果はあったが、対応に手抜かりがあったとして上部組織から処罰されることを恐れる地方当局による画一的な対応の弊害も相次いで指摘された。2021年12月にロックダウン状態となった陝西省西安市では、妊娠中の女性が有効な陰性証明を所持していないとして氷点下のなか、病院の外で2時間待たされ、死産する事件があった。同市在住の中国紙元記者、江雪（ジアンシュエ）は当局批判を交えて「本質的には人為的な災難だ」と指摘する文章をSNSで発表したが、間もなく閲覧できない状態となった。北京では2022年5月、感染対策を理由として病院が患者の受け入れを一時拒み、患者が死亡したなどと告発する投稿が広がり、市当局は関係機関の責任者を処分した（『読売新聞』2022年1月6日、1月9日、5月28日）。

当局が治安維持のため、防疫措置を悪用するケースもあった。河南省鄭州市で2022年4月以降、地元銀行で預金を引き出せないトラブルが起きた際、当局は抗議のために地元入りするなどした預金者1317人の携帯電話アプリに対し、感染リスクが高いことを示すように操作した。アプリを不正操作された住民は強制隔離の対象となりかねず、街頭で抗議することが難しくなる。不正はすぐに発覚し、市党委員会で司法・警察部門を統括する政法委員会の筆頭副書記が更迭された。

世界の潮流がコロナとの共生に向かうなか、中国は国民の不満や経済活動の停滞をよそに、ゼロコロナ政策に固執し続けた。国際政治学者イアン・ブレマーが率いる米ユーラシア・グループは2022年の世界十大リスクのトップに中国のゼロコロナ政策の失敗を挙げた。

最大都市の上海市では２０２２年3月、ロックダウンが行われ、２５００万人の市民の大半が外出を原則禁じられた。外資企業も操業停止を余儀なくされ、サプライチェーン（供給網）の混乱を招いた。市トップの李強（リーチアン）・市党委書記（その後、首相に就任）が住民から面罵される動画も出回った。感染力の強いオミクロン株を強圧的な防疫措置で抑え込むことは難しいことが浮き彫りとなった。

限界が明らかとなったゼロコロナ政策を「最も社会的コストが低い防疫戦略」（党機関紙『人民日報』）と正当化していた当局が方針転換したのは、２０２２年10月の党大会を経て習近平3期目政権が発足してからだ。

2022年11月28日未明、北京市朝陽区の亮馬橋地区で、ゼロコロナ政策に抗議して白い紙を掲げる若者ら（比嘉清太撮影）

きっかけの一つは11月下旬、ゼロコロナに対してくすぶり続けていた住民の不満が都市部で噴出したことだ。抗議の発端となったのは新疆ウイグル自治区のウルムチ市で発生した高層住宅火災で、街頭に防疫用の柵が設置されていたことが原因で救助作業が遅れ、多くの死傷者が出たと伝えられた。北京市中心部の朝陽区では、火災の犠牲者らの追悼のため数百人以上の若者らが集まり、言論統制への抗議の象徴となった白い紙を掲げて「封鎖を解け」と訴えた。「言論の自由を」「報道の自由を」と体制批判に踏み込んだ参加者もいた。上海市などでも同様の抗議が起き、SNSの動画によれば、習近平退陣を求める声も上がったという。一連の抗議は「白紙運動」と呼ばれる。政権側は携帯電話の位置情報などから「白紙運動」の参加者を割り出し、次々と拘束する一方、ゼロコロナ政策の終了に向けて舵を切る。

政府は12月7日、無症状感染者らの自宅隔離を認めるなど10項目の新たな緩和・改善策を発表した。その後の動きは速かった。行動追跡アプリの運用停止（13日）、無症状感染者の公表中止（14日）、入国時の強制隔離の撤廃予告（26日）が続き、ゼロコロナ政策が実質的に終了した。官製メディアは、ウイルスが弱毒化したという専門家の見解を相次いで伝え、政策転換を正当化した。

しかし、医療体制の整備は不十分なままだった。抗原検査キットや医薬品の不足のしわ寄せは、爆発的感染という形で住民に及んだ。大都市では病院の発熱外来に患者が殺到し、葬儀場の火葬件数は急増した。緩和後の40日余りの時点で、医療機関でのコロナに関連した死者数は7万2000人以上となり、2020年2月以降、日本でコロナ感染のため亡くなった人数（約6万5400人）を一気に上回った（『読売新聞』2023年1月23日）。自宅での死亡者は含まれておらず、実際の死者数はさらに多いとみられている。2023年1月、中国メディアは累計で9億人が感染したとする北京大学の研究チームの推計を伝えた。

こうした混乱は「党への不信を強めた」（北京の外交筋）との指摘がある。しかし、中国政府は一連の対応について「習近平同志を核心とする党中央は人民・生命至上を堅持し、決定的な大勝利を収めた」（2023年3月の全人代の政府活動報告）と自賛し、成果を強調している。

（比嘉清太）

30

増大する中間層とその政治社会意識

★社会の安定装置か、体制転換勢力か★

中間層という用語の中国語の表記には「中産階層」「中産階級」「中間階層」「中間階級」「中等階級」「中等収入者」などがある。学術研究の分野では「中産階層」が多く使われている。このように様々な用語が使用されるのは、それらの表記が政治的に微妙なニュアンスを含み、また学理的にはっきり言えない点もあるからだ。例えば、「中産階級」はブルジョア階級とプロレタリア階級に対する概念として使用されてきた歴史的背景ある。公式用語では「中等収入者」というが、近年は「中等収入群体（グループ）」が使われる。これらのあらゆる言い方に対応する英語表記は「Middle Class」である。

第2次世界大戦後、多くの西側国家では中間層が日に日に拡大し、1960年代には日本も「一億総中流」時代の到来を迎えた。しかし、中国では1949年の中華人民共和国成立から約30年間は、高度に集中化された計画経済体制と、社会資源の再分配を厳しくコントロールする制度のもとで、根本的に経済上の階層化の可能性は備わっていなかった。政治的には労働者と農民を主体とする人民専制国家を建前としていたため、知識人らプチブルジョアは思想改造を通じて労働者階級になる必要があった。

こうした社会構造においては中間層がほとんど存在しないのが特徴だ。都市と農村といった二元的戸籍制度と、職場に隷属するシステムにより、人々は「平等」に暮らした。分配制度は平均主義的である。当局によって宣伝された価値観に基づけば、人民は革命事業にとって必要とされる場で「ねじ釘1本」「煉瓦1個」のように、与えられた役割を果たさなければならなかった。個人の価値は認められない時代だった。

1978年の改革・開放政策の導入によって、中国の社会構造には顕著な変化がもたらされ、新しい階層の形成が加速度的に進行した。中国社会科学院の社会学者、陸学芸（ルーシュエイー）がその変化に着目し、異なる職業に基づいて、それぞれの行政管理権限、財産、教育程度などの要素から中国社会を10の階層――①党・政府と社会団体の指導者、②大中型企業の管理者、③私営企業経営者、④専門技術者、⑤党・政府などの機関の一般公務員、⑥個人経営者、⑦商業、サービス業の従業員、⑧労働者、⑨農民、⑩失業、半失業者――に分けた（『当代中国社会階層研究報告』2002年）。しかし、これらの階層のなかで、いったい誰を中間層というのかについて、この研究では明確に示されなかった。

中間層の基準は専門家の間で一致しておらず、諸説紛々である。清華大学の李強（リーチアン）教授の研究では、中国の中間層は五つのグループによって構成されるという（『当代中国社会分層』生活書店、2019年）。ここで李強説の要点を紹介しておこう。

一つ目は、最も典型的な中産層、すなわち専門技術層である。体制内の知識者層を含むだけでなく、体制外の民間企業、外資系企業、香港・マカオ・台湾系企業に吸収される技術者も含む。そのほかに専門技術型のフリーランスのホワイトカラーも少なくない。

二つ目は、各種管理職である。企業・事業体の管理職や広範な公務員を含む。

三つ目は、いわゆる「新中間層」である。主に20～30代の新世代の科学技術開発型企業家、在中国外資系企業の中国側管理職、国有金融業界の中高級管理職、特に仲介機構に勤める専門技術者と民営企業家の一部である。

四つ目は、収益が比較的優良な国有企業、株式制企業と、その他の経営の良好な企業の従業員層である。

五つ目は、中小産業、中小商工企業のオーナーや所有者である。農村では事業経営に成功した富裕層が含まれており、都市では経営活動に従事している中小企業のオーナー、独立経営者、中小企業のマネージャーなどが多く含まれている。中産層のこの部分は最も構成が複雑で、中国社会階層の再編の特徴を体現している。しかも農村住民がかなりの割合を占めている。

改革・開放の四十数年間において、中間層の拡大は政府の政策と切り離せない。2002年に開催された第16回共産党大会では、「中等収入者の比重を拡大する」分配制度の実現という改革目標が掲げられた。また、2010年2月、温家宝（ウェンジアバオ）首相は「中等収入者が多数を占める『オリーブ型』の分配構造を徐々に形成する」（「関於発展社会事業和改善民生的幾個問題」『求是』2010年第7期）と社会構造を改良する目標を示した。

近年、政府はより多くの低所得層の中間層への上昇に力を入れている。2020年4月開催の中央財経委員会の会議で習近平（シージンピン）総書記は次のように述べた。

第30章

増大する中間層とその政治社会意識

「中所得層の規模拡大を重要な政策目標とし、収入分配構造の最適化を図り、知識、技術、管理、データなどの生産要素が市場によって貢献を評価し、貢献によって報酬を決定するメカニズムを健全化しなければならない。人的資本の投入を拡大し、より多くの一般労働者が自らの努力を通じて中所得層に入るようにしなければならない」

中国の中間層はいったいどれほどの規模になっているのか。国家統計局の発表によると、2021年の中所得層は人口総数の27・9%占め、4億人を超えた。2002年の中所得層の人数は7億3５万8000人に過ぎず、20年弱の間に中所得層は着実に拡大した。ただ、中間層人口が60〜70%を占めるオリーブ型社会になるにはまだ距離があり、貧富格差の縮小にはなお多くの課題が残っている。

中国の中間層の成長は海外でも注目されている。経済的な視点から中間層の台頭に期待が寄せられるのは当然だが、民主化の視点からも中間層の成長に期待が集まっている。欧米社会では一般的に、中間層の拡大と政治の民主化との間には強い関連性があると考えられており、多くの政治学者は民主国家における中間層の重要な役割を強調する。果たして、中国の中間層の政治意識は、欧米で期待されているように、中国の民主化につながるものなのだろうか。

ここで、2014年11月から2015年10月にかけて、上海大学と上海社会科学調査センターが共同で実施した、北京、上海、広州における「巨大都市居民生活状況調査」を基に、中国の中間層の政治意識や社会参加の実態を見てみよう。

調査対象になった中間層と非中間層の比率はそれぞれ49・6%、50・4%である。また、北京、上海、広州の3都市の中間層の割合はそれぞれ55・4%、50・9%、42・5%となる。〔図1〕から分かる

〔図1〕北京・上海・広州における中間層と非中間層の政治参加状況の比較

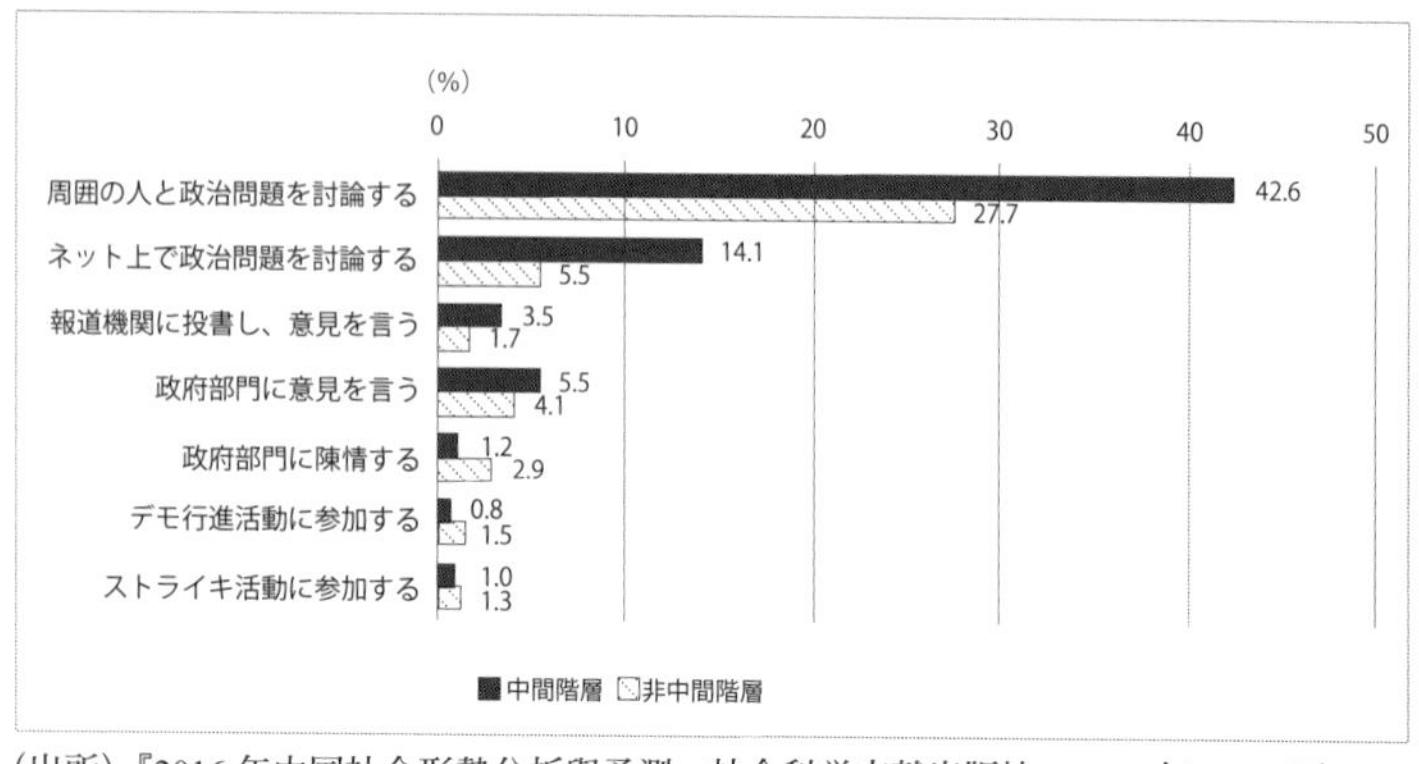

(出所)『2016年中国社会形勢分析與予測』社会科学文献出版社、2015年、215頁

〔図2〕北京・上海・広州における中間層と非中間層の社会組織参加状況の比較

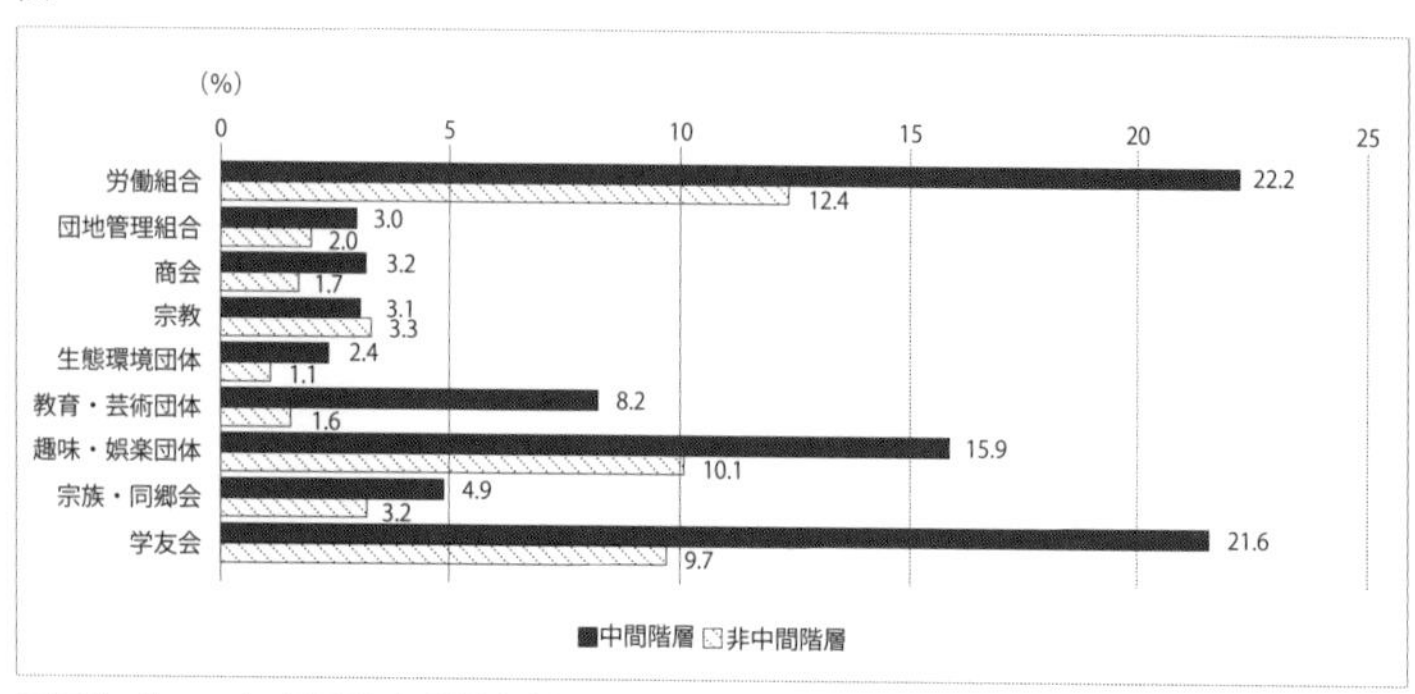

(出所)『2016年中国社会形勢分析與予測』社会科学文献出版社、2015年、216頁

ように、政治問題の討論や報道機関、政府部門に対する意見表明において、中間層は非中間層よりも積極的だが、デモ、ストへの参加という面においては非中間層の方が比率は高い。

また、〔図2〕を見ると、社会組織への参加状況については、宗教活動を除き、労働組合、学友会、趣味・娯楽団体などのいずれをとっても中間層の方の割合が高い。つまり、中間層が様々な社会組織に積極的に参加している傾向がうかがえる。中産層には職業、学縁、消費、居住に基づいて形成された団体を含む、比較的発達した社会関係ネットワークがあるようだ。ただ、問題は、政治参加にせよ、社会組織への参加にせよ、法整備の未成熟もあって、人々の参加の権利が実際には担保されていないことにある。社会組織のなかで参加の割合がいちばん高いのは労働組合だが、実はこれは共産党の指導のもとに置かれている活動分野である。中国では社会的な公共活動に参画するチャンネルが欠けているし、自身の権益を勝ち取るための政治組織も存在しないのが現実だ。

中国の中間層の政治意識に関する研究はしばしば行われている。中間層の構成は複雑で、その政治意識も単純ではない。全体的に言えば、中国の中産層の政治意識には保守的傾向が見られ、権威主義体制のもとで経済発展を中心とする段階では、中間層の体制への依存度が高い。社会秩序が安定し、国家の経済発展と自分自身の発展が維持されることを望んでいる。一方で、中間層内には、体制内の中間層と体制外の中間層、新世代の中間層と小資本を有する自営業者のような旧中間層（old middle class）など、属性に応じた多様な価値観が存在する（柳新元「中国中産階級的政治態度分析」2013年）。

社会改革と民主政治に対する中産層の期待度について、社会学者の李春玲（リーチュンリン）は「中間層は現行政治制度の支持者であり、彼らの主張する社会政治変革は現行政治体制の安定と最適化に有利である。中間層は社会政治情勢の激しい変動に反対し、西欧型民主政治制度の実行を主張しない」と指摘する（「中産階級的社会政治態度」2008年）。

上海・復旦大学の熊易寒（シオンイーハン）教授の分析は興味深い。彼は論文「中国における中産階層の政治傾向と世論への影響」（2019年）のなかで、世論に対する中間層の影響力発揮に注目し、「中間層の関心事は住宅、子供の教育、医療、健康、環境、食品安全などであるが、これらの問題に関する出来事をめぐって、中間層はネット上で積極的に発言し、世論に訴えようとする傾向がある。……環境保護、フェミニズム運動、同性愛の権利擁護運動、動物保護運動などについても積極的に関心を示している」と述べている。

確かに、中間層の価値観は、政府が提唱する主流のイデオロギーと必ずしも完全に一致しているわけでない。中間層は「言論の自由」を好み、インターネット規制の緩和を主張している。ただ、中国政府のインターネットやソーシャルメディアに対する厳格な規制によって、敏感な話題に関する彼らの発言は制約され、世論への影響力も限定されているのが現実である。

ここ数十年の党・政府の経済発展推進策や比較的安定した社会環境を背景に、中国の中間層はより良い就業やビジネスの機会に恵まれ、大きな経済的利益を享受した。同時に、中間層は政府の一部の政策と措置に不満や疑問を抱いており、人権と民主主義がもっと保障されるようになることを望んでいる。欧米の政治学者らの見解によれば、発展初期段階の中間層はしばしば革命的であり、権威主義体制から民主主義体制への転換の促進勢力となる。しかし、中国では、中間層と政府との激しい対立が見られない。政府は中間層を拡大させる政策を継続的に推し進める一方、様々な措置を講じて彼らに社会の安定装置としての役割を発揮させようとしている。中間層が体制転換を促す勢力へと成長していくかどうかはなお慎重に観察していく必要がある。

（西　茹）

31

競争社会を生きる若者世代の苦悩

★「内巻」と「躺平」のはざまで★

昨今、中国の若者世代の間で、「巻（ジュエン）／内巻（ネイジュエン）」と「躺平（タンピン）」が流行語となっている。2021年末、中国の週刊紙『語言文字週報』が発表した「インターネット流行語トップ10」に、「巻／内巻」は2年連続でランクインした。一方、「躺平」は「インターネット流行語トップ10」以外に、「インターネット用語トップ10」（中国国家語言資源モニタリング・研究センター）と「年度流行語トップ10」（月刊誌『咬文嚼字』）にも選ばれた。

「躺平」は本来、「寝そべる」「横たわる」といった意味で、過酷な競争社会から抜け出し、家も車も買わず、結婚もせず、最低限の生活を送る低消費、低意欲の生き方を指している。「躺平」は一昔前から流行っていた「仏系」（大都市の熾烈な競争に疲弊し、すべてを淡泊にとらえる生き方を指す）と類似しており、若者世代が無気力な生き方への共感を示す言葉と言える。

「躺平」の流行は、もう一つの流行語「巻／内巻」と関連している。「巻」は「強い力で巻き込む」という本来の意味から派生し、「競争社会を生き抜くために、ひたすら奮闘する」という意味で使われている。これに対し、「内巻」は、特に「過酷な内部競争に巻き込まれる状況」を指している。

中国の「Z世代（主に1995～2009年生まれの世代）」は、「巻／内巻」か、それとも「躺平」か、という選択を迫られている。ちなみに、中国の世代区分では、「Z世代」を「95後（ジウウーホウ＝1995～99年生まれの世代）」と呼ぶのが一般的であり、「Y世代（主に1980～90年代中盤生まれの世代）」ないし「00後（リンリンホウ＝2000年代生まれの世代）」も「80後（バーリンホウ＝1980年代生まれ）」ないし「90後（ジウリンホウ＝1990年代生まれ）」と呼ばれている。

『中国統計年鑑2022』によると、「Y世代」と「Z世代」が中心となる15～39歳の人口は4億8500万人を超え、約14億9405万人の総人口の3割近くにも達し、今や中国社会の一大勢力になりつつある。両世代とも改革・開放期に生まれ、高度経済成長がもたらした豊かさに浸かりながら育ってきたが、インターネットやデジタル機器が整備された環境で成長してきた「Z世代」は、「Y世代」と比べ、考え方やライフスタイルに異なる特徴が多いといわれてきた。例えば、職業の選択や職業に関する意識には、求職者の主力となった「Z世代」は「Y世代」と比べ大きな差異が見られる。

2021年9月、中国の求人求職大手「智聯招聘」が発表した『「Z世代」の職場の現状と動向に関する調査研究報告』によると、「Z世代」の若者は職業を選択する際に「収入の高さや福利厚生の充実」を重視すると答えた者が6割近くに上り、「仕事の内容が興味や関心に合致し、自身の特長と創造力を発揮できること」（5割未満）を上回った。同社が2016年に発表した『「90後」職場肖像報告』では、「90後」世代の回答は正反対であった。また、復旦大学発展研究院伝播・国家治理研究センターの「中国の青年ネチズンの社会心理状態に関する報告書（2022）」によると、「00後」世代の若者が「体制内（共産党政権内）」で就職することに好意的な態度を示す可能性は「90後」の９・３倍となっている。これらの結果は、自身の趣味や関心から仕事の意義を見出すことを重視する「90後」と比べ、「Z世代」は仕事の安定感や高収入を求め、より現実的になっていることを示唆している。

近年、「Z世代」を中心に「国潮（中国風トレンド）」ブームが巻き起こり、国産製品への好感度と信頼感が上昇していることも注目に値する現象である。「智聯招聘」の報告（２０２１年）によれば、８割以上の「Z世代」（「95後」：85・２％、「00後」：87・３％）は国産品を製造・販売する企業で働きたいとの意向を示しており、「Y世代」（83・１％）と「X世代」（「75後」：75・７％、「65後」：72・４％）のそれを上回った。

さらに、同報告によると、就職時に重視する内容については、世代が若くなるにつれ、「企業の価値観への賛同やキャリアビジョンの実現」の重要度が低くなっている一方、「労働強度（労働の激しさの程度）が低く、自身の趣味や副業に使う時間がある」の重要度が高くなっている傾向が見られる。また、就職時の注目点として「仕事量と残業の多さ」を挙げた比率は「Z世代」（「95後」：62・8％、「00後」：61・３％）が「Y世代」（44・８％）を大きく上回った。これらの結果は、企業の昇進・昇給に関する、中身の伴わない理念や構想を警戒し、「巻／内巻」を拒絶して「躺平」主義に寄り添う「Z世代」の心理を如実に表している。

近年、中国では高度成長が終焉し、経済の減速傾向が鮮明になり、就職難は若者が直面している苦境である。中国国家統計局が２０２３年7月17日に発表したデータによれば、同年６月における中国都市部の若年層（16〜24歳）の失業率は、過去最高の21・３％に達した。同年８月、国家統計局は測

北京のチベット仏教寺院「雍和宮」で祈願する若者たち。競争社会のなかで「癒し」を求める風潮が広まっている（2021年7月、黄鐘方辰撮影）

定方法を改善する必要があることを理由に、データの公表を一時停止したが、隠すより現るるは無し、である。特に弱者層の「Z世代」にとっては、努力しても以前ほど成功できるチャンスが少なくなってきている。自身のキャリアや将来に希望を見いだせない若者たちはインターネット世代ならではのストレス解消法を模索している。

例えば、「Z世代」を中心に、幸運を表す写真やスタンプを転送することや、星座占いなど、各種の「ネット祈願」を行う風潮が広がっている。さらに、悩みやストレスに満ちた現実から離れ、各地の寺院を訪れ、「癒し」を求める「寺院巡り」も人気となりつつある。大手オンライン旅行会社「携程（Ctrip）」が発表したデータによると、２０２３年に入り、寺院関連の観光施設の前売り入場券の販売数は前年同期比３１０％増となり、購入者のうち、「90後」と「00後」が約50％を占めている。「ネット祈願」や「寺院巡り」の流行から、心の安らぎを求める若者の心境が垣間見える。

一方、「躺平」は若者の日常生活の実態を反映したものではなく、自嘲気味に使用されているだけだともいわれている。前出の復旦大学の報告書は、新浪微博（ウェイボー＝中国版X［旧ツイッター］）のデータを挙げ、「躺平」に反対する若者は56・23％もおり、「躺平族」は少数派であると指摘している。しかし、自嘲気味の表現とはいえ、そこに多くの若者が抱えるジレンマと無力さが漂っていることは確かである。最近は、新たに「45度青年」という言葉が流行しているが、これは完全に「躺平」に甘んじる（0度）ことはないが、「内巻」（90度）も拒絶し、「45度」というバランスをとった状態で生きることを意味している。

注目すべきは、国内での競争から自主的に離脱し、海外留学を目指す若者が多いことだ。２０２０年以降、新型コロナウイルスの感染拡大により、海外渡航が制限されていたが、中国の若者の留学志向は揺らがなかった。「２０２１国際教育サミットフォーラム」が発表した「２０２１年全国留学報告」によれば、91％の留学志願者が留学の計画を諦めないと表明した。２０２３年3月、中国大手留学エージェント「啓徳教育」が発表した「２０２３中国留学白皮書（白書）」によると、２０２２年の留学申請者数は前年度と比べ23・４％の大幅増となり、２０２３年1～2月の留学問い合わせ件数は前年同期比で45％も増えた。

また、若者の留学の主要な目的にも変化が見られる。上記の「２０２１年全国留学報告」によると、「国際的な視野を広げる」と「人生経験を豊かにする」を重視する留学生は3年連続で6割以上に達している一方、「良い職に就く」は減少傾向に転じている。

多くの若者は留学を通じて先進国の文化に触れるとともに、中国国民としての自尊心を強く意識するようになった。「中国とグローバリゼーションセンター（ＣＣＧ）」が発表した『国際人材青書——中国留学発展報告（２０２２）』は、新時代の留学生がより広い国際的視野を持ち、自己防衛や権利擁護の意識が高まっていると述べ、中国と外国の違いを客観視できると同時に、「人類運命共同体の構築」という国際的な任務と責任を認識することもできると高く評価した。

しかし、「自己防衛の意識」は、自身のある種の行動を認めたくない心理が、他者に投影されるリスクも孕んでいる。つまり、中国の行動が周囲から糾弾されたとき、自国の正当性を主張し、国を擁護することを権利ととらえがちである。祖国の経済成長を背景に、その政治体制や発展モデルにも自信を深めている「Z世代」の留学生にとっては、海外に根強い中国台頭への不安の声や人権・環境などの社会問題をめぐる中国批判の声が逆に彼らの愛国感情を喚起する要因になっている。特筆すべきは、そもそもインターネット世代の「95後」「00後」は、日常的に世界へアクセスしているため、世界の多様な文化に触れるなかで、価値観の衝突を体験したり、心理的な矛盾を感じたりすることも多い。だからこそ、「80後」世代のような、自由、民主主義といった普遍的価値観へのあこがれがない。このような心理は、近年、多くの中国人留学生が海外のSNS（ソーシャル・ネットワーキング・サービス）を利用し、積極的に中国政府の立場を発信する現象にもつながっている。

習近平（シージンピン）政権が「強国」路線を進めるなか、「Z世代」は「中華民族の偉大なる復興」の実現に向けて奮闘する重責を担わされている。「内巻」の本質は、このような単一の価値観が生み出す画一的な評価基準による競争だと考えられる。多くの若者はまだ自覚していないかもしれないが、「内巻」への抵抗にも、「躺平」主義にも、実際のところ、多様な価値観や評価基準を許容する寛容な社会であってほしいという願望が隠されている。定型化した歴史教育の影響で文化大革命を知らず、天安門事件についての知識も乏しい「90後」や「00後」の意識と行動が今後、中国の政治生活にどのような影響を及ぼすことになるのか、注視していく必要がある。

（魯　諍）

32

多様化する大学生の就職戦線

★公務員人気の一方で「スロー就職」組も★

中国の２０２３年の大学卒業生は１１５８万人に上り、２０２２年に比べ80万人以上増加し、史上最高を記録した。中国教育省によれば、さらに１００万人近い海外留学生が帰国するとみられていたため、合算すると、２０２３年の大学卒業生総数は１２５０万人を超えた可能性がある。

かつて中国では大学の数も定員も絶対数が抑えられており、大学生は文字通りのエリートだった。２０００年当時の卒業者数は１０１万人に過ぎなかった。しかし、政府が人材育成と高等教育普及を目的に大学を急速に拡充した結果、わずか23年で卒業者数は10倍以上に膨れ上がり、大学教育の「大衆化」が進んだ。急増した卒業者（就職希望者）数と、コロナ禍などによる業績不振で採用枠を絞らざるをえない企業。両者のミスマッチで必然的に深刻化したのが就職難である。

中国の求人求職大手「智聯招聘」の「２０２２年大学生就業力調研報告」によれば、同年４月時点の大学生の就職内定率は15・４％にとどまり、前年を２・９ポイント下回った。近年は景気低迷の影響で大学の卒業シーズン（６〜７月）になると、「史上最も困難な就職シーズン」との言葉がしばしばささやかれるようになっているが、まさに「超氷河期」と言っていい就職難が続いている。

大学生たちは卒業後の進路を「上岸（シャンアン）（上陸する＝成功する）」と「就業（ジウイエ）（就職）」の二つに分けて考えている。「上岸」とは、人気のある大学院（修士・博士）入試や公務員試験に合格することを意味し、「就業」とは市場の流動性ゆえに安定的な雇用が必ずしも保障されていない民間企業ないし外資系企業に就職することを指す。新型コロナウイルスの流行以来、経済の不確実性が増し、雇用市場が激しく揺れ動いている。これにより、卒業後の進路をめぐる大学生の安定志向が一段と強まった。「就業」の不確実性に不安を感じている多くの大学生は大学院入試・公務員試験を目指す周囲の雰囲気に感化され、高学歴の道へ進むことによって、あるいは政府機関や公的組織に職を得ることによって生活の安定を実現したいと願っている。

親もまた子供がワンランク上の学歴を獲得したり、公務員試験に合格したりすることを望み、そうするよう強く求めたりもする。北京大学の「全国大学卒業生就職状況調査プロジェクトチーム」が2021年6月に実施した調査によると、就職を予定している卒業生の家庭の60％以上は所得水準が中レベル以上という結果が出ている。加えて、政府が大学院の定員拡大などに取り組んできたことにより、大学院進学の流れに拍車がかかっている。

過去10年間と比較しても、大学院受験熱は一つの社会現象と言えるほどのトレンドになっている。教育情報ポータルサイト「中国教育在線（オンライン）」のデータによると、2015年から2022年にかけての7年間、大学院入学試験の受験者数は年平均で15・8％増加し、2023年の受験者数は474万人（前年比17万人増）という前例のない新記録を打ち立てた。また、大学院入試全体の受験者数と入学者数の比率は4：1と予想され、300万人以上の受験生が不合格になる見込みである。2023年3月、合格ラインが発表された直後、微博（ウェイボー＝中国版X［旧ツイッター］）のトピックが急上昇し、大学院入試はますます大学入試並みの激戦ぶりを呈してきている。

近年、社会の高学歴化を目指す政府の政策により、全国の大学院の定員が大幅に拡大され、大学院生数は増大の一途をたどっている。急速な量的拡大の代償として大学院教育の質が低下する可能性が指摘されている。一方、大学院生の増加は、高学歴志向の教育を煽り、就職難をさらに悪化させる恐れもある。大学院への進学者の多くは就職時期を2〜3年先延ばしすることになるため、その分だけ全体の雇用圧力が一時的に緩和されるにしても、供給と需要の不一致が雇用市場で露呈する恐れは常にある。大学院進学は数年後に文化資本を高めて上級雇用市場に参入することを期待したものだが、その時点でも希望する就職先を確保することは決して容易ではない。

歴史的に官吏登用資格試験「科挙」の長い伝統があった中国では社会主義体制になってからも「官至上」の価値観が根強い。公務員試験や国有企業、各種事業団体（学校、研究所、病院、メディアなどの公的機関）の職員採用試験に大量の大学生、大学院生が押し寄せるのはこうした文化と無縁ではない。中国語に「鉄飯碗（ティエファンワン）（鉄のご飯茶碗＝食いはぐれのない職業）」という言葉があるように、民間企業に比べて安定しているこれらの就職先は若者たちの目には極めて魅力的な存在と映っている。

国家公務員統一試験の2022年の応募者数は212・3万人（前年比50万人増）に達し、過去最高となった。ただし、実際の採用人数はわずか3・12万人に過ぎず、応募者数と採用者数の比率は68：1だったことから、大学入試と同じように「千軍万馬、丸木橋を渡る（狭き門の意）」といった状況が生じている。

各省市の公務員試験の日程はそれぞれ異なるため、複数の試験を順繰りに受けることが可能だ。各地で何度も試験に挑む一群はインターネット上で「全国巡考団（全国巡回受験団）」と呼ばれている。例えば、彼らは試験日程が最も早い国家公務員試験を第1次試験、2番目に早い上海市公務員試験を第2次試験、江蘇・浙江両省の試験を第3次、第4次試験といったようにスケジュールを組み、最後に第一志望の都市で本命の試験に臨む。日程が重ならない限り、受験者は腕試しを兼ねてできるだけ多くの試験を受験する。これにより、合格の確率は高まる可能性がある。

最終目標は「編制（ビエンジー）」のある職場（中国語の「編制」とは組織の構成、定員、職務を意味し、転じてそれらが明確に定められている役所や政府系機関を指す）に就職することである。これは「ポストコロナ」時代の若者の職業選択を象徴する言葉である。就職における若者の「お上」志向は、「人民の公僕」といった理想を実現するためではなく、社会市場競争からの脱出口として「編制」を選ぶことによって形成される。むしろ、「編制」は社会市場競争を避ける抜け道として選択されている。コロナ禍の体験を通じて若者たちはリスクを恐れずに人生を切り開く意欲を低下させ、起こりうる高リスクの衝撃から身を守るために、就職先の選択に当たって、より保守的な姿勢を示すようになってきている。つまり、全体的に安定性を重視する傾向が強まり、必然的に政府機関など安定度の高い職場に希望者が殺到することになったのである。

山東省では「不孝有三。無編為大（不孝に三あり。編なきを大なりと為す）」という言い方が流行している。「不孝有三。無後為大（不孝に三あり。後なきを大なりと為す）」との『孟子』の言葉をもじったもので、「不孝に三つあるが、編（編制）がないのが最大の不孝だ」という意味である。「編制」のある仕事を求めることは、受験する若者だけでなく、社会的地位が高い「官」の職に就くことを理想と見なす家族の共通の願望となっている。

ただ、「00後（リンリンホウ＝2000年代生まれ）」世代の多くは一人っ子であり、都市においても農村においても家庭の経済的制約が少なく、大学を卒業した後、生活のためにすぐに仕事に就かなければならないという切迫感があまりない人もいる。実際、卒業しても暫時就職せず、進学もせず、人生の進路をじっくり考えようというモラトリアム人間型の若者が増えており、彼らの志向は「慢就業（スロー就職）」と呼ばれている。「智聯招聘」の2023年の調査では、「慢就業」組は大学卒業生の18・9％（前年比3ポイント増）を占めた。豊かな時代ならではの社会現象の一つと言えるだろう。

一方、高学歴を持つ若者たちのなかにはエリートコースに背を向けて様々な「ブルーカラーの仕事」に参加する人たちもいる。彼らの多くは伝統的な観念に従って大学院や公務員試験を受けた経験があり、一部

ゼロコロナ政策終了後の2023年5月、河北省保定市の河北大学で初めて開かれた合同企業説明会（葛旭撮影）

の者は人気のある業界や大企業への就職に成功したりもしていた。

しかし、彼らは「996（朝9時から夜9時まで働き、週6日出勤する）」といわれるような長時間労働に疲れを感じ、より人間らしい生活を求めて別の種類の仕事を探し始めた。彼らのなかにはバリスタ、整理収納アドバイザー、トリマーになった人もいる。彼らは家族や社会の期待に縛られず、自分自身の興味に基づいて本当にやりたい仕事を選び、技術や体力を頼りに労働をする。仕事の場所は高層ビルのオフィスから工場や店舗へと移り、仕事の性格もパソコンをにらむ日常から具体的な生活のにおいを味わう日常へと変わってきている。

手に職をつけて肉体労働に従事することによって、彼らは身心ともに解放され、幸福を実感し、より広い「市井の生活」を見ることができる。それ以上に重要なのは転職のプロセスで、自分自身をより深く理解し、自己肯定感を高め、仕事の意義について新たな考えを持つようになっていることである。もちろん、彼らにも困惑や不満、現状に甘んじたくない気持ちはまだある。その仕事がどれだけ続くのか、将来どうなるのかについては確定的な答えはない。ただ、現在、彼らは学歴や職業の偏見から脱却し、内面や才能に基づいて、自分自身に合った選択をすることを試みている（馮穎星「当名校卒業生主動成為藍領」『人物』2023年第3期）のである。

（葛　旭）

33

若者たちを魅了する「二次元」文化

★サブカルチャーからカルチャーへ発展★

２０２３年5月26日、中国の国民的なバラエティー番組「乗風２０２３」に、日本の音楽ユニット「ＧＡＲＮｉＤＥＬｉＡ」のボーカリストＭＡＲｉＡが出演して自ら作詞した曲「極楽浄土」を披露し、驚異的な人気を集めた。番組が主催する視聴者によるネット投票では、ＭＡＲｉＡが5日間で３０００万票を集め、２位の中国女性芸能人の７９０万票に大差をつけて圧倒的な1位を獲得した。中国の女性芸能人が主に出演する番組で日本人歌手のＭＡＲｉＡがこれほどまでに人気を博したのは、２０１６年に「極楽浄土」が中国の「二次元」ファンが集まっている動画サイト「bilibili（ビリビリ）」で大ヒットした実績があったからであり、今回も多くの「二次元」ファンがＭＡＲｉＡを応援したことが大量得票につながった。

「二次元」は、もともと日本のアニメ文化から生まれた言葉であり、絵で表現する平面世界を意味している。さらにオタク文化において仮想世界（二次元）と現実世界（三次元）を区別する言葉としても用いられている。「二次元」の架空の存在（キャラクター）に恋愛（性的）感情を抱くことを「二次元コンプレックス」と称するように、日本では「二次元」はオタク文化と強い関連性を持ち、サブカルチャーイメージを帯びた言葉である。ただし、現在の中国ではアニメ・漫画・ゲーム・ライトノベルに関わる文化圏を「二次元」と総称しており、この文化圏にいる人々を「二次元」ファンと呼んでいる。中国行業（業界）研究網（ChinaIRN）の2021年の調査によると、中国ではコアの「二次元」ファンは1・1億人、一般的な「二次元」ファンは3・5億人にも達している。

「二次元」という言葉が日本から中国に輸入された経緯もあって、中国のコアの「二次元」ファンは日本のコンテンツ、あるいは日本のアニメテイストに相応しいコンテンツのみを「二次元」と認識する傾向が強い。「二次元」文化の元である日本のコンテンツのなかで最も影響力があるのはアニメである。1980年代、『ドラゴンボール』『キャプテン翼』などの日本アニメが中国のテレビで放映され、多くの中国の子どもたちを魅了した。このため、中国の「80後（バーリンホウ＝1980年代生まれ）」の若者たちは日本アニメを見ながら育った世代ともいわれている。その後、中国政府がテレビ局に海外アニメの放映時間を制限するよう指示したことから、日本アニメは正規ルートで輸入することができなくなった。

しかし、「上に政策あれば、下に対策あり」で、インターネットの普及とともに海賊版と違法ダウンロードが蔓延し始めた。専門家による公式の翻訳と吹き替えを欠いていたため、日本コンテンツのファンたちは自発的に「字幕作成チーム」をつくり、アニメのセリフを聞き取って中国語の字幕を付け、日本のコンテンツをインターネット上で拡散させた。ファン同士が作品を選定し、翻訳の適否を検討し、コンテンツへの愛情を熱く語り合うことによって、インターネット上に日本のコンテンツと文化をめぐるコミュニティーが形成されていった。ただ、日本アニメの正式な輸入が規制され、テレビ放映と関連のプロモーションがなかったため、すそ野の広い大衆文化として認知されるには至らなかった。また、厳しい受験戦争を背景に、親たちの間ではアニメが子どもたちの勉強の支障になるとの先入観が根強く、アニメ文化への社会的理解はなかなか深まらなかった。

２０１４年以降、中国国内の動画サイトの発展につれて、日本アニメの配信権を購入し、正式に輸入する動きが徐々に見られるようになった。２０２３年時点では、日本のアニメコンテンツは「bilibili」「騰訊視頻（テンセントビデオ）」「愛奇芸（iQIYI）」「優酷（Youku）」の四つの動画サイトが独占し、輸入アニメの本数やジャンル、スピードをめぐって激しい競争を繰り広げている。もちろん、中国政府はコンテンツの内容を検閲し、性的、暴力的、政治的な表現を禁じているが、海賊版は違法ダウンロードから動画サイトへと移行する形で生き残っており、海賊版サイトを探せば、公開禁止作品の視聴も可能である。結果的に、中国では日本のどのアニメ作品も視聴でき、「オタク」や「中二病」をテーマにしたサブカルチャー色の強いアニメ作品も中国へ流入している。中国のコアの「二次元」ファンは日本のアニメオタクとほとんど同時に、同じアニメを見ることができ、日本の「二次元」文化の影響を受け続けている。

「二次元」のコンテンツ、ファンとコミュニティーが備わった環境のなかで、サブカルチャーとしての表現が突出して見られるのは「bilibili」である。２００９年、日本の動画配信サービス「ニコニコ動画」の影響を受け、中国の「二次元」ファンが口コミ動画サイト「MikuFans」を立ち上げた。サイト名は「初音ミクのファン」の意味であり、その後、日本のアニメ作品の主人公の愛称にちなんで「bilibili」に改名した。当初、サイトの運営メンバーはほとんどボランティアだった。初期の「bilibili」

には海賊版アニメが大量にアップされたが、ユーザーの口コミを、「ニコニコ動画」の「弾幕」のように動画上に表示する仕組みで人気を集めた。また、「ニコニコ動画」の影響を受け、多くのUGC(User Generated Contents＝ユーザー生成コンテンツ)が創出され、特に「音MAD」ジャンルのUGC動画が「二次元」ファンの間で流行した。

2011年、「bilibili」は投資を受け、徐々に企業化の道を歩み、2014年に日本の人気アニメ作品「Fate/stay night [Unlimited Blade Works]」の配信権を取得し、さらに多くの「二次元」ファンを集めた。2011～16年の5年間で「bilibili」のユーザー数は18万人から5000万人へと急成長した。拡大した「二次元」ファンはコスプレ、J-POP、アイドル文化、萌え文化などの情報と動画を、日本のインターネットから「bilibili」へと大量に導入した。冒頭に紹介した「極楽浄土」が「bilibili」でヒットしたのは多くの「二次元」ファンがMARiAのダンスを真似した動画がきっかけである。

2018年3月、「bilibili」はナスダック(NASDAQ)に上場し、ユーザー数は2億人を超えた。中国の大手IT企業およびコンテンツ企業は「二次元」文化にビジネスとしての可能性を見いだし、産業界でも「二次元」という言葉が広く用いられるようになった。かつて中国では台湾での流行の影響を受けて、「宅男(ジャイナン)(オタク男子)」、「腐女(フーニュー)(腐女子)」などのオタク文化に関する言葉がよく使用されたことがあったが、企業側はさらなるユーザー層の拡大を図るため、「二次元」に市民権を付与することにしたのであろう。

「二次元」が資本のバックアップによってサブカルチャーからカルチャーへと脱皮する流れを象徴しているのは「bilibili」の大晦日番組である。1983年以来、中国中央テレビは毎年、旧暦大晦日に春節（旧正月）を祝う「春晩（春節聯歡晩会＝春節の夕べ）」という番組を放送している。「80後」「90後（ジウリンホウ＝１９９０年代生まれ）」の中国人にとって大晦日に家族と一緒に「春晩」を見るのは子どものころからの春節の恒例行事であった。ところが、２０１９年から「bilibili」が同じ大晦日の夜に、独自の年越し番組「bilibili 晩会（夜会）：最美的夜（最も美しい夜）」を動画サイトで配信するようになったことで長年の習慣に変化が生じた。この番組は日本アニメの主題歌、ゲームの主題歌、VTuber（バーチャルユーチューバー）、アイドルグループなど「二次元」ファンが好む出し物が盛りだくさんであることから、多数の「二次元」ファンが中央テレビの「春晩」から「bilibili 晩会」へと流れるようになったのである。本来、コアの「二次元」ファンが集う場であった「bilibili」が急成長したことで、日本のサブカルチャーの魅力を接着剤としてコアのファンと他の若者たちの興味が結び付けられ、広い意味の「二次元」のプラットフォームが構築されたと言える。

「二次元」ファンのすそ野の広がりとともに、日本の他の「二次元」文化の表現形式も中国で受け入れられつつある。アニメ、ゲームのオフラインイベントが多く開催され、それに伴ってコスプレが「二次元」ファンの間で流行っている。以前はイベントの際には主催者側がキャラクターに扮するコスプレイヤーを手配し、コンテンツの宣伝を行うのが普通だったが、今ではわりと自己顕示欲が強い「90後」がコスチュームをまとい、イベントに参加することが一般的になっている。また、上海では２００８年から毎年2回、同人誌イベント「ＣＯＭＩＣＵＰ（コミックアップ）」が開催されているが、その規模は日本の「コミケ」に比べても遜色がなく、２０２３年5月の29回目のイベントには15万人が来場した。

一方、「二次元」文化のパフォーマンスにはトラブルがなくもない。一部のファンたちが注目を集めようとして肌の露出が生々しいコスプレ衣装を着用して性的なポーズをとるなどのハプニングがあちこちで起きている。同人誌においては、BL（ボーイズラブ）作品などが中国社会における主流（伝統）の価値観と相容れないとして批判される傾向にある。中国政府は文化に対して強い統制を行っており、主流社会もサブカルチャーへの寛容度が高いとは言えない。今後、「二次元」文化がさらに発展するにつれて、そのなかのパイオニア的な要素、あるいは先鋭的な要素をめぐる論争がより頻繁に発生することが予測され、「二次元」ファンと主流社会の文化的なギャップも一段と顕在化する可能性がある。

この約20年間に、中国では日本のコンテンツおよびオタク文化の輸入によって、「二次元」のコアのファンとコミュニティーが現れた。また、コアのファンがつくり出した「bilibili」の発展とともに、「二次元」の範囲は拡張し、サブカルチャーからメインカルチャーへと変貌を遂げつつある。「80後」「90後」が「二次元」に熱中する理由としては、むろんコンテンツそのものの魅力もあるが、「三次元」であるリアル社会から逃避したいという願望が指摘されている。中国の激しい競争社会のなかで勉強や仕事の圧力にさらされているだけでなく、拡大し続ける社会の格差に対して無力感さえ感じている「二次元」ファンたちは、「二次元」世界という理想郷に憧れている。コアの「二次元」ファンではない同世代の若者たちも、リアル社会の様々な課題に直面しているという点ではコアのファンたちと同じ境遇にある。中央テレビの「春晩」よりも「bilibili 晩会」に魅せられ、「二次元」の世界に没入する若者たちの存在は、既存のメインカルチャーが彼らの精神的な支えになりきれていない現状を物語っている。

（杜　海川）

34

変容する市民の消費行動

★「爆買い」から理性志向へ、モノからコトへ★

訪日中国人の「爆買い」は２０１５年の日本流行語大賞に選ばれたほど、注目を集める現象であった。日本観光庁によると、コロナ禍前の２０１９年には中国人観光客の消費総額は約1兆７７０４億円で、一人当たりの支出額が約21万円に達しているという（「訪日外国人消費動向調査」２０１９年）。

世界の奢侈品市場や国内市場でも、「中国人の爆買い」が顕著である。マッキンゼーの「中国奢侈品報告」（２０１９年）によると、２０１８年の中国人の海外での奢侈品消費総額は世界の奢侈品消費額の３分の1を占めている。「80後（バーリンホウ＝１９８０年代生まれ）」や「90後（ジウリンホウ＝１９９０年代生まれ）」といった若者世代の貢献度は総額の79％に達する。国内では、最大級のＥＣ（電子商取引）セールイベント「ダブル11」（「『独身の日』の11月11日に買い物を楽しもう」をコンセプトに、ＥＣ事業者「アリババ」が２００９年から開催している）において、アリババ傘下ＥＣの流通総額が２００９年の５２００万元から、２０２１年の５４０３億元へと1万倍以上も増加した。２０１９年、社会消費財小売総額が41兆元を超えた中国は、世界第2位の消費市場となったのである（新華社「41・2万億元：我国成為全球第二大消費市場」２０２０年10月19日)。

「爆買い」の背景には経済の高度成長に伴った中間所得層の拡大がある。中国国家統計局の基準によると、中間所得層は「世帯年収が10万元以上50万元未満で、マイカーやマイホーム、レジャー旅行の支払いをする能力を持つ」階層を指す。その人数が２０１７年に4億人を超え、総人口の約3割を占めている。この階層が消費の主力を担っており、「中国の持続的で安定的な経済成長の有力な支えになっている」とされる(中国新聞網「超過4億人 中国擁有全球規模最大中等収入群体」２０１９年1月21日)。

また、ソーシャルメディアの発達による情報獲得手段の多様化が人々の消費行動を促している。ライフスタイルや消費体験を共有するソーシャルメディアの「小紅書(シアオホンシュー)」は２０２２年12月時点で2億６０００万人の月間アクティブユーザーを獲得した。利他的な心理、または自己顕示欲の働きかけで、買い物体験や商品の使用効果、高級ブランド品などを「小紅書」で共有することが一種のトレンドになっている。クチコミの信頼性や写真や動画で可視化された使用効果のリアリティーにより、商品への認知・興味・欲望・購買を引き起こしやすい。コンサルティング会社「克労鋭」の報告書によると、ユーザーの約84％が「小紅書」の情報をきっかけにその商品を欲しいと思った経験があるという(「三大平台種草力研究報告」２０２０年)。「小紅書」から「種草(ジョンツァオ＝購買意欲を植えつける)」という言葉が流行語になっているのもその影響力の証しである。

一方で、ソーシャルメディアの販促効果を目当てに、企業がインフルエンサーや芸能人を雇って商品を宣伝する情報も流れ込んでいる。「小紅書」は言うまでもなく、ミニブログの「微博(ウェイボー＝中国版X［旧ツイッター］)」、ショート動画の「抖音(ドウイン＝中国版ティックトック)」などでも、商品のプロモーション情報はエンタメコンテンツに盛り込む形で大量に発信されている。ユーザーはコンテンツ視聴を契機に偶然的・瞬間的に消費意欲が刺激され、購買行動が促される現象が生じる。前掲の克労鋭の報告書によれば、ネットユーザーの約68％は商品の選択と購買において「種草」コンテンツから大きな影響を受けていることが分かる。

大量生産・大量消費の市場構造のもと、消費主義が都市部の若者の間で蔓延しつつあり、「爆買い」につながる一因となる。ここでの消費主義は「モノ（商品やサービス）の所有から自己価値を見いだし、消費を生活の最高目標に奉じる」価値観や「必要以上ないし経済力以上に買い物をする」行動を指す。話題になった流行語に、「月光族（毎月の収入を使い果たす人々）」「精致窮（経済的に困難でありながら、外観や生活の高級感、洗練さを追求する状態）」「無産中産階級（無産階級のように資産を持たないにもかかわらず、中産階級の消費習慣や審美趣味を追い求める人々）」といった言葉があり、いずれも消費主義の世相を反映している。また、消費主義に陥った若者の告白からも、その生活実態を垣間見ることができる。24歳のOLは「毎月、月収の半分を化粧品に使っている」。26歳のサラリーマンは「中産階級並みの生活を見せびらかすため、海外旅行に行って散財しながら、毎日、中華まんだけを食べて生活を維持している」（『新週刊』ウィーチャット公式アカウント「無産中産階級：窮且奢華的年軽人（貧乏で贅沢な若者たち）」2018年7月26日）。

若者の消費主義を助長しているのは後払いや融資を可能にした消費者金融の普及である。世界的な調査会社「ニールセン」が2019年11月に発行した「中国年軽人（若者）負債状況報告」によると、18～29歳の若者の約87％がローンを利用しており、オンライン消費者金融商品（分割払い）の利用率も61%に達し、クレジットカードの46%を上回る。用途として、約12%が住宅ローンを抱えているほか、「基本生活の支出」「生活品質の引き上げ」「娯楽・レジャー」が上位3位を占めている。

しかし、コロナ禍の影響で、中国の経済成長は減速し、物価も上昇している。そうしたなか、消費の理性的志向が強まっている。三つの現象がその表れである。

一点目は「反消費主義」のオンラインコミュニティーの盛り上がりである。ソーシャルメディア「豆瓣（ドウバン）」では、「消費主義逆行者」と名付けたコミュニティーが2020年10月に立ち上げられ、2023年12月時点で36万人超のメンバーが加入している。その行動宣言は「やみくもに潮流に流されない。消費主義に巻き込まれない。理性的な消費。物の用を発揮し尽くす」というものである。メンバーが分単位で投稿するほど活発に交流している。内容は無駄遣いをした経験、節約の心得、消費に関する思考など多岐にわたる。似たようなコミュニティーがほかにもある。「極簡生活（超シンプル生活）」では約41万人、「摳門（コウメン）（ケチ）女性連合会」では約64万人がつながって、脱消費主義を主張し実行している。

二点目は、商品の費用対効果を重んじるトレンドである。マッキンゼーの「2023中国消費者報告」によると、長年、海外ブランドを好んできた消費者が「価格性能比」を最大の理由として国産ブランドを選ぶようになっている。また、2021年以来、割安で買える「臨期（期限切れ間近）食品」の専門店は都市部の若者らの人気を集めている。購入者の約45%が週に1回以上買い、84%が他の人に勧めたいと思っている（艾媒諮詢「2023~2024年中国臨期食品行業発展及標杆案例研究報告」2023年）。

三点目は貯蓄志向の高まりである。前掲のマッキンゼーの報告書によると、リスク対応のために貯蓄したい都市部世帯が58％で、２０１４年以来の最高値に達した。２０２２年１月から９月までに中国住民による貯蓄額が14兆元も増加したという。

「爆買い」は「モノ（商品やサービス）」の所有に価値や意味合いを見いだそうとする「モノ中心」の消費スタイルである。その退潮とは対照的に、「コト（体験や経験）」を楽しむことで人とのつながりを生み出し、精神的な癒しを求める「人中心」の消費スタイルが広まっている。２０２２年の年末から、若者の間で相次いで人気を集めてきた「囲炉煮茶（炉を囲んでお茶を入れる）」や「寺廟旅遊（寺院参拝の旅）」がその兆候である。

大連市内の茶房で提供される「囲炉煮茶」の二人前セット。料金は228元（2023年5月、劉亜菲撮影）

騒がしい街から離れた閑静な場所で、友人と炉を囲んでお茶を入れたり、食べ物を焼いたりしながら歓談する。単なる物を食べるための消費ではなく、人とのリアルなつながりを強め、心身ともにリラックスすることに「囲炉煮茶」の価値が存在する。２０２２年11月にクチコミサイト「大衆点評」で「囲炉煮茶」の検索件数は前月より９９４％も急増した（『紅星新聞』２０２２年12月15日）。

また、寺院参拝も「９９６（朝9時から夜9時まで働き、週6日出勤する）」の激務で疲弊し、社会の激しい競争や不確実性から不安を抱え込む若者たちが心の安らぎを求める行為であると理解できる。艾媒諮詢が２０２３年4月に実施した調査では、寺院参拝に行く理由としては「心の拠り所であり、生活のストレスや焦りを解消するため」（58・9％）がトップを占めている。２０２３年に入ってから、旅行予約サイト「携程」における寺院観光地のチケット注文数も前年比で３１０％急伸し、2月以降の予約者の半分近くは「90後」と「00後（リンリンホウ＝２０００年代生まれ）」世代であった（ウィーチャット公式アカウント「携程黒板報」２０２３年2月23日）。

コロナ禍の終息に伴って、中国消費市場に活気が戻りつつある。しかし、時代の不確実性が深まり、リスクに備える危機意識が強まるなか、物欲に操られる消費主義への反省や理性的な消費志向、物質面よりも心の豊かさを追求する消費トレンドが続くだろう。

（劉　亜菲）

35

生活を脅かす「食の安全」問題

★急がれる管理・監督体制の確立★

2015年以来、訪日中国人の「爆買い」が日本国内で注目を集める社会現象となった。海外での直接購入に限らず、近年は越境EC（電子商取引）サービスを利用し、輸入食品を買う中国人が増えてきている。2019年5月、「艾瑞諮詢（iResearch）」が発表した報告書「2019年中国輸入食品消費研究白書」によると、ネット通販は中国の消費者が輸入食品を購入する際にいちばん頻繁に利用するルートとなっている。注目すべきなのは、輸入食品の購入動機で、「食品安全」と「高い品質」が最も多く選ばれ、それぞれ61・6％と50・7％に達した。

その背景には、中国の食品安全に対する不信感がある。21世紀に入って以降、中国では阜陽ミルク事件（2003年）、人工合成の着色料スーダンレッドの使用事件（2005年）をはじめ、食品安全問題が頻発した。特に、2008年に起きた毒ギョーザ事件やメラミン入り粉ミルク事件などは日本でも大きく報じられ、国際的関心を集めた。

こうしたことから、中国政府は食品安全問題の深刻さを改めて認識し、建国後初の食品安全法を2009年に公布するなど、食品安全問題に関する政策や規則の制定を急いできた。しかし、その後も、「地溝油（下水溝などに溜まった廃油を濾過、精製した再生食用油）」問題など世間を騒がすニュースが相次ぎ、食品に対する国民の不安は依然として解消していない。中国の経済専門誌『小康』が2005年から実施している「国民が最も注目する十大焦点問題」調査でも食品安全問題は毎年ランクインし、とりわけ2012年から2017年にかけて6年連続トップとなっている。

中国の食品安全問題は、食品を製造している企業そのものに安全意識の欠落があるうえに、行政の管理・監督体制の不備という構造的問題を抱えている。2011年6月29日、全国人民代表大会（全人代＝国会）常務委員会の調査グループが発表した「食品安全法」執行状況調査によれば、食品企業の安全意識の低さや行政の監視・監督体制の甘さ、職責の押し付け合いなどの問題が存在していることが明らかになった。長い間、中国政府のなかでは、食品問題をめぐり、生産に関しては品質監督部門、流通に関しては商工行政管理部門、消費に関しては国家食品薬品監督管理部門というように、分野別の縦割り行政が行われてきた。加えて、農業、商務、衛生など各省の業務と重なり合う分野もあり、職責の不明な部分が少なくなかった。このように複雑で非効率な官僚機構のもとでは、行政側の管理・監督を通じた、食品安全問題の摘発は極めて限られてくる。

2014年7月、上海の食肉加工会社「上海福喜食品」が使用期限切れ食肉を使用した製品を、マクドナルドをはじめとしたファストフード店などに供給していた事件は、元同社従業員の内部告発を受けた上海の衛星テレビ「東方衛視」が2ヵ月にも及ぶ潜入取材を行って実態を暴き出したものだ。同事件からはサプライチェーンが日増しに複雑化するなかで、行政の管理・監督が後手に回っている現状が浮き彫りになった。2014年2月、NGO「健康、環境と発展フォーラム（FORHEA

D)」の食品安全工作グループが発表した報告書「中国における食品安全――問題、管理と研究概況」は、都市化の進行と地域発展の不均衡がサプライチェーンの複雑化と絡み合っている点に中国の食品安全問題の特殊性があると分析している。

サプライチェーンの複雑化による食品安全問題の多発から、中国政府はトレーサビリティー・システム（流通経路情報把握システム）の構築の重要性を認識し始めた。2015年に改正された「食品安全法」は、トレーサビリティー・システムの構築を初めて盛り込み、第42条で「食品生産経営者はトレーサビリティー・システムを確立し、食品についてのトレーサビリティーを保証しなければならない」と定めている。中国政府はトレーサビリティー・システムの確立が食品安全問題を解決するために最も緊要かつ有効な手段だと認識しており、トレーサビリティー・システムの構築に取り組んでいる。例えば、乳幼児向け粉ミルクに対する管理では、2016年1月、「乳幼児用粉ミルク生産企業による食品安全遡及情報の記録基準」を発表し、成分や原材料管理、生産プロセス、商品管理などの項目の記入を生産者に求めた。

しかし、生産現場に対する管理・監督の土台作りは、ある程度できたにもかかわらず、流通現場は産地卸売り業者から消費地卸売業者へ、そして大規模、中小規模の小売り業者へ、さらにスーパーや売店など末端小売業者へと、多層的に入り組んでいるため、管理・監督の落とし穴が生じやすい。2016年4月、上海市食品薬品監督管理局は公式サイトで、米大手アボット（Abbott）など海外ブランドのニセ粉ミルクの製造・販売事件が同市で摘発されたことを公表した。事件の容疑者6人は低価格の粉ミルクや非乳児用の粉ミルクを購入し、偽造ラベルなどを貼り付けてニセモノを作り、河南、江蘇、湖南各省の卸売業者に売りつけていたことから、数多くの末端業者へ品物が流通した。ニセモノの粉ミルクを検査した結果、品質には問題がないことが分かったが、流通面の管理・監督の不手際が明らかになった。流通現場では卸売業者や小売業者の間で個別の取引が行われ、商品の所有者がくるくる変わるため、記録の追跡が難しく、トレーサビリティーがなかなか保証されない。

このような難題は学校内で頻発している食品安全問題でも露呈している。2023年11月、上海交通大学の学食で食べ物のなかから注射針が見つかった問題がSNS（ソーシャル・ネットワーキング・サービス）で物議を醸した。大学側は養豚場におけるワクチン接種時に折れた注射針が混入したと説明したが、管理・検査の責任が養豚場、食肉処理場、学食のどの段階にあったのかは不明のままだった。

近年、中国の国民生活が豊かになるにつれ、国民の健康食品、保健機能食品、有機食品に対する需要も高まっているが、一部の企業が経済的利益追求のために、製品の機能・認可表示で偽装や法令違反を行うなどの問題が多発している。北京紙『新京報』の報道（2019年5月13日）によると、北京市内の一部の病院と周辺の売店で販売されていた複数の国内メーカー製造の「特殊調整粉ミルク」が乳児用調製粉乳登録資格、特殊医学用途調整食品登録資格、特殊医学用途調整食品生産許可のいずれも取得していなかったことが明らかになった。これらの商品の包装には、「特殊調整粉ミルク」という表示とともに、「粉末飲料」という表示も添えられていた。この類の不明瞭で違法すれすれの行為が根絶できず、消費者の信頼を失墜させている。冒頭で紹介した「艾瑞諮詢」の報告書は、中国の子育て世帯が乳幼児食品と乳製品を購入する際、輸入食品を優先的に選択する傾向が強いと指摘している。

第35章

生活を脅かす「食の安全」問題

また、土壌汚染、地下水汚染などの環境汚染による食品安全問題もますます顕在化している。2010年2月、中国統計局が発表した「第1回全国汚染源一斉調査公報」によると、農業生産による環境汚染の深刻度が工業生産と都市生活による汚染を上回り、環境汚染の主要原因となった。2013年、湖南省産の米から基準値を超えるカドミウムが検出されたことは世界的に広く知られる事件となった。農業生産による食品安全問題の多発に対応するため、中国当局は農業生産に関する法律と法規の制定を急いでいる。

2014年から2021年にかけて、中国は「食品安全国家基準——食品中の残留農薬の最大限度」を5回修正し、農薬の使用への規制を強化し続けている。2015年、農業省（現農業農村省）は2020年までに農薬および化学肥料投入量の増加率をゼロとする目標を立てた。さらに、2018年3月、農業農村省は「農産物品質安全トレーサビリティー・システムの構築に関する意見」を提起し、2021年7月に「農産物品質安全トレーサビリティー管理規則」を公布した。また、2022年9月2日、第13期全人代常務委員会第36回会議で「農産物品質安全法」の改正案が可決され、2018年の旧法より条文が25条追加されたことで、農産物の生産から加工、消費に至るまで一層具体的な規定が盛り込まれた。

一連の取り組みは一定の成果を収めたが、毎年、全国各地で各種の取り締まり活動や抜き打ち検査の際に、野菜、茶葉などの残留農薬の基準値超過問題が多数発覚している。『小康』雑誌社と中国国家情報センターが共同で調査した「2023中国現代飲食発展指数」によると、消費者に最も懸念されている食品のトップ3は、野菜、冷凍食品、肉製品であり、最も不安感の大きい食品安全問題のトッ

食べ歩き客でにぎわう四川省成都市の飲食店。食の安全に対する消費者の関心は高まっている（2018年3月、藤野彰撮影）

プ3は、残留農薬の基準値超過、添加物等の違法使用、重金属超過残留である。国民は農業生産による食品汚染問題に対し、依然として強い不信感を抱いている。

中国の地域発展の不均衡は、食品の生産、流通、消費モデルに大きなばらつきを生じさせており、地域間および同一地域における各行政機関の管理・監督能力も一様ではない。2019年3月、国務院は「食品安全法」の実施条例」の改正案を可決し、「食品安全法」の実施における制度の運用をさらに厳格化した。新条例は、一部の分散している国家、地方、企業の食品安全に関する基準を統合した。また、管理・監督の面では、県レベル以上の地方政府に統一的な食品安全監視システムの構築や食品安全検査員制度の確立を求めた。

相次ぐ法規の整備と厳格な執行の表明からは、中国政府が食品安全問題の改善に向けて積極的に取り組んでいる姿勢が見てとれる。また、中国は食品安全問題における国際交流の重要性を認識しており、2010年から毎年「国際食品安全と健康大会」を開き、食品安全問題での先進国との協力も推進している。しかし、全体的に見ると、先進国並みの食品安全の確立にはまだ長い時間がかかると予測される。

（魯　諍）

36

貧富格差縮小を目指す「共同富裕」

★成長と分配のバランスに苦慮★

『求是』という中国共産党の理論誌がある。党関連の主要会議で習近平（シージンピン）総書記の重要講話が後日発表され、時に習近平指導部の政策の方向性のメッセージが込められる。２０２１年10月発行の『求是』（第20期）に「着実に共同富裕を推進しよう」と題する習総書記の論文が掲載されたのはその好例の一つと言える。

この習近平論文は同年８月17日の党中央財経委員会（習近平自ら主任を務める、党中央の経済運営の最高意思決定機関）のプレスリリースを拡充する形で発表され、「小康社会（ややゆとりのある社会）は全面的に完成し、共同富裕の促進に良好な条件を築いた。現在は共同富裕を着実に推進する歴史的段階に達している」と言及された。つまり、「共同富裕」は２０２１年の中国共産党創設１００周年祝賀記念式典で「全面的に完成」と宣言された「小康社会」に続く目標に位置付けられたと言える。

「共同富裕」とは「人民が共に豊かになる」という考え方で、毛沢東（マオゾードン）が１９５５年に「農業合作化問題に関して」という報告のなかで初めて提起したのが始まりである。毛沢東が経済効率を度外視した大躍進政策や文化大革命を推進した結果、中国経済は停滞した。これに対して、鄧小平（ドンシアオピン）は「一部の地域、一部の人が先に豊かになり、他の地域・人も豊かになることを助けて『共同富裕』に徐々に到達する」という、いわゆる「先富論」を提唱した。江沢民（ジアンゾーミン）指導部以降、この「先富論」の路線が継承され、市場経済を導入し、対外開放を強力に推し進めていった。「先富論」により、「先に」豊かになることが強く意識されるようになり、中国は急速な経済成長を遂げたが、それとともに、貧富格差が注目されるようになる。

高度成長期が終わる2010年以降、特に所得格差が大きな社会問題となる。2012年12月、中国の西南財経大学は「中国家庭金融調査」で所得格差を示す指標であるジニ係数（1に近づくほど所得格差が大きい）を発表し、2010年の中国のジニ係数は0・61で「所得格差は、世界でも珍しいほど極端に大きい」と結論付けた。北京師範大学管理学院・政府管理研究院も「2012中国省級地方政府効率研究報告」で2012年のジニ係数は0・5以上と発表した。いずれも高い推計値で中国の貧富格差は深刻であるとの認識が国内外で広がった。

2012年9月、日本政府が尖閣諸島の所有権を取得（国有化）したことに対して中国各地で「反日デモ」が発生したが、このデモでは、労働者階級が主役であった毛沢東時代を礼賛するかのように、毛沢東主席の肖像画を掲げる人々が数多く目撃された。貧富格差に対する不満が中国社会に広がっていることを強く印象付けた事象の一つである。

こうしたなか、2013年に国家統計局が前年の経済統計を発表する記者会見で、香港文匯報記者の質問に答える形で2003年に遡ってジニ係数を発表した。事前に質問を振り付けていたか定かではないが、2003〜12年のジニ係数を準備していたことから、公表を予定していたとみられる。

〔図1〕中国のジニ係数

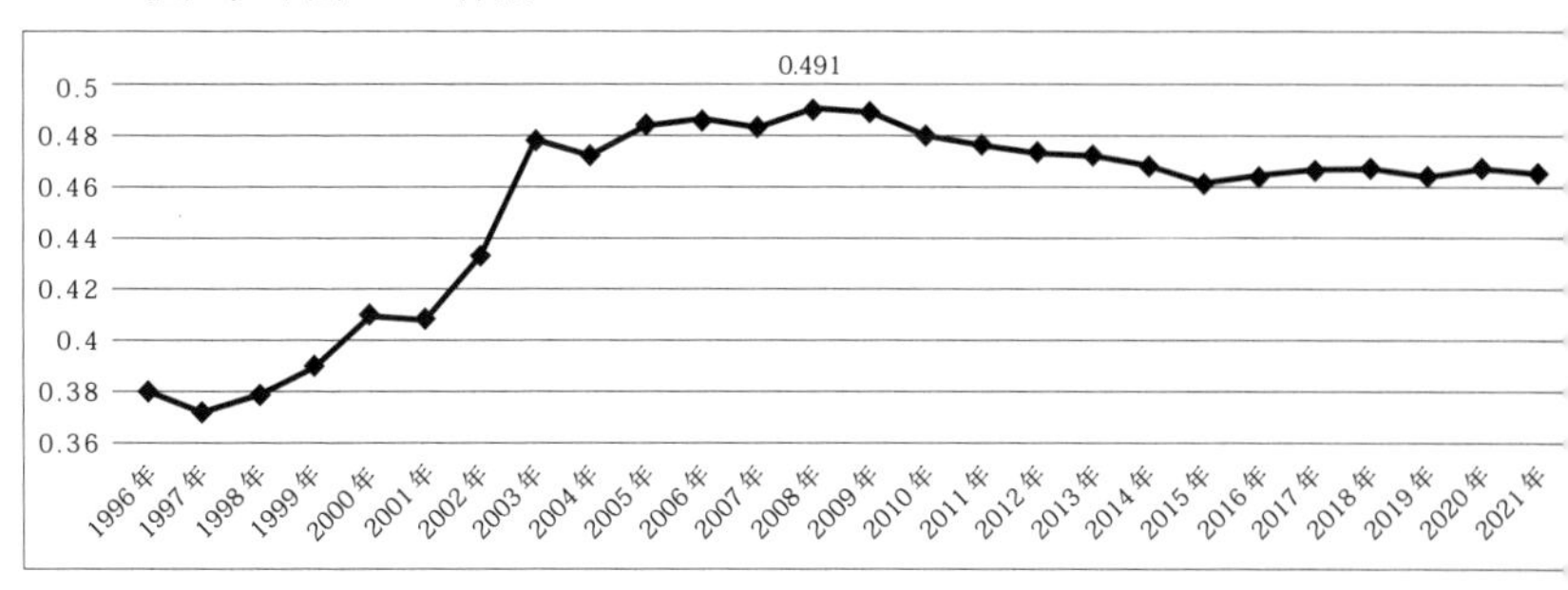

（出所）世界銀行および中国国家統計局

国家統計局が発表するジニ係数は西南財経大学や北京師範大学の調査と比べると格差が小さく、2008年の0・491をピークに改善傾向にある〔図1〕。しかし、中国当局の発表するジニ係数は格差の実情を必ずしも反映しているとは言いがたく、例えば、姚洋（ヤオヤン）・北京大学国家発展研究院長は、国家統計局のジニ係数は最高所得層1％と最低所得層10％が十分に調査できていないという問題点を『経済学家圏』（2021年9月1日）のインタビューで指摘した。

社会問題化した貧富の格差の解決に向けて「共同富裕」が2020年10月の第19期中央委員会第5回全体会議（19期5中全会）で打ち出された。同年10月30日には、寧吉喆（ニンジージョー）・国家発展改革委員会副主任（国家統計局長兼党組書記）が「共同富裕」について「第14次5ヵ年計画期間には（中略）共同富裕化を着実に推し進め、労働に応じた分配を主体として堅持したうえで、様々な分配方式を併用する。第一次分配における労働報酬の比重を高め（中略）、低所得層の所得向上に力を入れて中所得層を拡大する」と記者会見で説明した。

冒頭の『求是』に掲載された習近平論文によると、「共同富裕」のスケジュールは「第14次5ヵ年計画末までに（中略）住民所得と実質消費水準の格差を徐々に縮小、2035年末までに（中略）基本的公共サービスの均等化を実現、今世紀半ば（2049年）までに住民所得と実質消費水準の格差を合理的な範囲に縮小させる」「共同富裕促進行動綱要の制定を急ぐ」とした。「共同富裕」は市場における所得の「一次分配」、租税や社会保障を用いた「二次分配」、寄付等の「三次分配」からなり、以下の①〜⑥の具体的な措置が挙げられた。

「共同富裕に関わる具体的な措置」（『求是』掲載の習近平論文より）

①（地方交付税の交付等の）発展の遅れた地域への支援、独占業種の禁止の加速、大中小企業の相互発展を推進。

②租税・コスト負担の軽減、末端の公務員・国有企業従業員の賃金を向上させて、都市・農村住民の財産取得を増加、中間所得層を拡大。

③貧困家庭の教育の負担軽減、年金・医療の社会保障の改善、都市と農村等の待遇格差の縮小、保障性賃貸住宅（例えば、日本の都営住宅に類するもの）の供給拡大などで基礎的な公共サービスを均等化。

④税制改正（個人所得税制度の改正や不動産税の推進）、公益慈善事業の規範化・税制優遇、独占業種と国有企業業の収入分配の管理、脱税などの違法行為の取り締まり、財産・知財の合法的富の保護、資本の無秩序な拡張に反対、センシティブ分野の参入退出ネガティブリストを出し、独占禁止・監督管理の強化など合法的収入を保護し、分配の不公平を排除する。

⑤愛国主義・社会主義等の教育の強化、共同富裕を促進する世論の指導強化。

⑥農民・農村の共同富裕を促進。

第36章

貧富格差縮小を目指す「共同富裕」

習近平指導部は2021年に、「共同富裕」実現のため、「独占業種の禁止の加速」などに向けて動き出した。プラットフォーマー企業であるアリババ・グループやオンライン食品デリバリー大手「美団」に対して支配的地位乱用を理由に罰金を科した。また、所得格差の影響を受けやすい教育産業について小中学生向け学習塾の非営利化などの規制も導入した。

ただし、以上のような政府介入や規制強化は様々な波紋を呼ぶ。例えば、2021年9月に「中国経済50人論壇」（劉鶴（リウホー）・副首相［当時］を含む著名経済学者で構成する組織）が張維迎（ジャンウェイイン）・北京大学教授の「市場経済と共同富裕」と題する論評をホームページで公開（後に削除）した。同論評では「市場化改革を不断に推進するなら、中国は共同富裕に向かっていくだろう」「ますます多くの政府介入を招くならば、中国は共同貧困に向かうだけである」と中国当局の規制強化や市場介入を痛烈に批判した。

国内で批判が高まるなか、米紙『ウォール・ストリート・ジャーナル』（2022年4月3日付、"Xi Jinping's 'Common Prosperity' Was Everywhere, but China Backed Off"）でも報道された通り、中国の成長鈍化を補うために共同富裕に関わる政策は下火になっていった。そのきっかけは、IT（情報技術）企業への取り締まり強化や不動産規制によって景気減速が鮮明になり、ゼロコロナ政策の継続によって各地でロックダウンも行われるなか、劉鶴副首相が習近平国家主席に対し、経済成長に配慮して「共同富裕」の推進に伴う市場管理の強化を止めるよう進言したためといわれている。この流れで2022年には不動産税（固定資産税）の導入が早々に見送られたと考えられる。

現在、習近平指導部は農民の所得増加や労働者の待遇改善を通じて消費に結び付く流れを加速させようとしており、分配を意識しながらも成長に力点を置くようになった。もっとも、共同富裕は中華

〔図2〕中国の生産年齢人口とその比率の推移

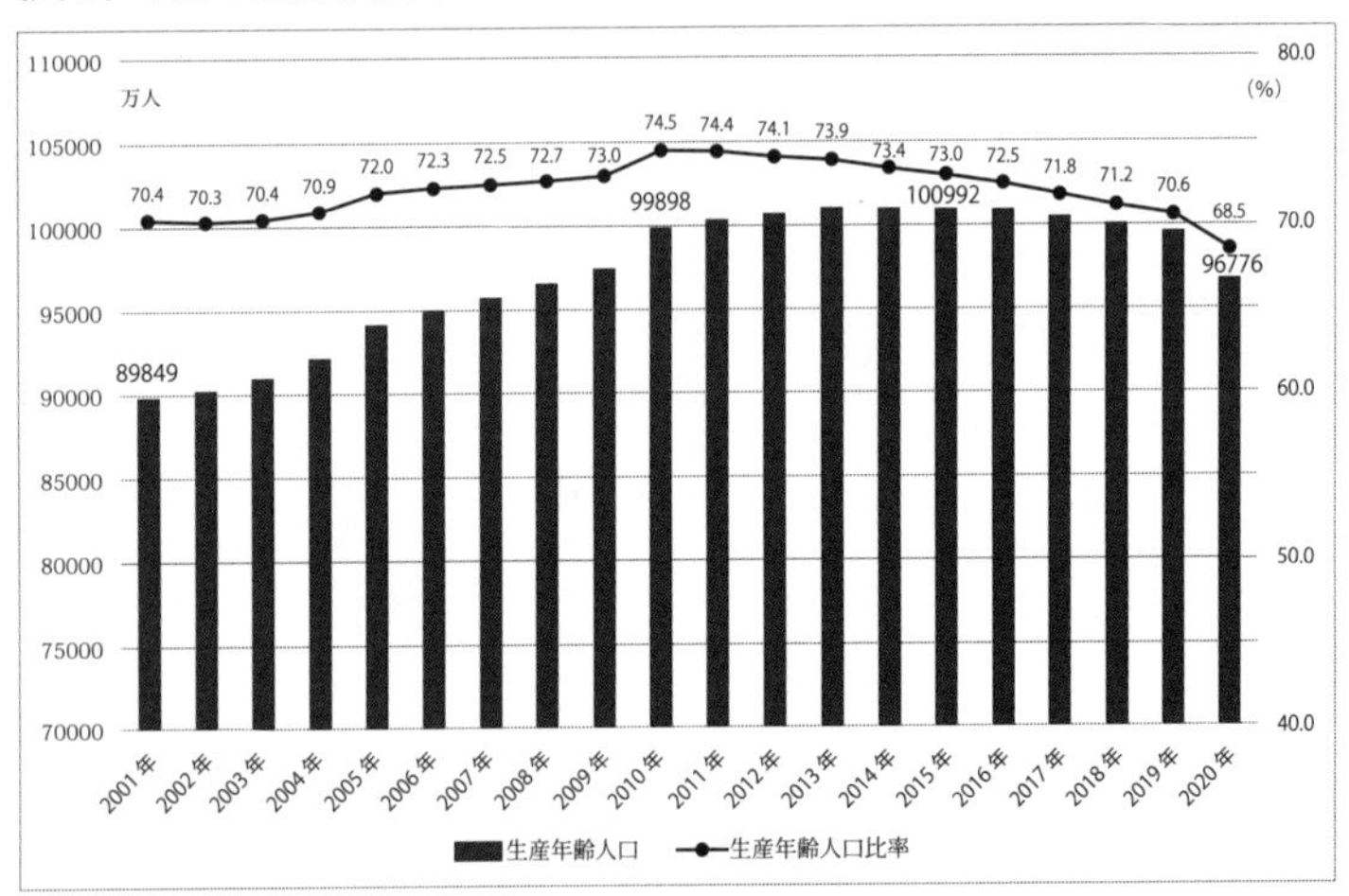

(出所) 中国国家統計局　※生産年齢人口比率＝生産年齢人口÷総人口× 100

人民共和国建国100周年の2049年までを視野に入れた長期的政策課題であり、党全体の目標として共同富裕の達成を目指すことに変わりはない。また、中国は生産年齢人口が減り始めており〔図2〕、2040年には65歳以上の高齢者が3・4億人に上ると予想され、今後、高齢化は急速に進行する。市場を通じた所得の一次分配によるジニ係数の改善は早晩限界に達するだろう。このため、固定資産税や相続税の導入などを通じた所得再分配の機能強化は重要政策と言える。格差問題は社会不安を招きかねず、共産党体制を揺るがす要因になり得る。習近平指導部は格差問題に対処していきながら、中国共産党の統治の支えとなる安定的な経済成長も追求しなければならないという難しい舵取りを迫られている。

(安生隆行)

37

デジタル時代の新型主流メディア

――★管理強化による世論誘導はどこまで可能か★――

中国メディアの果たす社会的役割と機能は、自由民主主義体制の西側諸国のメディアと大きく異なり、また独自の歴史的な発展の道のりがある。

１９４９年の中華人民共和国建国以来の中国メディアは、70年余にわたって、政治、経済、社会、技術等の変動に影響されながら大きく変容してきた一方、共産党の一党指導体制下での「党がメディアを管理する」という基本原理は変わっていない。つまり、時代の推移に伴う中国メディアの様々な改革は、産業化や企業化、商業化の各方面において党・政府の指導体制下で行われており、党はメディアの指導権を握り、手放すことがない。

中国メディアがたどってきた建国後の歴史のなかでは、改革・開放路線の導入が大きな転換点となった。改革・開放前の約30年間（１９４９〜７８年）、中国のメディアは政府財政に依存し、経営に腐心する必要のない単なる国の宣伝機関だった。１９７０年代末に始まった改革・開放路線によって、計画経済体制下のメディアの運営システムは直ちに影響を受け、メディアは党のイデオロギー宣伝機関としての機能を維持しながらも、同時に独立採算制への移行を余儀なくされ、変革期に入った。

メディア改革とは、宣伝機関であり、事業単位でもある新聞、雑誌、テレビ・ラジオ放送等のメディア機関を、企業体へ移行させるという側面が大きい。経営活性化のため、広告掲載の復活、郵便局による販売独占の打破、多角経営などの様々な対応措置がとられた。1992年以降、市場経済化の加速に伴い、メディアは第3次産業に属することが政策で示され、文化産業としても成長してきた。1995年、中国初の都市報（読者の興味に応える紙面づくりをし、広告収益も重視するタブロイド紙）が創刊され、都市報ブームを巻き起こした。都市報の急成長とともに、メディアの産業化の重要な動きとして新聞のグループ化が1996年にスタートした。2004年末時点で新聞発行グループは40を数えるまでに成長した。これらのグループの年間経営収入は大部分が億元を超え、広告だけで年間十数億元、さらには20億元の収入を記録したグループもあった。

一連の改革のなかで、メディアが報道する内容は、読者や視聴者の多様なニーズに応える形で、人々の生活に密着したテーマから公権力の乱用や腐敗蔓延などの社会問題に至るまで、幅広い分野をカバーするようになった。権力を監視する機能を果たそうとするジャーナリズム志向の強い記者たちも現れるようになった。しかし、党がメディアを管理する体制は変わっていない。メディアの所有形態は国有であり、人事権は党に握られ、報道内容も党によって監視、指導されている。メディアは経済的に自立しつつあるものの、完全に独立することは許されていない。政治的に敏感な出来事の真相を暴いたり、タブーに挑戦したりする報道が行われると、編集責任者の降格、解雇といった処分が当局から下されるのが通例である。つまり、メディア経営の改革は「報道の自由」を目指す改革ではないということだ。

第37章

デジタル時代の新型主流メディア

中国では都市報の成長はインターネットの普及とほぼ同時だった。新聞など伝統メディアは大衆化と商業化の道をわずか20年しか歩んでおらず、企業体として十分な体力を蓄える余裕がないまま、インターネットや通信技術の急成長によってもたらされた衝撃にさらされている。2012年ごろから新聞産業の衰退が顕在化している。

一方、中国政府はデジタル経済を国の発展につながる重要な原動力とし、次々とIT発展戦略を打ち出した。ビッグデータや人工知能（AI）などの活用によるイノベーションへの期待が高まり、スマートフォンを使ったネット利用法が次々と開発され、人々の暮らしに深く浸透し、ライフスタイル、メディア接触の形態などに深刻な影響をもたらした。伝統メディアはこうした変化に対応できなければ、時代から取り残されかねない状況に立たされた。特に、人々がネットを利用して意見を表明する言論空間と、当局管理下の伝統メディアが主導する言論空間という「二つの世論形成の空間」が生まれている。このため、民衆の伝統メディア離れは政権の安定を確保したい当局にとっては大きな懸念材料となっている。

習近平（シージンピン）総書記は2013年8月に開催された全国宣伝思想工作会議で「多くの人、とりわけ若者たちは基本的に主流（伝統）メディアを読まず、大部分の情報をインターネットから得ている。この事実を直視し、力を入れて、できるだけ早くこの世論の戦場での主導権を把握しなければならない」と述べ、メディア融合を切実な課題として訴えた。これを受けて共産党中央は2014年に「メディアと新興メディアの融合発展推進に関する指導意見」を通達。このなかで「主流メディアに先進コミュニケーション技術を科学的に適用し、情報の生産とサービスの能力を強化し、より良く党と政府の声を宣伝し、人民大衆の情報の需要を満足させる」との新戦略が打ち出され、全国で本格的にメディア融合が動き始めた。メディア融合の推進はメディア産業のモデルチェンジという側面があるが、それを契機とした党の管理強化という色彩も濃い。一時期の商業化の波は消え、共産党の統治を固めるための世論誘導能力の向上という政治的な意義が強調されることになった。

中国メディアは「創設申請制度」と「属地管理（メディアの所属地域での管理）制度」によって、中央レベル、省レベル、市レベル、県レベルという4級に分けられる。メディア融合戦略の遂行では、人民日報社、新華社、中国中央テレビ（CCTV）などの中央レベルのメディアが先行した。

人民日報社を例に戦略の展開を見てみよう。「中国新聞事業発展報告（2017年）」（中華全国新聞工作者協会発表）によると、人民日報社はすでに29の社属の新聞・雑誌、44のウェブサイト、118の「微博（ウェイボー＝中国版X［旧ツイッター］）」の公式アカウント、142の「微信（ウェイシン＝中国版LINE）」の公式アカウントおよび31のモバイル・クライアントを有する複合メディアグループとなっている。同報告の2022年版によると、人民日報のメディア融合は一層進み、2021年11月30日時点で、そのニューメディアのユーザー総数は6・5億人を突破し、人民日報法人の「微博」公式アカウントのフォロワー数は1・4億人を超え、App（アプリケーションソフトウェア）のダウンロード数は2・73億回を超えた。また、人民日報社傘下の人民日報媒体技術公司が「人民日報中央厨房（セントラルキッチン）」方式と名付けたオムニメディアニュースプラットフォーム——すべてのメディアと連携するニュース生産の指揮システム——を立ち上げた。

「人民日報中央厨房」をモデルに、全国の主流メディアも次々と「中央厨房」システムを導入した。

その過程において、大規模な統合、合併や再編も相次いで行われた。例えば、２０１８年、天津市は天津日報報業集団、今晩報伝媒集団と天津ラジオ・テレビ局を合併させ、天津海河伝媒センターを設立した。同年、県レベルのメディアに対して、中央は「県融合メディアセンター」というモデルを示し、県域のすべてのメディアの統合を推し進め、デジタル化を加速させた。

中央厨房で最も存在感を示しているのは、技術システムの稼働によって得られたデータを可視化する巨大パネルである。国内各地で起きているホットな事件は即時にパネル上の地図に表示される。また、発信したニュースがどの程度拡散されているかもデータ化され、ランキングされる。情報のフィードバックからは新たな材料を見出すことができる。さらに、国内外の世論の動向もキャッチしている。それは中国メディアの世論管理・誘導の機能発揮に最も寄与するものになるだろう。つまり、こうした官製メディア融合によって、新型のオンライン・ニュースサービスの取材・編集活動は管理当局の規制の網から逃れられなくなっているだけでなく、世論動向も監視されている。

メディア融合政策の実施以降、党機関紙類のメディアはより大きな財政支援を得る一方、都市報類の新聞は広告媒体としての機能が衰退して経営難に陥り、紙の媒体が相次いで停刊、休刊となった。都市報を母体するデジタルニュース配信のメディアも試みられている。そのなかでは上海報業集団の「澎湃ニュース」、四川日報報業集団の「封面ニュース」というニュースプラットフォームと北京の「新京報」ニュースアプリなどがモデルチェンジのケースとして注目されている。

人民日報社傘下の人民網研究院が発表した「２０１８中国メディア融合伝播指数報告」によると、新聞を例に挙げれば、「微博」への進出率は93・３％、「微信」への進出率は98・２％、ニュース集約プラットフォームへの進出率は95・4%であり、自らのクライアントの比率は90・8%である。これらのデータからメディア融合の進み具合が垣間見える。

習近平指導部は技術力を結集してメディア融合を促進する一方、新興メディアのニュース情報発信の規範化を強化している。例えば、2017年5月、国家インターネット情報弁公室は「インターネットニュース情報サービスの管理規定」を公布した。インターネットニュース情報には、政治や経済、軍事、外交などの公共的な問題に関する報道、評論に加え、社会的な突発事件の報道と評論が含まれる。同規定は「ウェブサイト、アプリ、ネット掲示板、ブログ、ミニブログ、公式アカウント、インスタントメッセンジャー、ネットライブ中継などの形式を通じて、人々にニュースサービスを提供するには、インターネットニュース情報サービス許可を取得すべきである。許可なく、もしくは許可される範囲を超えたネットニュース情報のサービス活動は禁止される」と定めており、まさに管理強化策そのものである。

党・政府主導のメディア融合による新型主流メディアの構築は、サイバー空間においても人民日報などの主流メディアが中心的で優位な地位を占め、世論を誘導しようとしている。だが、ネットユーザーの志向は必ずしも党・政府の望む方向と一致するわけではない。当局にとって、報道への民意の反映と民意の統合はますます難しい課題となっている。

（西　茹）

38

変化に富む情報空間の世論

★SNS「民意」と政府のせめぎ合い★

中国はすでに世界指折りのインターネット大国となっている。2022年には世界のネットユーザー規模は50億人を超えたが、中国はその5分の1以上を占めている。2023年3月に中国インターネット情報センター（CNNIC）が発表した「第51回中国インターネット発展状況統計報告」によると、2022年12月の時点で中国のインターネット人口総数は10億6700万人、普及率は75・6％に達した。また、ネットユーザーの99・8％が携帯電話を利用してインターネットを利用しており、その規模は10億6500万人に達している。

中国は1994年にインターネットに正式に接続し、世界で77番目にインターネットにつながる国となった。当時、ネットユーザーは約4000人しかおらず、主に科学研究者や教育関係者などの知識エリートだった。半年に一度発表されるCNNICのインターネット発展状況統計報告は1997年から始まり、当時はネットの利用者も62万人に過ぎなかった。約30年間でインターネットが中国で急速に発展したと言っても過言ではない。

中国におけるインターネットの発展の顕著な特徴の一つ

〔表1〕インターネットサービスの利用状況（2022年12月）

	利用目的	利用者数（万）		利用率（%）		伸び率（%）
		2021.12	2022.12	2021.12	2022.12	2021年12月と比較
基本的な利用	チャット	100666	103807	97.5	97.2	3.1
	ニュース閲覧	77109	78325	74.7	73.4	1.6
	オンラインワーク	46884	53962	45.4	50.6	15.1
娯楽	ネット動画（ショート動画を含む）	97471	103057	94.5	96.5	5.7
	ショート動画	93415	101185	90.5	94.8	8.3
	音楽視聴	72946	68420	70.7	64.1	-6.2
	ライブ配信	70337	75065	68.2	70.3	6.7
	ネットゲーム	55354	52168	53.6	48.9	-5.8
	ネット文学	50159	49233	48.6	46.1	-1.8
ビジネス	ネット決済	90363	91144	87.6	85.4	0.9
	ネットショッピング	84210	84529	81.6	79.2	0.4
	デリバリー	54416	52116	52.7	48.8	-4.2
	旅行予約	39710	42272	38.5	39.6	6.5
公共サービス	ネット配車	45261	43708	43.9	40.9	-3.4
	オンライン診療	29788	36254	28.9	34.0	21.7
	オンラインフィットネス	--	37990	--	35.6	--

（出所）「第51回中国インターネット発展状況統計報告」により作成

は、ネットが人々の生産活動と生活様式に深く浸透し、人々の日常生活に不可欠な基盤的存在となっていることである。10億人を超えるネットユーザーの一人当たりの平均的な週間ネット利用時間数は26・7時間だが、実際にどのようにネットを利用しているのだろうか。

〔表1〕の「インターネットサービスの利用状況（2022年）」に示されているように、ネットの利用形態は生活、仕事、娯楽、レジャーなど多様性に富んでおり、各種の利用者の規模はすべて億単位となっている。例えば、チャットのユーザー規模は1位を維持し、前年同期比で3141万人増加したほか、使用率は97・2％に達した。非ネットユーザーのインターネット利用を促進する第一の要素は、家族や親族とのコミュニケーションの利便性にあるとされる。オンライン診療、オンラインワークのユーザー規模は前年同期比でそれぞれ6466万人、7078万人増加しており、伸び率もそれぞれ21・7％、15・1％と高い。ショート動画のユーザー規模は10億1200万人で、前年より77

70万人増加し、ネット総人口の94・8%を占めている。ショート動画の利用は娯楽だけでなく、電子商取引とも深く融合している。

2022年10月にMoonFox Dataにより発表されたモバイルインターネット業界研究報告書によると、同年第3四半期のモバイルネットユーザー一人当たりのインストール済みアプリ数は引き続き増加し、74件に達した。一人当たりの平均的な日間アプリ利用時間数は5・4時間となる。

最も注目したいのは、ニュース閲覧の利用だ。インターネットでニュースを閲覧する者は7・83億人おり、ネットユーザー全体の73・4%を占めている。ニュースの入手ルートはさらに多元化し、「微博（ウェイボー＝中国版X［旧ツイッター］）」「微信（ウェイシン＝中国版ＬＩＮＥ）」およびニュースアプリだけでなく、「抖音（ドウイン＝中国版ティックトック）」「快手（クワイショウ＝国際版Ｋｗａｉ）」「小紅書（シアオホンシュー＝中国のインスタグラム）」などの娯楽、生活、社交プラットフォームもニュース情報を入手する重要なルートとなっている。現在、「微博」や「微信」や「今日頭条」「抖音」などのプラットフォームがニュース流通のインフラと情報のハブとなっているのは確かである。こうしたデイリー・アクティブ・ユーザー（ＤＡＵ）を数億人単位で擁するプラットフォームの急速な台頭こそ、既存メディアに厳しい試練をもたらしてきたと言えよう。

インターネットの急速な発展は確実に中国の情報空間を大きく塗り替えた。活字メディアや放送メディアは依然として基本的に国営であり、共産党の厳しい管理システムのもとに置かれているため、民間会社経営のインターネットサービスが民衆の情報接触や意見表明の重要な空間となった。こうしたネット情報空間も通信技術の発展に伴い、ＰＣ端末が中心だった時代のＢＢＳ（電子掲示板）から、随時送受信できる、モバイルネット主流のＳＮＳ（ソーシャル・ネットワーキング・サービス）の「移動言論空間」となっている。突発事件や重大な案件をめぐって、しばしば「世論の渦」という現象が現れる。しかも、この世論は時に巨大な力を持ち、社会の安定を揺さぶり、政府に圧力を及ぼすケースもあった。

中国において、大衆紙の発展はインターネットの急速な普及とほぼ同時進行だった。一時、既成メディアの都市報とインターネットとの相互作用によって世論が形成されるケースがたびたび見られた。つまり、大衆紙が取り上げた民衆の関心事がインターネット上の言論空間に持ち込まれて議論される。一方で、インターネットユーザーがＢＢＳに流した情報や意見が大衆紙などの既成メディアに取り上げられ、ネットコミュニティーの外へも影響が広がった。

その典型的な例は２００３年に起きた「孫志剛事件」（スンジーガン）だった。湖北省出身の大学生、孫志剛が職を求めて広東省広州へ行った際、身分証明証を不携帯であったため、ホームレスと見なされたうえ、警察に連行され、収容所で暴行を受けて死亡した。それを報道した広州の有力紙『南方都市報』の記事はネットで拡散され、全国的な反響を呼んで、暴行に関わった警察官が処分され、関係法令が廃止される結果につながった。中国では２００３年は「ネット世論元年」と呼ばれ、一時期、ネット民主主義に対する期待も高まった。

しかし、中国当局はこうした言論空間の変容を坐視していたわけではない。２００８年の北京五輪の後、中国当局は伝統メディアに対する管理をさらに強化し、政府批判の報道や、政府を監視するジャーナリズム志向を持つメディアには強い警戒心を向けた。反面、大衆の関心はますますインターネットに集まり、それを通じて意見を発信するようになった。例えば、２０１１年７月に発生し、死者40人を出した浙江省温州の高速鉄道追突事故では、「微博」が世論形成の面で特に重要な役割を果たした。また、「微博」などの新興メディアを伝統メディア従事者が積極的に利用したことが人々の注目を集めた。

『中国社会輿情（世論状況）青書（２０１３）』（喩国明編、人民出版社、２０１３年）によると、同年、インターネット上で注目された事件の25・7％は「微博」が最初の情報源であった。世論形成空間はインターネット上のチャットルーム、ＢＢＳおよびネット論壇から「微博」へ移りつつあり、言論における政府の権威が失われつつあると指摘された。

「微博」は２００９年8月、当時の中国最強のポータルサイト「新浪網（Sina.com）」が開始したマイクロブログサービスである。中国大陸ではＸ（旧ツイッター）やフェイスブック、ユーチューブなどの海外企業が提供するパーソナルメディアは、政府が巨大な投資を行って設置している「ファイアウォール」によって遮断されている。ユーザーがＶＰＮ（バーチャル・プライベート・ネットワーク）という特別なソフトを使ってバリアーを乗り越えないと、アクセスできない仕組みになっている。このため、国内の企業が海外のＳＮＳと同様のサービスを行っている。

「微博」に象徴される「人々が声を上げ、大衆がマイクを持つ」時代の到来に、政府は危機感を覚えた。２０１３年8月19日、習近平（シージンピン）総書記は全国宣伝思想工作会議の席上、ネット世論空間に対しても管理を強化すべきだと訴えた。その直後、警察機関はネット上で組織的なデマを拡散する犯罪行為を取り締まるキャンペーンを展開し、「微博」で活躍している人気ブロガー数人を槍玉に挙げた。さらに、彼らを全国放送の中国中央テレビ（ＣＣＴＶ）番組にわざわざ登場させて、反省の弁を語らせた。

〔図1〕中国ショート動画利用者規模とネットユーザーの利用率の推移

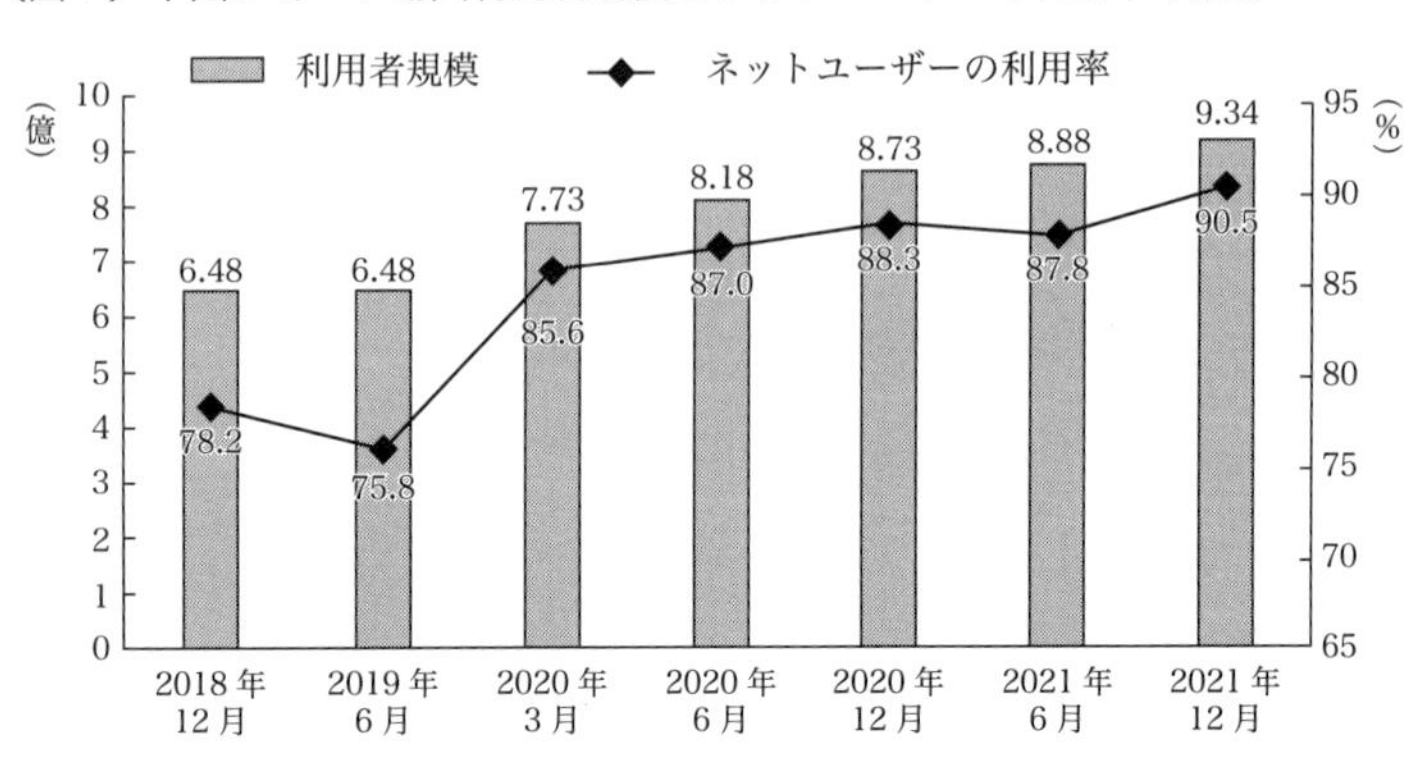

（出所）『中国新媒体発展報告（2022）』社会科学文献出版社、2022年、159頁

これを機に、言論空間としての「微博」の活力は一気に萎えた。それまで社会的な課題に関心を持ち、積極的にミニブログを利用してきた人々は続々と「微信」へと流れ込んだ。『2016年中国社会形勢分析與予測』（社会科学文献出版社、2015年）は「微信」について「社会世論の新たなエンジンになった」と指摘している。

「微信」は中国の大手ネット会社のテンセント（騰訊 www.QQ.com）によって提供されている。そもそも社交プラットフォームであり、登録者同士はつながることができるが、それ以外の人は利用者からの招待がないと参加できない仕組みになっている。いわば、「微信」は「内輪の者だけの集まり」のような存在であり、一定の信頼性があるとみられているため、利用者が急増している。しかも、時事ニュース情報にアクセスする新たなルートにもなっているのが中国的特色と言えるだろう。さらに、中国人にとっては結社、集会の自由が憲法上の規定にとどまっており、実際には絵に描いた餅に等しいことから、「微信」上のつながりによって、ある意味で結社と集会についての要望は満たされた、とも指摘されている。

この2、3年、ショート動画の利用者の急増（図1参照）とともに、動画配信による世論の嵐が吹き荒れたこともよくあった。2022年、国内外に衝撃を与えた「鎖の女性」虐待事件（江蘇省徐州市の農家で人身売買の犠牲者とみられる女性が鎖でつながれ、監禁されていた事件）はその典型例であり、SNSの動画拡散によって世論が沸騰した。

常に変化している情報空間をめぐって、政府と民衆はまさに様々な場面でせめぎ合いを展開している。どんなネットサービスに対しても、人気度の高い「抖音」などのプラットフォームの出現に対しても、政府の監視の目は光っている。巨大なネット産業の基盤ともなるプラットフォームから生まれた情報空間は、政府の力でどこまで制御可能なのか、今後の大きな注目点である。

（西　茹）

39

国際的発信力の強化と信頼性の壁

★ネガティブな中国イメージを変えられるか★

「中華文化の立場を堅守し、中華文明の精神的象徴と文化的精髄を練り上げて発信し、中国の言説体系・物語体系の構築を加速し、中国の物語をしっかりと伝え、中国の声をしっかりと届け、信頼され、愛され、尊敬される中国のイメージを示していく。国際的発信力の強化を図り、海外への発信の効果を全面的に高め、わが国の総合国力と国際的地位にふさわしい国際的発言力をつくり出す」

２０２２年10月に開催された中国共産党第20回大会の政治報告で、政権３期目を視野に入れた習近平（シージンピン）総書記は中国の国際イメージ改善に向けて国際コミュニケーション能力を強化する方針を以上のように総括した。

２０１２年11月に発足した習近平政権は中国の国際コミュニケーション能力の向上と対外発信システムの構築を非常に重視し、繰り返し指示を出していた。例えば、２０１３年12月末、党中央政治局が主催した、国家の文化ソフトパワー向上をテーマとする第12回集団学習会の席上、習総書記は「国家のソフトパワーを向上させ、国際的な発信力を向上させるために努力しなければならない。国際的なコミュニケーション能力を構築し、丹精を込めて対外発信システムを構築し、新興メディア機能を存分に発揮し、対外発信の影響力、信頼性、創造性を増強しなければならない」と述べている。

また、２０１４年10月開催の第18期中央委員会第４回全体会議（18期4中全会）で中国に関する国際世論の問題点について習総書記は次のように指摘している。

「現在、国際的には中国に関する言説が多く、肯定的な世論が上昇しているが、否定的な世論も依然として少なくない。『中国脅威論』『中国強硬論』『中国傲慢論』『中国略奪論』『中国無責任論』『中国便乗論』『中国失敗論』『中国崩壊論』『中国完敗論』などの珍説が絶えない。わが国の政局に関する政治的デマも少なくない。これらの論調を出している人は、中国を知らないか、色眼鏡をかけているかのどちらかだ。しかも陰険で、本心は推測しがたい。特に様々な敵対勢力がそこでデマを飛ばし、混乱を引き起こしている」

中国側から見ると、中国の発展は西側、特に米国の価値体系や発展モデルと対立するものと見なされ、自分たちは抑圧されているとの感覚がある。しかも、国際情報の秩序は現在に至るまで、西側の先進国とその国々のメディアによって規定され、国際的な発信力は先進国に握られてきた。「西側が強く、わが国は弱い」という国際世論全体の形勢に対する中国の見方は根本的に変わっていない。この構造を変えなければならないというのが中国当局の意志だ。

中国当局が国際コミュニケーション能力の向上を重要かつ喫緊の課題に掲げたのは２００８年のことである。この年は中国にとって、波乱万丈の1年であった。チベット騒乱などの内政問題をめぐり、中国は国際世論の非難の的になった。北京オリンピックの開催は、中国にとって、高速成長の誇りをしみじみ味わう出来事であるはずだった。しかし、聖火リレーは世界中で妨害に遭い、中国政府と国民は国際的な世論環境が極めて厳しい状況にあることを痛感させられた。オリンピックの閉幕後間もなく開かれた第17期中央委員会第3回全体会議（17期3中全会）で、胡錦濤（フージンタオ）総書記（当時）は「確実に研鑽を深め、わが国の国際コミュニケーション能力の総体を向上させる戦略を制定し、その計画を実施する必要がある。資金投入と支援体制を強化し、精力的に、多言語、広大な視聴者、豊かな情報量、強い影響力を持つ、全世界をカバーする国際的な一流メディアを建設しなければならない」と呼びかけた。

翌年、党中央宣伝部は『2009〜2020年のわが国の重点的メディアの国際コミュニケーション能力建設の全体計画』に関する実施方案」を通達し、いくつかの国際的な影響力を持つメディア集団（グループ）を建設し、ニュース報道について、独自取材の比率、他国の報道に先駆けた先行報道の比率、視聴率の顕著な向上等を求めた。中国関連の国際的な世論競争のなかで、発言力を徐々に高め、広範囲の地域をカバーし、情報の豊富な現代的国際コミュニケーションシステムを先進技術によって構築するとともに、中国の経済、社会発展の水準と国際的な地位にふさわしい国際的なコミュニケーション能力を形成するよう促した（王庚年『建設現代綜合新型国際一流媒体研究』中国国際広播出版社、2011年）。

国際的な一流メディア構築という目標の設定以来、中国政府は主要メディアに対する援助強化に乗り出した。主要メディアとは人民日報社、新華社、中国中央テレビ、中国国際ラジオ放送局、チャイナ・デイリー、中国新聞社などである。『中国における国際コミュニケーションの発展に関する報告書（2

〔図1〕新華社の海外取材拠点

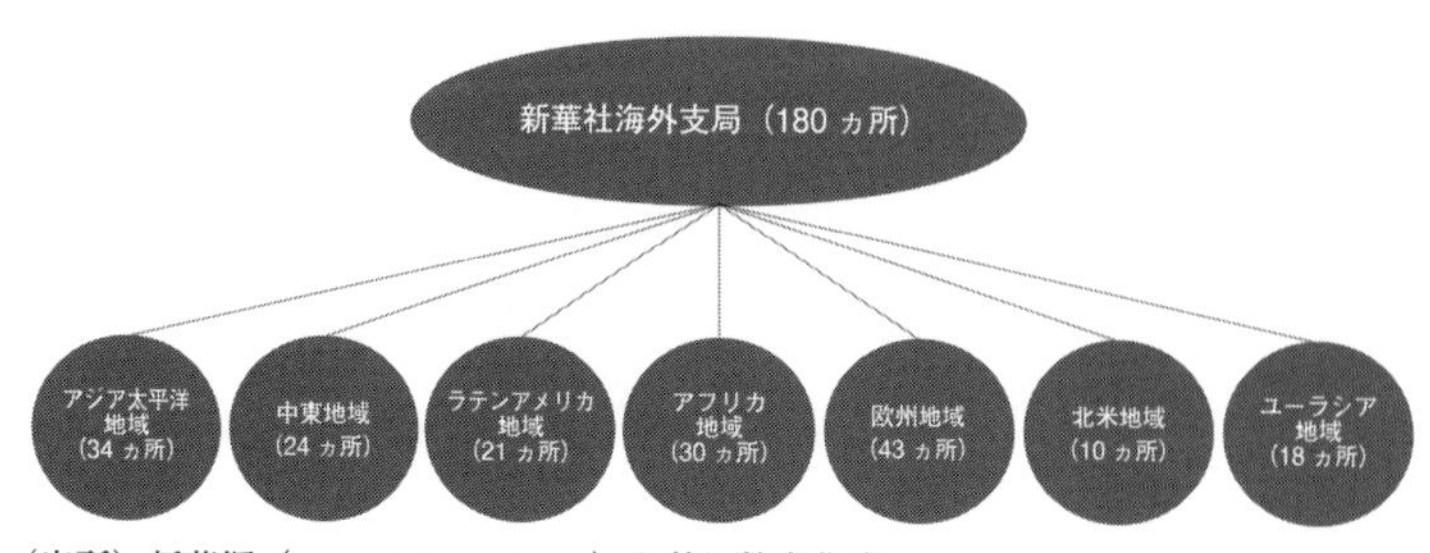

（出所）新華網（www.xinhuanet.com）を基に筆者作成

014）』によると、新華社は2013年までに、海外に180ヵ所の支局を持ち、141ヵ国・地域をカバーした〔図1〕。この規模はすでにAFP、ロイター、APを超えたといわれている。中国中央テレビは海外に63ヵ所の支局、二つのテレビ局と五つの中心支局を持っている。中国国際ラジオ放送局はすでにアフリカ、アジア、北アメリカ、西・東ヨーロッパ、ラテンアメリカ、中東、大洋州の8地域に総局を設立した。32ヵ所の支局と23の海外番組制作会社が70余りの国をカバーしている。さらに、48ヵ国で94の現地放送局を開設し、38種類もの言語で放送している。人民日報社は主に傘下のデジタル版「人民網」の海外事業を拡大し、日本、ロシア、韓国、南アフリカなどで業務を展開している。

注目すべきは、近年、国際コミュニケーションが、政府主導の主要メディアを中心とした単一構造から多様な複合型を目指す方向へと転換しつつあるという点である。例えば、対外情報と文化発信のプラットフォームとして、一部の民間の文化企業が海外事業を積極的に展開しており、中国の重要な国際コミュニケーション構造の一部となった。具体的には、藍海天揚影視文化（北京）有限公司は海外で三つの衛星放送チャンネルを提供し、それによってアジア太平洋、北アメリカ、ヨーロッパなどの120ヵ国をカバーした。番組はアメリカとイギリスの主要メディアを介して放送されている。さらに、四達時代伝媒有限公司はアフリカに重心を置いて事業を展開している。2012年までに、同社はアフリカのナイジェリア、ケニア、タンザニア、ウガンダなど16ヵ国に子会社を設立した。現在ではアフリカで事業展開が最も速く、影響力が大きいデジタルテレビ運営会社となった。

もう一つ注目すべき点は、中国メディアがすべてのメディア手段を融合して多様で複合的な国際コミュニケーションメディア形態をつくり、情報のカバー率向上を目指していることである。インターネット、移動通信、デジタル技術の急速な発展はメディア融合を促進している。中国はこれを「発展途上国が不均衡な国際コミュニケーション構造を打破するチャンス」と見ている。つまり、発展途上国は国際コミュニケーションにおける西側諸国の絶対的な優勢という現状を短期間には変えられないが、インターネットメディアとの融合が発展途上国に国際コミュニケーション構造における劣勢を挽回する機会をもたらしたということだ。

その一例として挙げられるのは2016年12月に成立した中国環球電視網（CGTN = China Global Television Network）だ。CGTNは伝統的なテレビ局ではなく、多言語、多プラットフォームの融合型の国際報道機構である。六つのテレビチャンネル（英語ニュース、スペイン語、フランス語、アラビア語、ロシア語およびドキュメンタリー）、三つの海外支局（ワシントン、ナイロビ、ロンドン）、一つの通信社およびニューメディアクラスターによって構成される。テレビ放送だけではなく、X（旧ツイッター）、フェイスブック、インスタグラム、ユーチューブ、微博（ウェイボー）、微信（ウェイシン）などのSNSで配信する。CGTNの組織構成は〔図2〕

〔図２〕CGTN 組織略図

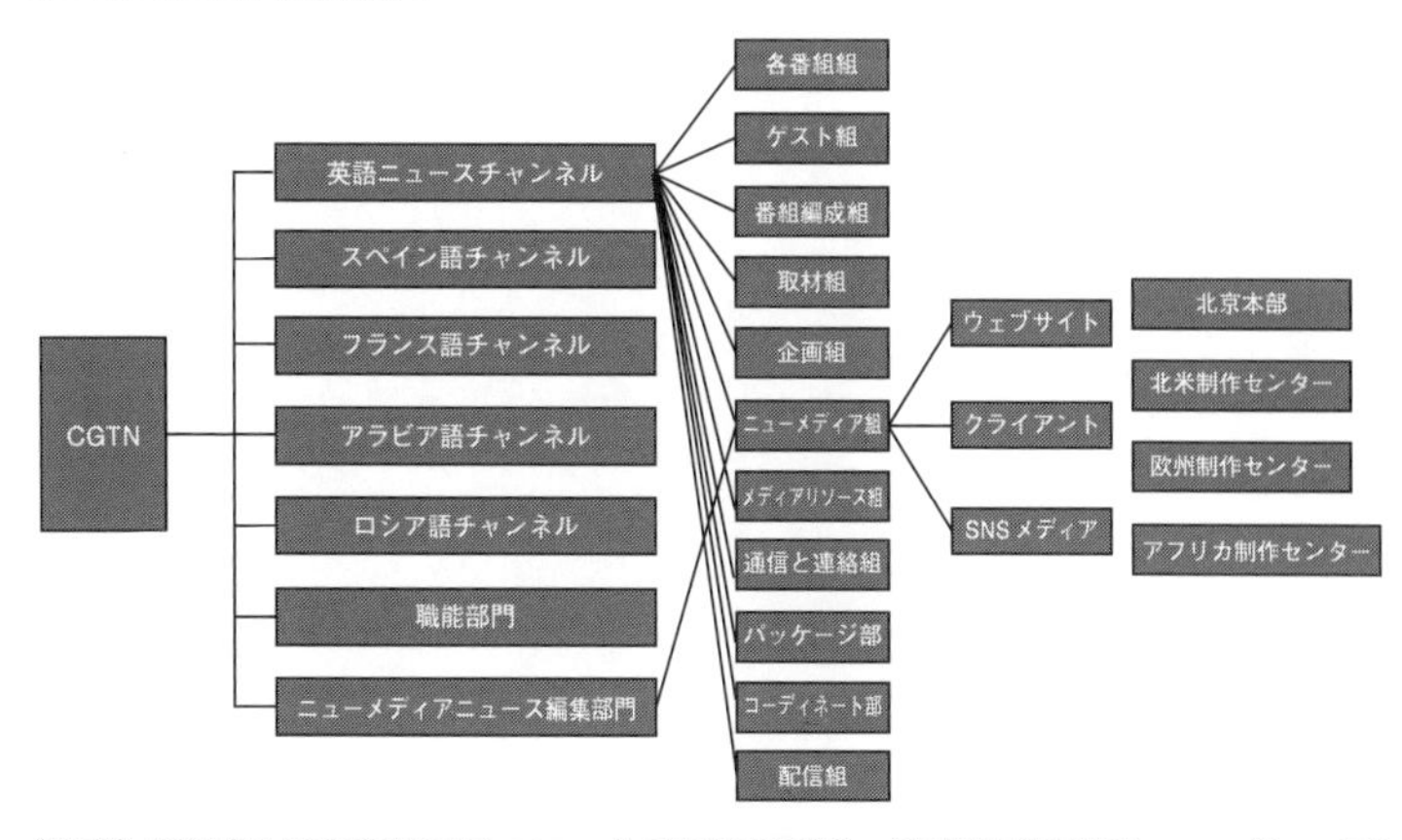

（出所）孫璐『全球化新格局下 CGTN 的国際伝播研究』（光明日報出版社、2021 年、56 頁）より作成

の通りである。ニューメディア部門は五つのチャンネルと同格である。英語ニュースチャンネルを見ても分かるように、テレビ放送とネット配信に適した組織編成となっている。

　中国政府は主要メディアに莫大な資金を投入し、メディアのハード面においては確かに上述したような成果を得た。一方で、米国とその同盟国が発動した自由、人権、民主主義という理念に基づく対中発展の抑制と封じ込めに対して、中国は「人類運命共同体の構築」という理念を提唱し、「共同協議・共同建設・共有」などの思想を用いて国際交流のなかで「友人の輪」の拡大を図っている。例えば、国家発展改革委員会の発表によると、２０２２年１月時点で、１４７ヵ国、32の国際組織との間で２００件余の「一帯一路」の共同建設文書に署名し、90余の二国間協力メカニズムを構築している。実際に西側のメディアに語られた「西側版の中国物語」と異なる「中国版の中国物語」作りに懸命に取り組んでいる。

グローバルな情報の流れは不均衡であり、グローバル・サウスが国際社会で本来有すべき言論空間を得ていないことは長期的に存在する問題である。そのような西側主導の世界的な情報コミュニケーションの枠組みを変えるのは決して一朝一夕の技ではない。問題は「長い間、国際社会での発言権を争うことにおいて、わが国のメディアの最も厄介な立場は信頼性が弱いことだ」(王庚年)という点にある。

海外の民衆は中国メディアの対外発信の信憑性と影響力を判断、評価し、これを基に中国メディアの対外発信の信頼性を形成する。信頼性の構築はメディアのプロフェッショナルな品質と能力によって決定され、メディアと大衆との関係によって決定されるものでもある。習総書記が求めた、効果のある対外発信の全面的向上は、メディアの信頼性向上という課題に直面している。

中国メディアが海外の民衆の間で信頼性を勝ち取ることは、メディアのハード面の建設よりはるかに困難であることは容易に想像できる。確かに、近年、海外の中国メディアは現地のスタッフを雇用し、メディアらしい報道活動に取り組んでいる。しかし、いったん中国国内で起きている現象に目を向けると、厳格な言論統制を強いられているメディア環境が存在している。例えば、中国国内ではNHKの海外放送番組が当局にとって不都合と判断されると、突然遮断され、画面が黒くなったりすることがあるが、こうしたことが続けば、メディア環境の信頼性はますます揺らぐことになり、「中国メディア→共産党・政府の統制→プロパガンダ」という認識に帰してしまうことになるだろう。国際コミュニケーションに従事する中国メディアが党・政府の宣伝道具に過ぎないといった印象を払拭することは将来的に避けて通れない課題である。

(西　茹)

40

国民の間に浸透するキリスト教

★信者急増と「宗教中国化」で強まる統制★

2023年4月7日、米テキサス州ダラスの空港に、キリスト教迫害を逃れて中国から脱出した広東省深圳の「メイフラワー教会」の信者59人が到着した。同教会は、政府に登記しないキリスト教プロテスタントの非公認教会として2012年に設立されたが、改訂宗教事務条例が施行された2018年以降、当局の取り締まりで教会活動が困難となった。信者は、「子どもたちを静かに育てられる場所を探したい」（同教会牧師）と2019年に中国を離れ、韓国やタイで難民申請を試みた後、米政府の人道的措置で同州への居住を認められた（「対華援助協会」ホームページ、2023年4月8日）。

習近平（シージンピン）政権の発足以降、宗教活動や思想信条の自由を求め、中国から欧米や台湾へ、さらには日本へもキリスト教徒の移住が相次いでいる。同政権の「宗教中国化」政策により、教会の十字架の強制撤去や宗教教育の制限など、特にキリスト教の宗教活動への介入が強まったためである。

宗教統制の矛先がキリスト教へ向かう背景には、一党専制に批判的な欧米の政治思想が教会を通じて中国社会へ浸透することへの警戒感と、キリスト教人口の長期的増加に対する共産党

表1）中国のキリスト教人口の各種推計

カトリック			プロテスタント		
年	公表者・機関	信者数（人）	年	公表者・機関	信者数（人）
1949	国家宗教事務局	220万～300万	1949	国家宗教事務局	70万～94万
			2005	華東師範大学	4000万
2010	米国ピューリサーチセンター	900万	2010	中国社会科学院世界宗教研究所	2305万
				中国総合社会調査	2568万
	カトリック香港教区	1200万		米国ピューリサーチセンター	5804万
				中国社会科学院農村研究所	6000万 ～7000万
	世界クリスチャンデータベース	1億800万			
2018	中国国務院	600万	2018	中国国務院	3800万
2030	楊鳳崗パデュー大学教授	2億4700万（推計）			

出所）表中の各機関および中国政府の公式発表資料から筆者作成

政権の強い危機感がある。

1949年の中華人民共和国建国時の信者数は、カトリックが220万～300万人、プロテスタントは70万～94万人と推計される。これに対し、2010年代には、最も少ない推計でもカトリックは600万人、プロテスタントは2305万人と、文化大革命期の宗教消滅政策にもかかわらず、過去60年間で少なくともカトリックは2倍、プロテスタントは25倍に信者数を拡大した〔表1〕。これによりプロテスタントは、漢民族の宗教では仏教に次ぐ地位を占めるに至った。

「中国のキリスト教人口は2030年までに2億4700万人に達し、米国やブラジルを超えて世界最大のキリスト教国となる」。2014年4月には、英紙『テレグラフ』が中国宗教研究の第一人者、楊鳳崗（ヤンフォンガン）・米パデュー大学教授の大胆な予測を報じて話題となった。楊教授の予測は、1950年から2010年のキリスト教人口の増加率を年平均7％と算出し、同じ増加率が2030年まで持続するという楽観的な前提に立つものだったが、習近平政権に強い衝撃を与え、翌2015年の「宗教中国化」政策の提起を促した。

キリスト教は、他宗教と比べ信者の活動量と組織率が高く、経済発展に伴う中国社会の急激な変化に柔軟に適応したことが信者拡大の要因と言える。

キリスト教の復興は、文化大革命の終結を受けて1980年代初めの農村で始まった。農村の信者は、文革中も自宅や山中でひそかにミサ・礼拝を続けており、こうした地下集会が復興の足場となった。

農村における信者急増の決め手は、「病気治し」の教義と、教会の互助組織としての側面にあった。江蘇省農村部のプロテスタント教会で同省宗教局が行った調査によると、信者の66％が「本人か家族の病気」を入信理由に挙げた（顧伝勇「在実践中不断深化対宗教的認識」『唯実』2013年）。1980年代から1990年代の農村は医療機関が不足していた。これに対し、教会は聖書の記述のなかから「イエスを

〔図1〕キリスト教に入信した理由（プロテスタント信者を対象、複数回答）（単位：％）

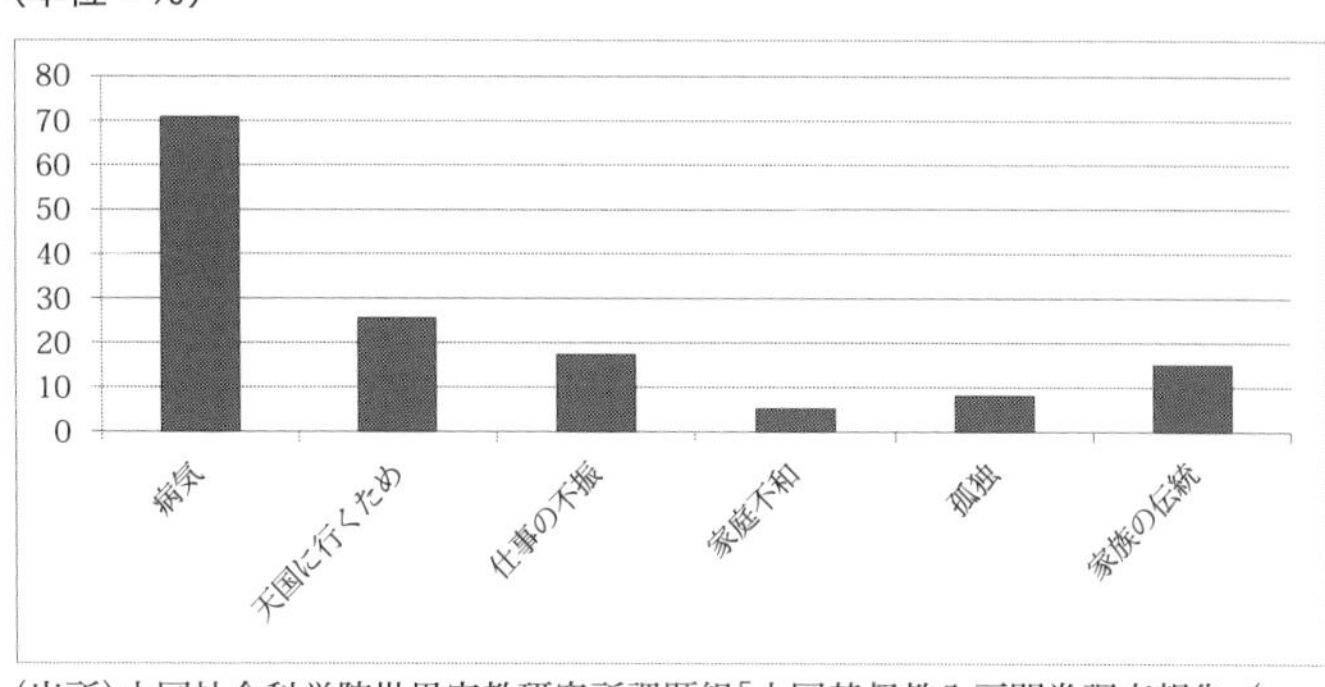

（出所）中国社会科学院世界宗教研究所課題組「中国基督教入戸問巻調査報告」（2010年）

信じると病気が治る」という部分を強調して布教を行い、病気の信者には看護の人手や治療費を提供し、信者から支持された。

信者の属性で見ると、プロテスタントは主要宗教のなかでも高齢者・女性の比率が最も高い。教育水準は、小学校卒業程度と非識字者を合わせた比率が47・6％で、居住地は55・5％が農村部である。教会活動に参加する頻度は、男性よりも女性が、また45歳以上の中高年が高い（金澤・邱永輝編『中国宗教報告2010』社会科学文献出版社、2010年）。農村に暮らす、経済的・社会的地位の高くない中高年の女性が、中国のプロテスタント教会の発展を支えたことが分かる。

1990年代以降は、都市部の教会も急速に成長した。都市化に伴い、北京や上海などの大都市に国内移民の新たなコミュニティーが形成された。これに対し、プロテスタントは「新興都市教会」と総称される新たな教会を次々と設立して対応した。新興都市教会には、出稼ぎ農民（農民工）による「農民工教会」、高学歴の専門職が集まる「ホワイトカラー教会」、企業経営者が率いる「社長教会」などがあり、多様な社会階層の信者を取り込んだ。2020年の研究では、礼拝への参加頻度は農村より都市の信者の方が高く、都市のプロテスタント教会は農村より活動が活発な傾向が見られた（呉越・張春泥・盧雲峰「反思〝農村西方宗教熱〟：迷思還是事実？　基於中国家庭追蹤調査的分析」『開放時代』2020年3号）。

信者の増加に伴い、キリスト教の影響力は教会外にも及ぶようになった。公認教会は民間非営利団体（NPO）を組織し、社会福祉や教育分野で大規模な慈善事業を進めた。カトリック公認教会が1997年に設立したNPO「進徳公益」（河北省石家荘）は、HIV（エイズウイルス）感染者の支援や、

中国沿海部のプロテスタント教会。敷地の入口には、当局の指導で「宗教事務条例」が掲示され、教会の屋根から撤去された十字架が置かれていた（2019年9月、信者撮影）

障がい児を対象とした児童養護施設の運営で知られる。プロテスタントの愛国宗教団体は２００３年に社会服務部を設立し、貧困地区の支援、高齢者ケア、遺棄児童の保護など幅広い社会活動に従事した。２０２０年からのコロナ禍では、プロテスタント系の公認ＮＰＯ「愛徳基金会」（南京）が、国外20ヵ国に防疫物資を贈った。同基金会はまた、ＩＴ大手のアリババ集団や淘宝（タオバオ）と連携し、医療従事者を支援するプロジェクトも主宰した。非公認教会も、私立学校や障がい者施設を運営している。

以上のように社会的影響力を増したキリスト教に対し、習近平政権は統制強化で応じた。教会活動に対しては、取り締まりの対象を非公認教会から公認教会へと拡大した。国家宗教事務局は２０１９年５月、山東省内の各都市に監視団を派遣し、公認教会の建物内からキリストに関連するすべての画像を撤去するよう命じた。吉林省でも、公認を含む54ヵ所の教会に対し、地方政府が十字架の撤去を命じた（『ラジオフリーアジア』２０１９年５月９日）。２０２０年には、安徽省や浙江省、江西省で、当局が違法建築を理由に公認教会の十字架を撤去した。

これに対し、キリスト教の愛国宗教団体は、「中国教会の健全な発展のために中国化は必須だ」と取り締まりを支持する姿勢を強調し、「中国の教会は、聖書の物語だけではなく、中国の物語も語るべきだ」（中国基督教協会・呉巍会長）と、教義の中国化を一層進めるよう傘下の教会を指導している（『中国基督教ネット』２０１９年2月28日）。

非公認教会に対する取り締まりはさらに厳しく、教会の閉鎖や信者リーダーの逮捕が常態化している。２０１８年に逮捕された四川省成都市の非公認教会の王怡牧師は、２０１９年に国家政権転覆扇動罪で懲役9年の判決を受けた。１９９０年代以降では、宗教指導者が同罪で判決を受けることは極めて異例であり、キリスト教に対する習近平政権の苛烈な姿勢を示すものとなった。２０２２年８月には陝西省西安市が、約30年間活動してきた同市の西安豊盛教会を違法組織として閉鎖し、牧師や信者を拘束した（『ビターウィンター』２０２２年8月11日）。

国内の宗教環境が厳しさを増すなかで、沿海部の経済水準の高い地域の教会は、共産党政権の宗教政策が及ばないアジア・アフリカ宣教に活路を見いだした。２０１０年前後から、東南アジアやアフリカ諸国で、中国人クリスチャンによる教会設立が増加した。従来、キリスト教のアジア・アフリカ宣教の主力は欧米と韓国の教会だった。今後は、中国の経済力と、１９８０年代からの教会復興で蓄えた中国教会の組織力を生かし、中国人クリスチャンによる宣教がさらに活発化していくだろう。また、本章冒頭で紹介したように、中国国外へのキリスト教徒の脱出も増加傾向にあり、「２０３０年に世界一のキリスト教国になる」という楽観的な予測とは異なる光景が、中国の教会の周囲には広がっている。

（佐藤千歳）

IV

緊迫する対外関係と台湾・香港

41

対立が深まる米中両大国

★威信をかけて競い合う軍事・科学技術覇権★

戦後の国際秩序を主導し、冷戦後唯一の超大国となった米国。2010年に国内総生産（GDP）で日本を追い抜き、世界第2位の経済・軍事大国として台頭した中国。中国は国際的な影響力を高め、米国の覇権に挑戦する超大国になりつつある。中国のGDPは世界貿易機関（WTO）に加盟した2001年当時は米国の1割強に過ぎなかったが、2022年には7割以上に迫った。習近平（シージンピン）党総書記（国家主席）は「中華民族の偉大なる復興」を掲げて、「強国路線」を邁進、2030年代のGDPの米中逆転も予想される。

両大国の関係は、世界の安全保障と経済に甚大な影響を及ぼす。民主主義、自由経済の旗手の米国。独裁体制の統治システムに自信を深める中国――。米中は、軍事や宇宙、人工知能（AI）や半導体などのハイテク・科学技術、通商・外交とあらゆる分野で覇権を競り合う時代に入った。習政権は2022年のロシアによるウクライナ侵略以降も、米国との長期の対立に備えてロシアとの連携を維持した。体制と価値観がぶつかり合う米中の国力争いは、台湾問題を中心に21世紀の長期にわたり続くだろう。

第41章
対立が深まる米中両大国

米中関係は対立と接近を繰り返した。毛沢東（マオゾードン）の中国は朝鮮戦争（1950～53年）で米国と戦火を交え、1958年には蔣介石（ジアンジエシー）・国民党政権が支配する台湾・金門島を砲撃、蔣政権を支持する米国との間で緊張が高まった。1960年代、中ソ対立が激化すると、対ソ牽制を狙う米中は接近を模索。中国は1971年、名古屋での世界卓球選手権大会への出場を終えた米選手団を中国に招待する。このピンポン外交が米中雪解けの転機となり、キッシンジャー大統領補佐官の極秘訪中を経て、1972年のニクソン大統領の電撃訪中につながる。米中は1979年に国交を正常化し、米国と台湾（国民党政権）は断交した。米国は、改革・開放政策に転じた鄧小平（ドンシアオピン）の中国の近代化（経済や科学技術）支援に乗り出した。

1989年の天安門事件で対中経済制裁を実施した欧米との関係は冷え込んだ。だが、当時の最高実力者・鄧小平は「党の指導」の維持には経済成長が不可欠として、対米関係改善を探る。米国でも、急成長する中国との通商を重視する声が強まり、人権や宗教、チベット、台湾問題で対立しつつも、1997年の江沢民（ジアンゾーミン）国家主席の訪米、翌年のクリントン大統領の訪中を経て、米中関係は「建設的で戦略的なパートナーシップ」と位置付けられ、中国のWTO加盟に道を開く米中協議も妥結した。北大西洋条約機構（NATO）軍による在ベオグラード中国大使館誤爆事件（1999年）や南シナ海での米中軍用機接触事件（2001年）も起きたが、江沢民政権は対米関係の安定を重視し、対立悪化は防いだ。米国のブッシュ（子）政権は同年9月の米同時多発テロ以降、アフガニスタンとイラクでの対テロ戦争に追われ、東アジアの二つの火種である朝鮮半島と台湾については中国と協調して対応した。WTOに加盟した中国は「世界の工場」となり、米政財界は巨大な中国市場への期待と依存を強めた。

2008年のリーマン・ショックを機に中国は世界経済の牽引役として注目され、米中が世界をリードする「G2」論まで語られるようになり、中国や新興国を含む主要20ヵ国・地域（G20）が発足した。米国は中国に「責任あるステークホルダー（利害関係者）」としての役割と責任を求め、2009年、米中は戦略・経済対話を開始して、貿易・投資からイランの核開発や気候変動に至るまで幅広い分野へ協力関係を広げた。改革・開放以降、多くの中国人留学生が米国に渡り、米国科学界やIT（情報技術）産業を支え、米中の文化・人的交流も拡大した。両国経済の相互依存は強まり、中国は、ボーイング旅客機など高額の米製品を購入するチャイナマネーを武器に米国との政治対立を回避した。中国共産党統治への国民の支持を得るには、豊かな暮らしが実感できる経済成長が必要で、米国との安定した国際環境が重要であるからにほかならない。国力をつけるまで米国とケンカをしないという、鄧小平の戦略思想「韜光養晦（とうこうようかい）（能力を隠して外に現さず）」が基本だった。

その米中の関係は、中東からアジアに軸足を移したオバマ政権の2010年代以降、摩擦が際立つようになる。習主席が2014年、「アジアの安全はアジア人が守る」との考えを表明したように、総合国力に自信をつけた中国が、アジア太平洋での米国の覇権に挑戦する動きを示し始めたためだ。東シナ海では2013年に防空識別圏を設定、南シナ海では人工島を造設して軍事拠点化した。習政権は、通商と安全保障を一体化する「一帯一路」外交を進め、半導体などの産業振興策「中国製造2025」を策定。米国では、中国からのサイバー攻撃が問題化し、知的財産権侵害や市場化と反する統制、先端技術窃取（スパイ行為）への反発と不満が広がり、中国文化を宣揚する「孔子学院」増設や、米映画界への「干渉」などの「文化ソフトパワー」増大を警戒する声も高まった。

第41章 対立が深まる米中両大国

さらに、米国では、反スパイ法制定や国家主席の任期撤廃など、習政権の強権的な政治手法への不信感も増幅した。そうした中国との関係を決定付けたのが、「貿易戦争」を仕掛けたトランプ政権だった。2017年の国家安全保障戦略は、中国をロシアと並ぶ「現状変更勢力」と定義し、「インド太平洋での覇権を狙い、米国に取って代わろうとしている」と強い警戒感を表明した。ウイグル族に対する人権抑圧や香港の民主化弾圧、新型コロナウイルスをめぐる「情報隠蔽」、偵察気球問題などで米国の対中世論は2010年代末以降、一気に悪化している。

米国は長らく、経済が発展すれば政治改革（民主化）や市場化が進み、欧米と協調的な中国に変化するとの期待を抱いて近代化を支援した。トランプ政権は、過去40年の「関与」政策を失敗だと断じ、「競争や抑止」重視に舵を切る。米軍からは、西太平洋での軍事バランスが米国と同盟国に好ましくない状況となり、中国による「現状変更リスク」が高まっているとの警告が発信されるようになった。

米金融界などは中国市場重視を崩さないが、米政府は、安全保障を理由に「華為技術（ファーウェイ）」を高速・大容量通信規格「5G」のネットワークから締め出し、軍事力を左右する先端半導体の対中輸出を規制して、米国内での半導体投資を後押しする米中経済デカップリング（切り離し）に乗り出した。バイデン政権は2022年10月の国家安全保障戦略で、中国を「国際秩序を変革する意図を達成する経済、外交、軍事、技術力を有する唯一の競争相手」とし、半導体やAI（人工知能）、量子などの科学技術、「軍民融合」の産業技術力に対抗する方針を鮮明にした。習主席は2023年3月、中国に対する「封じ込め、阻止、抑圧」だとして米国を名指しで批判。中国も、米主導のサプライチェーン依存を減らす経済安全保障を強化、科学技術の「自立自強」戦略で対抗する構えだ。

米中対立の最大の焦点は、習主席が統一に強い意欲を見せる台湾問題だ。「インド太平洋は米戦略の中核」とする米国にとり、台湾は対中抑止の要に位置し、「民主主義と自由」の価値観を共有する。台湾は「民主主義対権威主義」対決の最前線と言え、世界最先端の半導体の供給拠点でもある。米国は、超党派で後押しする台湾への防衛兵器支援を強化する。中国は「台湾問題は核心的利益のなかの核心」と警告し、台湾への武力の威嚇を繰り返し、米台接近を牽制する。

米国は、通常戦力だけでなく、核ミサイル、宇宙やサイバー、電磁波などの戦力増強を警戒する。中国は、第1列島線（沖縄―台湾―フィリピンを結ぶライン）より内側に米軍を進入させず、第2列島線（小笠原諸島―グアムを結ぶライン）の内側で米軍の作戦を阻む「接近阻止・領域拒否（A2AD）」を基軸に、台湾有事の際の米軍介入を阻む戦略だ。中国が「米空母キラー」と称される「DF21D」、グアムの米軍基地などをカバーする「DF26」といった中距離弾道ミサイルを多数配備し、A2ADを構築していることで、対立地域はグアムからハワイにかけての中部太平洋にまで広がろうとしている。

中国の核弾頭は2035年には約1500発になると米国は推定する。米本土を射程に入れる大陸間弾道ミサイル（ICBM）配備と内陸部のサイロ建設も進む。習主席は2023年3月、「国防と軍隊の現代化の全面的な推進」を改めて指示した。米国の核抑止が将来効かなくなり、米軍が東アジアに介入できないシナリオが現実味を帯びる。米軍は、中国が潜水艦発射弾道ミサイル（SLBM）を搭載する戦略原潜を展開する南シナ海で「航行の自由作戦」を続ける。ただ、同海域では2001年に米中軍用機接触事件が発生したほか、2010年代以降も両国の軍艦や軍用機が異常接近する事態が起きており、不測の事態を懸念する声は高まっている。

バイデン政権は日韓豪などの同盟国との連携を強化する「統合抑止」を重視する。南シナ海や台湾での紛争を念頭に「ＡＵＫＵＳ（オーカス）」（米英豪の協力枠組み）を構築し、２０３０年代に米原潜を豪州に配備する計画だ。「Ｑｕａｄ（クアッド）」（日米豪印）を含めた米国のインド太平洋戦略による「対中包囲網」に反発を強める中国は、米国を「覇権主義」と批判し、ロシアや中央アジア、イランなどの中東、さらには南太平洋、中南米、アフリカなどの新興・途上国との関係を強化する「対米闘争外交」に注力する。

米中対立は長期化が必至だが、両国とも軍事衝突は望んでいない。２０２３年11月、アジア太平洋経済協力会議（ＡＰＥＣ）が開かれた米サンフランシスコを訪れた習主席は、バイデン大統領との会談で「中米関係は世界で最も重要な二国間関係だ」と語り、軍当局の対話再開で合意した。気候変動などでは対話を進めつつ、軍事対立を管理する双方の外交努力が続けられるだろう。日本の安全保障に影響を及ぼす朝鮮半島と台湾情勢の行方を左右するのが米中関係だ。食料とエネルギーを海外に依存する日本は、海上交通路に当たる南シナ海情勢とも無関係ではいられない。中国が最大の貿易相手である日本は、米中のデカップリングにも影響を受けよう。米国は、内向き志向の世論次第では東アジア安保への関与が揺れ動く恐れもある。米国との同盟を基軸とする日本は、両大国の政治状況を注視しながらの難しい外交・安保・通商政策を迫られている。

（石井利尚）

2023年11月15日、米サンフランシスコ近郊で行われた米中首脳会談に臨むバイデン大統領（右中央）と習近平国家主席（左中央）（提供：MFA China/UPI/アフロ）

42

歴史の呪縛が続く日中関係

★色あせた「友好」と遠い「成熟」への道のり★

2022年9月29日、日中両国は国交正常化から50年の記念すべき節目を迎えたが、尖閣諸島（中国名・釣魚島）をめぐる軋轢やコロナウイルス禍の影響を背景に祝賀ムードは低調だった。同年11月、アジア太平洋経済協力会議（APEC）首脳会議に合わせて岸田文雄首相と習近平（シージンピン）国家主席の間で日中首脳会談が行われ、建設的かつ安定的な関係の構築に向けてあらゆるレベルで緊密に意思疎通を図っていくことで一致したものの、双方の見解は尖閣や台湾問題で平行線をたどった。軍事的な一触即発の切羽詰まった事態には至っていないにせよ、両国関係は上空を覆う暗雲から抜け出せずにいる。

日中関係は1972年の国交正常化以降、80年代にかけて双方が「友好」を合言葉に経済技術交流や民間交流を通じて比較的良好な雰囲気を維持した時期もあった。約半世紀前、日本の国内総生産（GDP）は中国の3倍あり、科学技術水準でも中国を凌駕し、総じて中国に対して「余裕」があった。中国も文革で疲弊した経済の立て直しや改革・開放の成功に向けて経済大国・日本の支援と協力を必要としていた。日本の対中ODA（政府開発援助）が2021年度の全事業終了までの40年間で総

第42章

歴史の呪縛が続く日中関係

額3兆6000億円以上にも上り、日中間の貿易額が約半世紀で400倍弱にまで増大したことは両国関係の緊密化と発展を如実に物語っている。

しかし、高度経済成長路線を突き進んだ中国は2010年にGDPで日本を追い抜いて世界第2位に躍進し、日中間の経済格差は2021年には3倍にまで拡大した。中国の経済大国化が軍事力増強と国際的影響力の拡大をもたらし、日本経済の低迷が長期化するなか、双方の力関係には劇的な変化が生じ、「友好」ムードはしだいに後退していった。日本政府の外交に関する世論調査によると、中国に「親しみを感じる」日本国民は1978年当時、62％に上っていたが、2023年には12・7％へと激減している。また、「言論NPO」などによる第17回日中共同世論調査（2021年）では、中国側の日本に対する印象は「良くない」が前年比13・2ポイント増の66・1％に達し、第19回調査（2023年）でも62・9％（前年62・6％）に上っている。

領土、安全保障、靖国神社参拝など日中関係振幅の要因はいくつも存在しているが、一貫して日中関係に抜きがたい棘となって深く突き刺さっているのはそれらの個別問題とも関連している、総論としての歴史問題である。日中関係がマイナスの方向へぶれるたびに中国側から歴史問題が取りざたされ、日中戦争（抗日戦争）などにからんだ日本の「謝罪」「責任」が蒸し返されてきた。

日中両国は1972年の日中共同声明で「不正常な状態の終了」を宣言し、1978年の日中平和友好条約では「恒久的な平和友好関係の発展」を確認した。国交正常化20周年の1992年10月には天皇・皇后両陛下の初の中国訪問が実現し、天皇陛下は北京・人民大会堂で開かれた歓迎晩餐会で「わが国が中国国民に対して多大な苦難を与えた不幸な一時期がありました。これは私の深く悲しみとす

北京市内にある「五・四運動」記念碑。1919年5月4日、北京の学生らが日本の対華21ヵ条要求などに抗議して起こした反帝国主義運動はエポックを画する事件とされ、「抗日」の歴史のなかでしばしば言及される（2017年9月、藤野彰撮影）

るところであります」との「お言葉」を述べた。戦後50周年の1995年8月15日、村山富市首相は過去の歴史について「歴史の事実を謙虚に受け止め、痛切な反省の意を表し、心からのお詫びの気持ちを表明する」との談話（「村山談話」）を発表し、以降、歴代内閣は基本的に「村山談話」の見解を踏襲してきた。

第1次安倍晋三政権の発足直後の2006年10月、安倍首相が就任後初の外遊として公式訪中したときには共同プレス発表に「日本側は戦後60年余、一貫して平和国家として歩んできたこと、そして引き続き平和国家として歩み続けていくことを強調した。中国側はこれを積極的に評価した」との一文が盛り込まれた。これらの積み重ねを経てきたにもかかわらず、中国側はなぜ事あるごとに日本に対して「歴史圧力」をかけ続けるのだろうか。

歴史問題が反復的に浮上する一因として、日本の政治家の靖国神社参拝や歴史認識にかかわる不用意な発言が「日本はやはり過去の歴史を真摯に反省していないのではないか」との中国側の疑念と不信感を誘発している側面があることは否定できない。ただ、これらの問題は争いの口火に過ぎず、より大局的には中国の内政・外交上の戦略的思惑があると見るべきだ。中国が日本に対して「歴史圧力」

を用いる背景には、主として三つの理由があると考えられる。

第一は、中国共産党が抗日戦争での勝利を、自らのレジティマシー（合法性、正統性）と直結させてとらえている点にある。共産党は、近現代の中国にとって日清戦争以来の日本の大陸進出こそが最大の国難であったとの歴史観を持ち、日本軍国主義からの人民解放を、自らの不滅の歴史的功績と位置付けている。つまり、共産党が考える自らのレジティマシーと抗日戦争は不可分の関係にあり、共産党が正統性を維持していくうえで日本の歴史問題は不可欠の「資産」になっている。

第二には、改革・開放以降、市場経済が浸透していくなかで伝統的な社会主義イデオロギーが色あせたものとなり、共産党政権が国民を統合していくには「ナショナリズム＝愛国主義」に依拠せざるをえないという内政事情がある。「ナショナリズム＝愛国主義」の発揚に当たって、日本の中国侵略問題は国民に対して最も訴求力があるテーマであるだけでなく、この一点をめぐっては国内にほとんど異論が存在せず、たとえ異論があっても政治の圧力で沈黙を余儀なくされるため、広範な国民のコンセンサスを得ることが可能だ。さらに言えば、共産党自身が清算できていない深刻な歴史問題（反右派闘争、大躍進、文化大革命、天安門事件など）を多数抱えており、日本の歴史問題を絶えず強調し、突出させることで、自らの足元の歴史問題を片隅へ追いやりたいという思惑もある。2024年1月に施行された「愛国主義教育法」は抗日戦争勝利記念日などに県レベル以上の政府が記念活動を展開するよう定めており、「抗日」と「愛国」は密接に結び付けられている。

第三には、中国側が対日外交上、歴史問題を牽制カードととらえていることが指摘できる。江沢民（ジアンヅーミン）元総書記は在任中の1998年8月、外交関連の内部会議で、「日本に対しては歴史問題を永遠に言い続けなければならない」と指示し、事実上、歴史問題を対日外交圧力の重要手段と見なしていた（『江沢民文選』人民出版社、２００６年）。胡錦濤（フージンタオ）時代の２００５年７月には、日本、ドイツ、インド、ブラジルの４ヵ国グループ（Ｇ４）が国連安全保障理事会拡大決議案を国連総会に提出した問題をめぐり、常任理事国として拒否権を持つ中国が当時の小泉純一郎首相の靖国神社参拝や歴史問題を理由に、日本の常任理事国入りに強く反対するという、つばぜりあいが生じた。中国側の狙いは日本の政治大国化阻止にあったが、そのための格好の口実として歴史問題が利用され、結果的にＧ４案は同年９月、国連総会閉幕により廃案となった。このほか、対日歴史カードは反日感情が根強い韓国や、日本との間で北方領土問題を抱えるロシアとの連携に活用できるという利点もある。

一方、中国国民の「反日」の問題はどう理解すべきだろうか。中国では過去にしばしば反日デモが起きており、２００５年４月には、日本の常任理事国入りに反対する署名活動を機に反日デモが全国に波及し、北京や上海では参加者の一部が暴徒化して日本大使館や総領事館に投石するなどの騒動に発展したことがある。世論調査の「対日好感度」は概して低調で、日本国内では「中国人は反日だ」というイメージを抱いている人も少なくない。確かに、反日デモなどの現象面だけを見れば、そういう傾向がないとは言えないものの、実態は決してそれほど単純ではない。

中国人の「反日的態度」に関しては興味深い調査結果がある。日本の研究者が中国在住の中国人を対象に２０１１年に行った質問紙調査で、中国人の「日本好き度」を、①回答者本人の「日本好き度」、②他者（中国社会一般もしくは友人）の「日本好き度」の推測値、③回答者が他者の前で表明しようとする「日本好き度」――の三つの側面から調べたものだ。その結果、中国社会全体で流れるインタビューで日本を好きだと表明しようとする程度は、自分自身が日本を好きかどうかということよりも、中国社会全体が日本を好きかどうかの推測値に大きく影響されていることが分かった。つまり、中国社会全般が日本を好きではないだろうと認識している中国人は、中国社会で流れるインタビューで日本を好きだとは言おうとせず、まわりがどう思うと考えるかで、他者に表明する「日本好き度」を大きく変えていた。このような心理状況について研究者は「まわりの中国人や中国社会が自分よりも日本を嫌いだと思っていたときに、その日本嫌いの他者の前で堂々と日本好きを表明するのはとても難しい」と分析している（縄田健悟『暴力と紛争の〝集団心理〟――いがみ合う世界への社会心理学からのアプローチ』ちとせプレス、２０２２年）。

中国には「漢奸（ハンジエン）」という侮蔑語がある。「売国奴」「国賊」といった意味で、愛国主義を最上級の徳目と見なす現代中国においては相手の人格を全面否定するにも等しい破壊力を持つ言葉だ。歴史問題の影響で、「親日」ないし「対日融和」の言動は「非愛国」と周囲に曲解される空気が中国では一部に存在しており、そういう空気の圧力を、中国人としてはまったく気にしないわけにはいかないという状況がある。反面、日本を訪れる中国人の数は半世紀前とは比較にならないほど増大し、コロナ禍前の２０１９年には約９６０万人を記録した。アニメなど日本文化のとりこになる中国人は若者世代を中心に厚い層を形成している。その意味では、中国人を「反日」の一言で十把ひとからげに扱うのは適切ではない。中国政府の対日政策はそれとして、中国国民の対日感情については複眼的な視点で実態や変化を観察する必要がある。

（藤野　彰）

43

激化する東シナ海の日中攻防戦

★尖閣諸島をめぐる対立と増大するリスク★

日中間の最大の懸案とも言える尖閣諸島（中国名・釣魚島）をめぐっては引き続き双方の海上警備当局の間で絶え間ない攻防戦が繰り広げられている。中国海警局の船はほぼ毎日、尖閣諸島の接続水域で巡視活動を続けており、日本の海上保安庁の巡視船がこれと対峙し、互いに当該海域からの退去を要求し合う事態が常態化している。２０２３年、尖閣諸島の接続水域内で中国海警局の船が確認された日数は３５２日に上り、過去最多を更新した。中国船が領海へ侵入して80時間以上居座るケースもあった。

海上保安庁の調査によると、中国の大型海警船（満載排水量１０００トン級以上）は２０１２年には40隻だったが、２０１４年に82隻、２０１６年に１２６隻、２０２１年に１３２隻とコンスタントに増加傾向をたどり、２０２２年末には一気に１５７隻に達した。日本政府による尖閣国有化から10年以上が過ぎ、双方が事態の打開策を見いだせないまま、対立が長期化している。

中国側の専門家の間には「（日本の尖閣国有化後）中国公船が釣魚島領海で法を執行して巡航を行うことが常態化した。それが

第43章

激化する東シナ海の日中攻防戦

この10年間に釣魚島問題をめぐって生じた最大の変化の一つだ」（劉江永・清華大学教授、『歴史評論』２０２２年第3期）として、尖閣海域での中国のプレゼンスが高まったことを評価する見方がある。日本側の実効支配を突き崩す状況には至っていないものの、中国側が巡航常態化という実際行動によって「中国領の釣魚島」を国際的にアピールできる構図が生まれている現実は否めない。

日本側の対処は中国の攻勢に否応なく自衛的な態勢強化で応じるといった形である。この間、日本側は南西諸島における自衛隊の拠点を段階的に拡大し、２０１６年に与那国島、２０１９年に宮古島、２０２３年に石垣島と、先島諸島に陸上自衛隊部隊を相次いで配備した。航空自衛隊も２０１７年、南西航空混成団（那覇市）を南西航空方面隊に格上げした。中国は尖閣諸島を「台湾省の付属島嶼」と位置付けている。中国から見れば、尖閣は日中間の問題であると同時に、台湾問題の一部でもあり、その意味で台湾海峡危機は尖閣危機と密接にリンクしている。二つの火種が絡み合って東アジアの安全保障環境は緊迫度を増している。

今日の事態は国交正常化40周年の２０１２年9月、日本政府が尖閣諸島を国有化したことが直接的な引き金となった。尖閣の領有権を主張する中国は国有化に激しく反発し、日中関係は一気に冷却化した。日本側が国有化へ動いたのは、２０１０年9月、尖閣沖で起きた、中国漁船による海上保安庁巡視船への衝突事件がきっかけだった。日本政府は尖閣について「日本固有の領土」であり、「解決すべき領有権問題は存在しない」との立場をとっている。このため、日本側は国有化に関して「尖閣諸島の平穏かつ安定的な維持管理を継続する」のが目的との見解を表明したが、中国側はこれを認めず、「中国の領土の主権に対する重大な侵犯」として強く抗議した。

中国側の論点を整理すると、次の4項目に集約できる。

・1895年、日本は甲午戦争（日清戦争）の末期に清政府の敗勢が定まったのを見て釣魚島およびその付属島嶼を不法に盗み取った。

・日本は不平等な馬関条約（下関条約）の調印を清政府に強要し、台湾全島およびそのすべての付属島嶼を割譲させた。

・第2次世界大戦後、カイロ宣言、ポツダム宣言に基づいて中国は日本が占拠していた台湾、澎湖諸島などの領土を取り戻し、釣魚島およびその付属島嶼は国際法上、中国に復帰した。

・釣魚島問題での日本の立場は、世界反ファシズム戦争勝利の成果を公然と否定するものであり、戦後の国際秩序に対する重大な挑戦である。

一方、日本側はこれらの中国側の主張には根拠がないとして反駁している。外務省の基本見解によれば、日本側の論点はおおむね以下の4項目だ。

・尖閣諸島は歴史的にも一貫して日本の領土である南西諸島の一部を構成しており、1885年以降、日本政府が現地調査のうえ清国の支配が及んでいる痕跡がないことを確認し、1895年に閣議決定により正式に日本領土に編入した。

・尖閣諸島は下関条約に基づいて割譲された台湾および澎湖諸島には含まれていない。

・サンフランシスコ平和条約においても、尖閣諸島は日本が放棄した領土には含まれていない。

・尖閣諸島は日米の沖縄返還協定によって日本に施政権が返還された地域のなかに含まれている。

以上の双方の論点から明らかなように、日中の主張は全面的に対立している。中国側は日中間の歴史問題とからめて「解決すべき領有権問題の存在」を日本側に認めさせ、日本政府を交渉の場に引っ張り出したい考えだが、日本側がそれに応じないため、実力行使で日本に揺さぶりをかけている。

尖閣諸島が国際的な「問題」として浮上したのは、１９６８年秋、日台韓の専門家が国連アジア極東経済委員会（ＥＣＡＦＥ）の協力を得て実施した学術調査の結果、尖閣周辺海域に石油資源が埋蔵されている可能性が指摘されて以降のことだった。中国は１９７０年12月4日、国営新華社通信を通じて日台韓の東シナ海大陸棚資源合同開発を非難し、非公式ながら初めて尖閣諸島の領有権を主張した。つまり、中国は第2次世界大戦終結以降、１９７０年までは尖閣諸島の領有権をまったく主張せず、日本に対して有効な抗議も行ってこなかった。

〔図1〕東シナ海における日中対立の構図

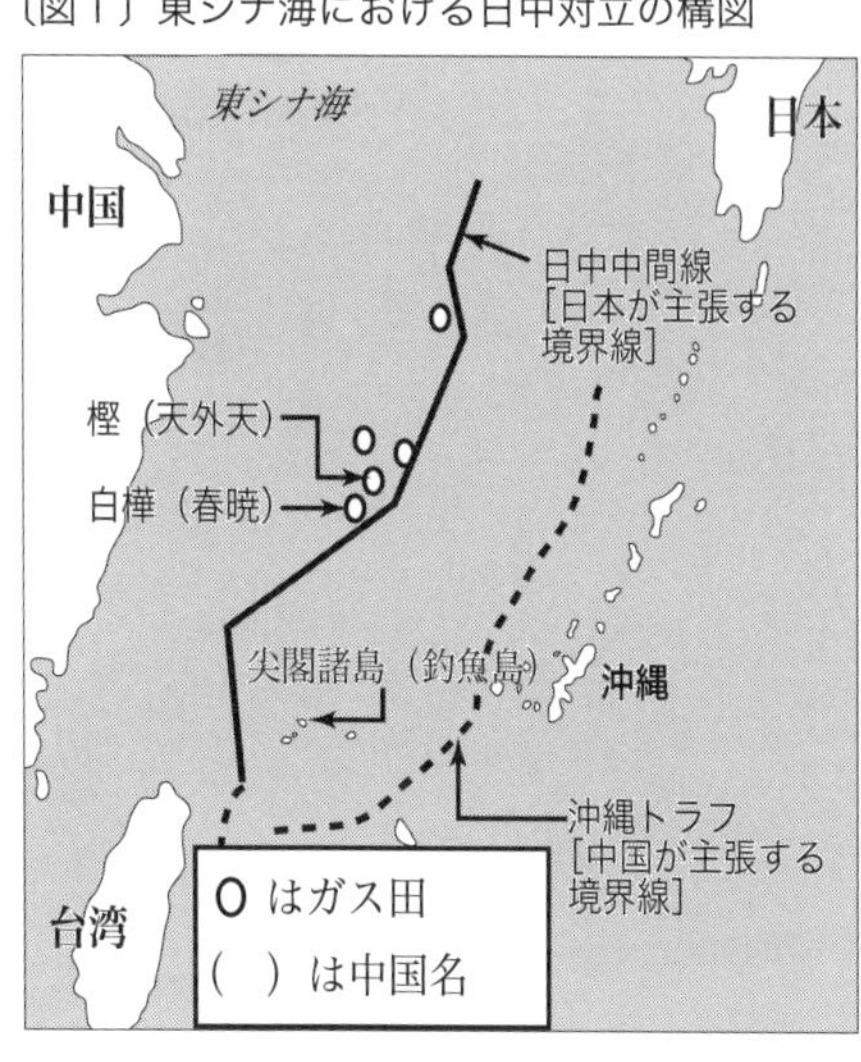

現在、中国だけでなく、台湾も尖閣諸島の領有権を主張しているが、台湾がそれを公言し始めたのは中国と同じく資源埋蔵の可能性が公表されてからのことだ。１９７８年4月、武装船を含む百数十隻もの中国漁船団が尖閣海域に押し寄せて領海侵犯する事件が発生。中国は１９９２年2月には「領海法」（正式には「領海および接続水域法」）を制定し、このなかで尖閣諸島を中国領土と明記した。

いわゆる尖閣「棚上げ」問題をめぐっても日中の見解は真っ向から対立している。かつて中国の鄧小平副首相は来日時に東京の日本記者クラブで行った記者会見（1978年10月25日）で「中日国交正常化を実現した際、我々双方はこの問題（尖閣）に触れないことを約束した。今回、中日平和友好条約について協議した際も、双方はこの問題に触れないことを決めた」と語った。こうした経緯から中国側は「棚上げ合意」の存在を主張してきたが、日本側は「棚上げの約束は存在しない」と否定している。

中国は2018年、東シナ海などで監視活動を行う中国海警局を、中央軍事委員会の指揮下にある武装警察部隊（武警）の海警総隊に組み入れ、「中央軍事委員会→武警→海警総隊」という、軍の一貫した指揮系統のもとで海上監視活動を展開できる体制を構築している。さらに2021年には「海警法」を施行し、海警の任務と権限を明確化した。同法によれば、国家主権や管轄権が外国の組織・個人による「不法侵害ないし不法侵害の差し迫った危険」に直面したとき、海警機構は「武器の使用を含む、あらゆる必要な措置」を講じて侵害を阻止し、危険を排除する権利を有する、と規定されている。また、海警機構が「中央軍事委員会の命令に基づいて防衛作戦等の任務を執行する」ことも定められている。これにより、中国側は尖閣海域で軍当局の指揮のもとに武力行使を行う条件を法的に整えたことになる。

東シナ海の日中対立は尖閣のみにとどまらない。東シナ海の日中の排他的経済水域（EEZ）は重なりあっているため、日本側は「日中両国の海岸線から等距離の地点を結んだ日中中間線」を境界としている。これに対し、中国側は「大陸棚が延びる沖縄諸島西側まで中国の権利が及ぶ」と主張し、双方の見解は大きくすれちがっている。具体的な係争に発展しているのは中国が日中中間線近くの中国側海域で進めているガス田開発だ。両国は2008年にガス田共同開発で合意したが、その後、中国側は共同開発で一致していたガス田「白樺」（中国名・春暁）で掘削施設を完成させるなど、着々と単独開発を進めている。2022年には日中中間線の西側で新たに中国側の17、18基目の建造物（海洋プラットホーム）が確認されており、日本政府は「遺憾」の意を表明したが、具体的な打開策はなく、中国側の既成事実の積み上げが先行している。日中双方は総論的には「戦略的互恵関係」の推進で合意しているものの、各論的には「国益」の衝突に絶えず揺さぶられている。

今後の尖閣情勢をめぐって日本側が強く懸念しているのは、いわゆる「グレーゾーンの事態」が中国側の戦術いかんによっては拡大化していく恐れがあることだ。「グレーゾーンの事態」とは「純然たる平時でも有事でもない幅広い状況」を意味し、「一方の当事者が、武力攻撃に当たらない範囲で、実力組織などを用いて、問題にかかわる地域において頻繁にプレゼンスを示すことなどにより、現状の変更を試み、自国の主張・要求の受け入れを強要しようとする行為が行われる状況」と定義されている（「令和4年版防衛白書」）。現在の尖閣はまさにそうした状況下にあるが、中国側の漁船が大挙して尖閣海域に押し寄せる、あるいは「漁民」を装った海上民兵が尖閣に強行上陸する、といった事態の発生も想定されており、情勢は不確実性を増している。

（藤野　彰）

（参考文献）

外務省パンフレット『尖閣諸島』2014年
藤野彰『「嫌中」時代の中国論――異質な隣人といかに向きあうか』柏艪舎、2013年
読売新聞（2014年11月5日「基礎からわかる尖閣問題」ほか）

44

揺れ動く中朝・中韓関係

★融和と確執のはざまの朝鮮半島外交★

「血で塗り固めた友誼」――中国と北朝鮮の関係は長い間、この特殊な用語で形容されてきた。朝鮮戦争が勃発した1950年、中国が「抗米援朝」を旗印に人民志願軍を北朝鮮に派遣し、多大な犠牲を払いながら米軍と戦った共闘の歴史があるからである。

中朝両国は朝鮮戦争を経て、1961年7月に金日成（キムイルソン）首相が訪中した際、「中朝友好協力相互援助条約」に調印した。同条約は第2条で「双方は共同であらゆる措置を講じ、いずれかの締約国への侵略を防止することを保証する。一方の締約国が、ある国または国家連合の武力進攻を受け、戦争状態に陥ったときは、締約国の一方はただちに全力を挙げて軍事およびその他の援助を行う」と規定しており、これによって同盟の強化が図られた。北朝鮮は中ソ対立や中印国境紛争で中国支持に回り、「血で塗り固めた友誼」を実践した。中朝の「蜜月・同盟期」と言える時代だった。

しかし、1966年に中国で文革が始まると、紅衛兵が朝鮮労働党と金日成を攻撃する壁新聞を貼り出し、これに反発した北朝鮮が駐中国大使を召還するなど対立が表面化した。197

0年4月の周恩来（ジョウエンライ）首相訪朝で関係は持ち直したが、1972年2月のニクソン米大統領訪中をめぐって北朝鮮はソ連とともに「米帝国主義」に反対する声明を出し、再び軋轢が浮上した。文革から米中接近までの時期は「反目・動揺期」と位置付けられよう。

1980年代に入ると、中国の改革・開放政策が本格的に始動し、中朝の社会主義のあり方に根本的な差異が生じるようになった。1982年9月には金日成が1975年以来の訪中を果たし、1983年4月には後継者の金正日（キムジョンイル）が初めて訪中、深圳経済特区を訪問した。だが、中国側は韓国への接近を水面下で模索し、1983年5月に発生した中国民航機ハイジャック事件を機に初の中韓公式接触を行い、1986年9月のソウル・アジア大会参加、1988年9月のソウル五輪参加と中韓関係発展の歩みを加速させた。中国が中朝同盟の見直しに着手したという意味で、この時期は「善隣・調整期」に当たる。

中朝関係の一大転機は1990年代初めに訪れた。1992年8月、中国は韓国との国交樹立に踏み切った。これにより、中朝関係は一挙に冷却化し、1994年7月に金日成が死去したことも重なって、中朝間の指導者レベルの相互訪問は1999年6月の金永南（キムヨンナム）・最高人民会議常務委員長の訪中まで長期にわたって中断した。

この間、北朝鮮は体制防衛の切り札として核・ミサイル開発を推進し、中国との摩擦を増大させた。2003年8月、中国をホスト役として北朝鮮の核問題解決を目指す6ヵ国協議が始動し、北朝鮮はすべての核兵器および既存の核計画の放棄に同意したにもかかわらず、テポドンなど弾道ミサイル発射実験（2006年7月）、初の核実験（同年10月）と挑発を続け、中国の神経を逆撫でした。ミサイル発射実験の際は中国への事前通告がなく、中国は国連安保理の対北朝鮮制裁決議で異例の賛成票を投じた。核実験の際も中国外務省は「国際社会の広範な反対を無視し、横暴にも核実験を実施した。中国政府は断固としてこれに反対する」との厳しい表現で北朝鮮を非難した。金正日は2011年12月に急死したが、後継の息子の金正恩（キムジョンウン）も核開発路線を歩み続けた。中朝関係が冷え込むなか、習近平（シージンピン）国家主席は2014年、中国指導者として初めて北朝鮮よりも先に韓国を訪問した。中韓国交から核問題が深刻化するまでの時期は「善隣・冷却期」と見なすことができる。

2019年6月、北朝鮮を初めて公式訪問し、金正恩・朝鮮労働党委員長夫妻（右側）と記念撮影を行う習近平国家主席夫妻（写真：新華社 / アフロ）

だが、2017年1月の米トランプ政権の発足で状況に変化が生じる。米国は核・ミサイル開発に固執する北朝鮮に対し、「あらゆる選択肢」（ペンス副大統領）で対処する方針を掲げ、同年4月には原子力空母「カールビンソン」を朝鮮半島周辺に派遣するなど、北朝鮮への圧力を強化した。トランプ政権下では米中貿易摩擦も激化し、対米関係で苦境に立たされた中朝両国は再び接近へと動いた。2018年3月、金正恩・朝鮮労働党委員長（2021年1月、総書記に就任）は中国を初めて訪問し、習近平国家主席と会談したのを手始めに、2019年1月までの間に計4回も立て続けに訪中して関係強化を図った。4回目の首脳会談で習近平は「朝鮮が主張する原則的な問題は当然の要求であり、朝鮮の合理的な関心事は当然解決されるべきである。中国は今後も朝鮮の頼もしい後方であり、固い同志、友人として互いの根本利益を守る」（朝鮮中央通信報道）と述べ、体制保障を追求する北朝鮮の立場を支持する考えを明確にした。敵（米国）の敵（北朝鮮）は味方――「善隣・連携期」の始動である。

中朝国交樹立70年の2019年6月には習近平が初めて北朝鮮を公式訪問し、「（中朝首脳は）わずか15ヵ月間に5回も会った。中朝の伝統的な友好の生命力を体現した」と強調。2021年7月の「中朝友好協力相互援助条約」締結60周年の際には習近平は金正恩への祝電のなかで「両国人民が鮮血で塗り固めた戦闘的友誼」との伝統的表現を用いて関係緊密化をアピールした。北朝鮮は国連安保理の制裁決議により、輸出入規制などの経済的困難に直面しているが、米政府によれば、中国は石炭などを積んだ北朝鮮船を1年間に555回受け入れる（2020年時点）など制裁決議違反を重ねている。2022年5月には中国は安保理の対北朝鮮制裁決議案に拒否権を行使した。2023年11月、北朝鮮が「軍事偵察衛星」を載せたロケットを発射した時も中国は北朝鮮を批判しなかった。

北朝鮮は中国に対して離反と接近を繰り返してきており、真の意味での友好国とは言い難い側面がある。金正恩総書記は2023年9月の訪露でプーチン大統領のウクライナ侵略を支持し、宇宙開発でのロシアの支援を取りつけるなど対露関係の強化を図っている。それでも中国が北朝鮮を支えるのは互いに約1400キロメートルの国境を接し、地政学的に北朝鮮の動向が中国の安全保障にとって極めて重要な意味を持つからにほかならない。北朝鮮の体制が崩壊したり、戦争が再び勃発したりすれば、中国の発展戦略は著しく阻害される。中国国内には吉林省延辺朝鮮族自治州など東北地方を中心に約170万人(2020年)の朝鮮族が居住しているため、半島情勢の激変は中国を直撃することになる。

また、対米韓日の外交・安保戦略上も北朝鮮カードを捨て去ることはできない。北朝鮮の貿易総額の96%(2018年)を占める中国が対朝支援を停止すれば、北朝鮮は暴発しかねず、半島情勢が一気に流動化する恐れがある。中国はかつて北朝鮮の改革・開放を期待した時期もあったが、核・ミサイル問題で北朝鮮が孤立を深めるなか、当面の最優先課題は北朝鮮の体制の維持・安定にある。

一方、2022年8月に国交樹立30周年を迎えた中韓関係はこの間に年間貿易総額が約50倍に増大するなど、経済面では中朝関係とは比較にならないほど緊密度を深めている。韓国側は保守の朴槿恵(パククネ)政権(2013~17年)、左派の文在寅(ムンジェイン)政権(2017~22年)が中国寄りの外交政策を進め、特に南北融和の実現を重視した文政権は中国の協力を得るために対中融和姿勢を取り続けた。

しかし、中韓間では北朝鮮の短中距離弾道ミサイルへの対処を想定して米軍が2017年に韓国内に配備したミサイル防衛システム「最終段階高高度地域防衛(THAAD=サード)」をめぐる対立が大きな外交懸案となった。THAADのレーダーで中国軍が監視される恐れがあることなどを懸念する中国はTHAADの用地を提供した韓国ロッテグループの在中国の系列スーパーや百貨店を、消防法違反などを口実に営業停止に追い込むなど経済的圧力をかけた。中国はTHAAD配備について「地域の戦略バランスを著しく破壊し、地域の国家の戦略安全上の利益をひどく損なう」(2019年「新時代の中国国防」白書)と主張している。中国の高圧姿勢への反発から韓国側の対中感情は悪化し、国交樹立30周年に合わせて韓国紙『東亜日報』などが実施した世論調査では20～30歳代の若者世代で中国に好感を抱かない者の比率は79％にも達した。

韓国では２０２２年5月、保守系の尹錫悦（ユンソンニョル）政権が登場し、前政権時代の親中・対北融和路線を軌道修正して外交・安保の軸足を日米欧との連携に置く政策へ舵を切った。同年8月、新政権の閣僚として初訪中した朴振（パクチン）外相は中韓外相会談で「国益と原則に従って『和して同ぜず』の精神で中国との協力を模索していく」と表明し、中国と一定の距離を置いて関係を築いていく考えを示した。尹政権の韓米同盟強化への回帰に対し、習近平国家主席は国交樹立30周年祝電のなかで、米国を意識しつつ、中韓の友好協力を「妨害を排除して」推進する必要性を強調し、韓国が米国へ大きく傾斜することのないようクギを刺した。しかし、韓国政府は同年12月、「インド太平洋戦略」を発表し、「台湾海峡の平和と安定」「南シナ海の航行・飛行の自由」の重要性に言及するとともに、「力による一方的な現状変更」に反対する立場を明確にし、中国の挑発行動を牽制した。

中国としては米韓日の結束にくさびを打ち込むため、対北朝鮮関係で中国の協力を必要とする韓国を何とか中国側へ引き寄せておきたいところだが、核・ミサイル問題での北朝鮮擁護の姿勢は結果的に米韓日の対中不信を増大させ、中国自身の安保環境の緊張度を高めることになる。米韓両国は２０２２年5月の首脳会談で対北朝鮮抑止力の強化で一致し、米韓日協力の重要性を確認している。中朝連携は習近平政権の半島政策の基軸だが、米中対立が長期化するなかで中韓関係に大きなきしみが生じることは得策ではなく、難しいバランス外交を迫られている。

（藤野　彰）

45

ASEANに対する「分断」外交

★「親中」諸国への重点支援で影響力拡大★

東南アジア諸国連合（ASEAN）10ヵ国の総人口は2021年時点で6億7333万人（世界総人口の8・6％）に達し、欧州連合（EU）27ヵ国、北米自由貿易協定（NAFTA）3ヵ国の総人口をいずれも上回る。しかも、ASEAN全体の国内総生産（GDP）は3兆3433億ドル（日本のGDPの67・7％）に上り、年5％前後の高い経済成長率を維持して伸び代の大きい発展地域であり続けている。貿易額（2020年）も2兆7960億円で世界の8・0％を占める。ベトナム、ラオス、ミャンマーのインドシナ半島3ヵ国と国境を接し、南シナ海を挟んで他の東南アジア諸国とも隣接している中国にとって、ASEANは地政学的にも経済的にも極めて重要なパートナーになっている。

中国と東南アジアは歴史的にもつながりが深い。19世紀後半（清末）以降、中国大陸（主に福建、広東両省）からは大量の移民が海外へ流出し、各地に華僑・華人社会を築いた。今日、海外の華僑・華人は約4000万人に上り、居住国・地域は約170を数えるとされるが、その大半は東南アジア諸国に集中している。多くの居住国において華僑・華人は少数派であるにもかかわらず、経済界で大きな地位を占めており、その存在感と影響力には侮れないものがある。このため、中国は国務院の一機関として僑務弁公室を設置し、華僑・華人との関係強化を図っている。

ただ、新中国建国後の東南アジアとの関係は平坦なものではなかった。中国は1950年に北ベトナム（ベトナム社会主義共和国）、インドネシア、ビルマ（ミャンマー）と国交を樹立し、1958年にはカンボジア、1961年にはラオスとも外交関係を持ったものの、東西冷戦下でベトナム戦争が激化するなか、東南アジア諸国では北方の共産主義大国の存在は「革命の輸出」や自国内の複雑な華僑・華人問題とあいまって強い警戒感をもって受け止められた。インドネシアでは1965年9月、中国や華人の関与が疑われた軍事クーデター未遂事件（9・30事件）が発生し、インドネシアは中国との関係を凍結した。スハルト政権下で親米に転じたインドネシアは1967年8月、同じく共産主義の波及を警戒するマレーシア、フィリピン、シンガポール、タイとともにASEANを結成した。

中国とASEANの関係に転機が訪れたのは、1972年2月にニクソン米大統領が訪中し、米中関係改善の流れが確定して以降のことである。ASEANは反共親米路線から、大国とのバランス外交によって安全保障と経済発展の実現を目指す中立路線へと転換し、マレーシア、フィリピン、タイが1974～75年に相次いで対中国交樹立に踏み切った。インドネシアも1990年8月、33年ぶりに中国との国交を正常化し、これを見届ける形で華人国家シンガポールも同年10月、中国と国交を結んだ。シンガポールが対中国交樹立に慎重だったのは「隣国（マレーシアやインドネシア）は東南アジアに『中国の基地』ができることを許さない」（故リー・クアンユー上級相）という自国の微妙な立ち位置を自覚したうえでの判断だった。

中国の対東南アジア外交の大きなネックになっていたのは、統一ベトナムとの関係である。ベトナム戦争中、中国と北ベトナム（当時）は良好な関係を維持していたが、米中両国が接近し、1972年2月に共同コミュニケを発表した後、亀裂が目立ち始めた。統一ベトナムがソ連軍のカムラン湾駐留を受け入れるなど対ソ関係を強化するのに伴って中国との対立は深刻化し、1978年12月のベトナム軍のカンボジア侵攻で関係悪化が決定的になった。1979年2～3月には国境地帯で中越戦争が勃発し、双方に多数の死傷者が出た。しかし、冷戦崩壊を受けて1991年11月、ベトナム首脳が訪中し、関係正常化を宣言した。同年にはブルネイも中国と国交を結び、中国と東南アジア10ヵ国との関係は政経両面で本格的な発展期を迎えた。

中国は1993年にASEANの協議パートナー、1996年に対話パートナーとなるなど関係を深化させた。双方の経済交流の拡大は特に著しい。1991年以降、貿易額は年平均20％の高い伸びを記録し、2004年には早くも1058億8000万ドルと1000億ドルの大台に突入した。2014年には3827億8900万ドルを記録し、10年間で3・6倍の伸びを見せた。ASEAN全体の貿易（2021年）は域内輸出入を除けば、輸出入ともに中国が第1位。2020年の各国の主要貿易相手国を見ると、カンボジア、インドネシア、マレーシア、ミャンマー、フィリピン、シンガポール、タイ、ベトナムの8ヵ国で中国がトップの座にある。東西冷戦時代の1980年当時、ASEANの主要貿易相手国・地域のなかで中国はわずか1・8％の比率しか占めていなかったことを考えると、いかに中国の存在が巨大化したかが分かる。

中国の対ASEAN政策の一つの基軸は、中国に不利益をもたらす国際問題でASEANが欧米に

第45章

ASEANに対する「分断」外交

同調して中国に対抗しないようにするため、経済支援や投資を武器に個別に加盟国を懐柔し、ASEAN全体として中国と融和していかざるをえない方向へ持っていくという戦略にある。ASEANは政策決定に当たって全会一致を原則としている。このため、中国はASEANのなかに「親中国」の拠点を築き、ASEANの統一歩調をかき乱す戦術をとってきた。中国の重要な橋頭保と目されているのはミャンマー、カンボジア、ラオスの3ヵ国である。

ASEANのなかで中国と最も長い2185キロメートルもの国境線を接するミャンマーは中国との貿易が全体の31・4％（2020年）を占め、対中依存度が突出している。中国はミャンマーとの間に2013年に天然ガス・パイプライン（年間輸送能力120億立方メートル）、2015年に原油パイプライン（同2200万トン）をそれぞれ開通させた。パイプラインはベンガル湾に面したチャウピューのマデー島を起点とし、雲南省国境を経て中国内地へとつながっている。中国の輸入原油の8割は中東などからマラッカ海峡、南シナ海経由で運搬されている。パイプラインは原油の輸送距離を大幅に短縮し、コストを軽減できるだけでなく、中国にとってはエネルギー安全保障上の重要な生命線となっている。

中国から見れば、ミャンマーは陸路でベンガル湾、インド洋と直結する戦略的ルートであり、石油、天然ガス、レアアース（希土類）などの豊かな天然資源も中国にとっては魅力だ。米国などから制裁を受けているミャンマー軍事政権も中国頼みの事情を抱えている。ミャンマーはイスラム系少数民族ロヒンギャに対する迫害問題で国際的な非難を浴び、国連総会は2017年12月、ロヒンギャへの人権侵害に懸念を表明する決議を採択した。しかし、中国は同決議に反対し、欧米とは一線を画してミャンマーの立場に理解を示した。２０２１年6月、国連総会はミャンマー国軍を非難し、ミャンマーへの武器流入の阻止を求める決議案を賛成多数で採択したが、このときも中国は棄権した。２０２２年4月の中国・ミャンマー外相会談でミャンマー側は中国の核心的利益に関わる立場を全面的に支持すると表明するとともに、「一帯一路」推進に意欲を示した。

カンボジアは国際社会で「中国の代理人」と揶揄されるほど親中色が強い。カンボジアは２０１６年7月のＡＳＥＡＮ外相会議の共同宣言で、中国の意向を汲んで南シナ海問題をめぐる常設仲裁裁判所判決への言及に反対したほか、同年10月、習近平（シージンピン）国家主席がカンボジアを公式訪問した際には、南シナ海問題について「直接関係する主権国家が友好的協議を通じて解決すべきだ」との共同声明を出し、中国の立場を支持した。２０２０年初め、中国でコロナウイルスが蔓延し始めたとき、カンボジアは世界に先駆けて、中国から自国民を撤退させない、航空便を停止しない、中国人を差別視しないと表明し、中国側から歓迎された。

対中協力の見返りとして中国側は強権統治を続けてきたフン・セン政権を長年にわたって政経両面で強力に支援し、２０２２年1月には両国の自由貿易協定を発効させた。カンボジアの貿易面の対中依存度は27・7％に上り、投資面でも中国の存在感は大きい。２０２２年10月、プノンペンと南部の港湾都市シアヌークビルを結ぶカンボジア初の高速道路が開通したが、これも中国の支援によるものだ。シアヌークビル近郊のリアム海軍基地では中国の支援で拡張工事が行われ、中国側は将来的に軍事拠点としての活用を目論んでいるとの見方が出ている。カンボジアでは２０２３年8月、38年間にわたって首相の座にあったフン・センが退任し、長男のフン・マネットが権力を継承したが、フン・

マネット新首相は翌9月、さっそく中国を訪問し、父親の親中路線を引き続き堅持する姿勢を内外に示した。

内陸国ラオスもインフラ投資や経済開発で対中依存度を高めており、中国寄りの傾向が強い。2019年4月、中国とラオス、タイは雲南省昆明からラオスを経由してバンコクまでを結ぶ高速鉄道建設に関する協力覚書を締結し、2021年12月には昆明とビエンチャンを約10時間で結ぶ高速鉄道（総延長約1035キロメートル）が開通した。習近平国家主席は鉄道開通を機にラオスのトンルン・シースリット国家主席とのオンライン会談で「一帯一路の質の高い発展を共同で建設し、堅固な運命共同体を構築していきたい」と関係強化への意欲を表明した。ただ、ラオスは自己負担の建設費の大半を中国からの借り入れで賄っており、いわゆる「債務の罠」の懸念もある。

2021年12月、中国の支援で開通したラオス高速鉄道。ビエンチャン駅では安全祈願の儀式が行われた（写真：新華社 / アフロ）

国民一人当たりGDP（2021年）を見ると、ミャンマー、カンボジア、ラオスの3ヵ国はそれぞれ1591ドル、1187ドル、2551ドルとASEAN平均（4965ドル）を大きく下回っており、加盟国中の最下位グループに属する。ASEANは加盟国間の経済格差や政治体制の相違が大きく、中国はそこにくさびを打ち込む形で影響力を浸透させていると言えそうだ。

（藤野　彰）

（参考文献）
外務省アジア大洋州局地域政策参事官室「目で見るASEAN——ASEAN経済統計基礎資料」2022年

46

危機が連鎖する南シナ海

★人工島造成で強化される実効支配と軍事拠点化★

太平洋とインド洋を結ぶ最短ルートのシーレーン（海上交通路）が走る南シナ海は、中国、台湾や東南アジア諸国が領有権を競い合う係争地であることから、長年、アジアの潜在的な火薬庫と見なされてきた。近年は中国による南シナ海の「内海化」を阻止するため、米国などが同海域で軍事的示威行動を活発化させており、これに激しく反発する中国との間で一触即発の緊迫した攻防が繰り広げられている。

南シナ海にはパラセル（西沙）諸島やスプラトリー（南沙）諸島、マックレスフィールド岩礁群（中沙諸島）、プラタス（東沙）諸島などの多数の島々が散在している。スプラトリー諸島は1938年から1945年まで日本の支配下に置かれ、「新南群島」と呼ばれて台湾総督府の管轄下にあった。現在、パラセル諸島をめぐっては中国、台湾、ベトナムの3ヵ国・地域が、スプラトリー諸島をめぐっては中国、台湾、ベトナム、フィリピン、マレーシア、ブルネイの6ヵ国・地域がそれぞれ領有権を争っている。

領有権争いの台風の目となっているのが、1970年代以降、実効支配の強化に向けて着々と布石を打ってきた中国の動向だ。

パラセル諸島については、長年、中国と南ベトナム（ベトナム共和国、1975年崩壊）が周辺海域をほぼ折半する形で対峙してきたが、中国は1974年1月、米軍が南ベトナムから撤退した後の空隙をつくようにしてパラセル諸島全域を軍事支配した。1988年には最大の係争地となっているスプラトリー諸島で中越両海軍の武力衝突事件も発生した。対立が長期化するなかで中国は実効支配下の環礁を埋め立てて人工島を造成し、「自国領土」としての既成事実を積み上げてきた。

スプラトリー諸島のファイアリー・クロス礁などでは滑走路や港湾が整備され、ミサイルも配備されるなど軍事拠点化が着実に進行している。これに関して中国は「軍事化の意図はない」（2015年9月の米中首脳会談での習近平国家主席の発言）と釈明し、人工島建設についても「大部分が民生用施設」（2018年11月、米中閣僚対話での楊潔篪政治局員の発言）と主張しているが、額面通りには受け止められていない。

〔図1〕中国が主権を主張する南シナ海の領域

中国は南シナ海の周縁を9本の破線でU字形に取り囲む「九段線」を一方的に設定し、この境界線の内側全域の領有権を主張している。この「九段線」は1947年に当時の国民政府が引いた「十一段線」を踏襲したものだが、中国はその定義や経度・緯度を明確に説明しておらず、国際法上、根拠のある境界線とは認められていない（中国政府は2023年8月、台湾の東に線

中国が実効支配するスプラトリー諸島の人工島ミスチーフ礁。滑走路が建設され、軍事基地化が進む（2022年3月、写真：AP/アフロ）

を1本追加した「十段線」の新地図を発表した（図1）。しかし、中国は２０１２年7月、最南端の省である海南省のもとに、南シナ海の島々とその海域を管轄する「三沙市」を設置し、行政上も中国の領域に属することを明確にした。さらに、２０２０年4月には三沙市の下にパラセル諸島を管轄する「西沙区」とスプラトリー諸島を管轄する「南沙区」を設け、実効支配の形態を整えた。

南シナ海紛争の関係国・地域のなかで中国の積極攻勢に最も神経を尖らせているのは海域の東西に位置し、中国と直接対峙しているフィリピンとベトナムである。フィリピンは中国によるスプラトリー諸島の岩礁埋め立てなどに一貫して強く抗議してきた。１９９５年、フィリピンが自国領と見なしているスプラトリー諸島のミスチーフ礁で、中国が艦船を派遣して建造物の建設を進めていることが判明し、フィリピンが抗議したものの、中国は「漁船の防風避難施設だ」と強弁し、実力で島を占拠した。フィリピンからは駐留米軍が１９９２年に完全撤収しており、１９７４年のパラセル諸島攻略と同様、米軍のプレゼンスが消失した隙をついて積極攻勢に打って出たとみられている。

２０１８年11月、習近平国家主席はマニラを訪問してドゥテルテ大統領と会談し、南シナ海での石油・天然ガスの共同開発、橋・道路などのインフラ整備を盛り込んだ協力文書に署名した。経済支援を武器にフィリピンを懐柔し、南シナ海問題で主導権を握るのが狙いだった。しかし、2021年3月、フィリピン・パラワン島沖の排他的経済水域（EEZ）内に中国漁船約220隻が集結する事態が発生するなど緊張は再燃し、2022年6月にはフィリピンで米国との安全保障関係強化を指針に掲げるマルコス政権が発足したこともあって中国への対抗姿勢が強まっている。

2023年2月、米国とフィリピンは防衛協力強化協定（EDCA）に基づいて米軍がフィリピン国内で使用できる拠点を5ヵ所から9ヵ所へ拡大した。同年4月には米比両軍がフィリピンで過去最大規模の合同軍事演習「バリカタン」を実施し、中国の動きを牽制した。双方は2023年5月の首脳会談で防衛協力のガイドライン（指針）を策定し、南シナ海を含む太平洋で両国のどちらかが武力攻撃を受けた場合、米比相互防衛条約に基づいて防衛義務を発動することを明確にした。

一方、ベトナムも1979年の中越戦争の経験から中国の海洋進出には神経を尖らせている。2014年には中国がパラセル諸島付近で一方的に石油掘削を行ったことに対してベトナムが抗議し、両国の艦船がにらみあう事態になるなど、偶発的な軍事衝突が起こりうるリスクは常に存在している。米国は2016年5月、オバマ大統領の初の訪越を通じてベトナムへの武器禁輸の全面解除を宣言するなど軍事協力強化へと動いた。トランプ大統領も2017年5月、訪米したベトナムのグエン・スアン・フック首相との会談で「公海における自由への不法な規制」を憂慮するとの共同声明を発表し、ベトナムと共闘していく方針を示した。米越関係強化の政策はバイデン政権にも引き継がれ、バイデン大統領は2023年9月に初めて訪越し、首脳会談で両国の協力の枠組みを「包括的戦略パートナーシップ」へと格上げすることで合意した。

米国の南シナ海問題への関与を象徴する動きは同海域での「航行の自由作戦」である。中国の勢力圏拡張を警戒する米国は安全保障と自国のプレゼンス維持の観点から2015年10月、スプラトリー諸島海域の中国の人工島の12カイリ（約22キロメートル）内でイージス駆逐艦による巡視活動を実施するという直接的な警告活動「航行の自由作戦」に踏み切った。さらに、2016年1月にパラセル（西沙）諸島海域、また同年5月にスプラトリー諸島海域、同年10月にパラセル諸島海域でそれぞれイージス駆逐艦による巡視活動を展開し、南シナ海を自国の海と見なす中国の主張は認めないとのデモンストレーションを行った。この戦略はトランプ、バイデン両政権下でも継続され、南シナ海では2020年7月に米空母ニミッツ、ロナルド・レーガンが演習を行ったのに続き、2021年2月にもニミッツ、セオドア・ルーズベルトが演習を実施し、中国側に圧力をかけた。

南シナ海問題は東南アジア諸国連合（ASEAN）の関連会合の場でも主要議題の一つになっており、議長声明で中国の人工島造成について「信用と信頼を損ない、緊張を高めている」（2019年）などとしてたびたび懸念を表明してきたが、事態の大きな転換を促す成果はまだ上がっていない。長年の懸案になっているのは関係国の行動を法的に拘束する「行動規範」の策定である。中国とASEANは2002年11月、プノンペンでの首脳会議で南シナ海問題の平和的解決を目指す「行動宣言」に調印した。2019年11月には行動規範の2年以内の策定を目指すことで合意したものの、早期妥結には至っていない。米欧などの関与を排除したい中国は「域外国」と軍事演習を実施しないことを条文に規定するよう要求しており、フィリピンやベトナムと利害が対立している。

南シナ海問題をめぐるＡＳＥＡＮの立場は実際極めて微妙だ。一つには中国との間で切っても切れない経済関係が成立しているなか、ＡＳＥＡＮ全体として南シナ海問題で中国と決定的に対立するわけにはいかないという事情がある。また、ベトナムやフィリピンが中国の海洋進出を強く警戒しているのに対し、カンボジアやラオスは伝統的に親中路線をとるなど、加盟各国の中国との距離の取り方にはかなり温度差がある。ＡＳＥＡＮは加盟10ヵ国の全会一致を組織原則としているため、対中国での足並みの統一は容易ではない。ただ、ＡＳＥＡＮは２０２３年５月、中国と対抗関係にあるインドと初の合同軍事演習をシンガポールで行うなど独自路線の発揮に努めている。

国際法の世界ではオランダ・ハーグの常設仲裁裁判所が２０１６年７月、南シナ海における中国の主権を認めないとの判決をすでに下している。この裁判はフィリピンが２０１３年１月、国連海洋法条約に基づいて中国との領有権紛争を同裁判所に持ち込んだことから始まったもので、同裁判所は２０１５年10月、「中国の領有権主張は国際法違反」とのフィリピンの主張を受けて審理開始を決定し、南シナ海問題をめぐって国際法に基づく初の判断を示した。判決は中国が主張する「九段線」内の主権、管轄権、歴史的権利について「国連海洋法条約に反し、法的効力はない」として一蹴し、フィリピンの訴えをほぼ全面的に認めた。判決は中国にとって全面敗訴に等しいものだったが、中国は「政治的茶番」（王毅（ワンイー）外相）として受け入れを拒否した。今後も中国が南シナ海の既得権益をめぐって関係国に譲歩する可能性は低く、米国などを巻き込んだつばぜりあいは激化が予想される。

（藤野　彰）

47

国境問題で険悪化する中印関係

★アジアの安定を左右する人口大国間の軋轢★

今世紀半ばまでに軍事や経済などあらゆる分野で米国に比肩する「社会主義現代化強国」となることを目指す中国。南半球を中心とする途上国・新興国の「グローバル・サウス」のリーダーを自任する「世界最大の民主主義国」のインド。国境問題をめぐって戦火も交えた両国関係は、新興5ヵ国（BRICS、2024年1月に10ヵ国へ拡大）、上海協力機構（SCO）という枠組みにともに属しながらも、「協調」と「警戒」という、相反する二つの言葉で彩られる。習近平（シージンピン）国家主席は2019年に訪印した際のモディ首相との会談で、「龍（中国）と象（インド）が一緒に踊ろう。それが我々にとって唯一の正しい選択肢だ」と、インド重視の姿勢を強調した。だが、国境問題解決のめどは立っておらず、拡張主義的な対外行動を強める中国に対するインドの不信感は根強い。

第2次大戦後の両国関係は当初、「蜜月」とも称された。1949年10月に建国を宣言した中華人民共和国を、その約2年前に英国から独立していたインドはいち早く国家として承認し、1950年4月には両国間に正式な外交関係が樹立された。米国とソ連を両核とする冷戦構造が鮮明となっていくなか、中印

第47章

国境問題で険悪化する中印関係

両国は米欧と一線を画す「非同盟諸国」として親交を深めていく。1954年には、インドのネルー首相と、訪印した中国の周恩来（ジョウエンライ）首相が、①領土・主権の尊重、②相互不可侵、③内政不干渉、④平等互恵、⑤平和的共存――の「平和5原則」を、国際関係上遵守すべき基本原則に据えることを確認した。この「平和5原則」は、1955年のアジア・アフリカ会議（バンドン会議）で確認された「平和10原則」の礎となった。

そんな両国関係は1950年代後半から悪化に向かう。決定的な契機となったのが、中国・チベットで僧侶を含む多数のチベット人が中国政府による統治に反乱を起こした1959年のチベット動乱だった。インド政府はチベット独立運動に理解を示し、ダライ・ラマ14世のインド亡命を受け入れたのである。

チベット動乱を機に、未解決だった両国の国境画定をめぐる対立も激化する。インドは英国統治時代の1914年に設定されたマクマホン・ラインを、中国はヒマラヤ山系南側の慣習上の国境線をそれぞれ主張していた。1950年代から散発的に衝突が起きていたが、1962年10月、国境地帯全域での武力衝突に発展した。約1ヵ月に及んだ紛争でインド側は約4000人の死者・行方不明者を出して完敗し、両国の外交関係は1976年まで断絶することになった。この敗戦を屈辱的と受け止めたインドは、軍備拡張を続け、1998年の核実験に際しても、「中国の核の脅威」を実施理由に挙げた。

1981年以降、国境問題に関する両国の交渉が断続的に行われたが、双方の主張の隔たりは大きい。解決はいまだ見通せず、両国関係の不安定要因となっている。2017年6月には、インドの隣

〔図1〕ブータンと中国の係争地・ドクラム地域（灰色部分）

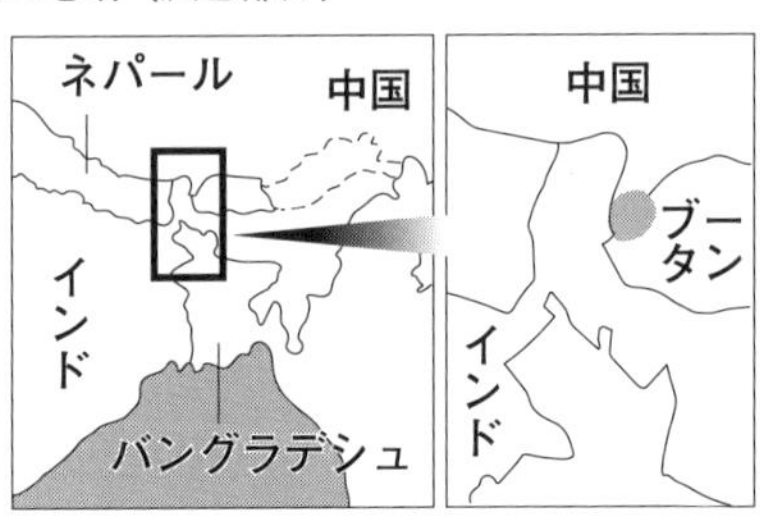

〔図2〕中印両国が対立するカシミール地方東部

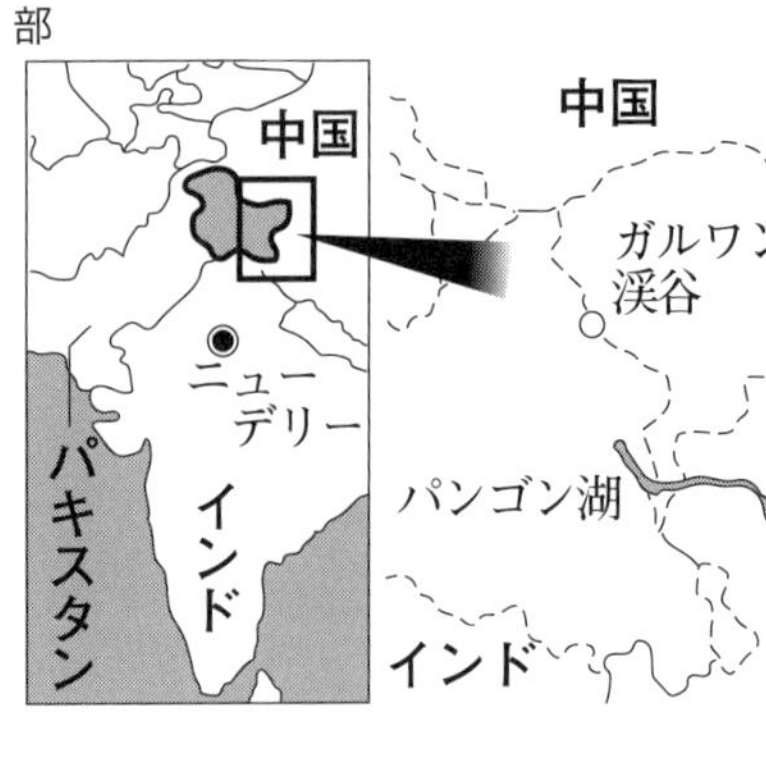

国・ブータンと中国の係争地であるドクラム地域〔中国名・洞朗地区〕で、ブータンとの友好協定に基づいて介入したインドと中国の両軍が2ヵ月以上にわたってにらみ合う事態が起きた〔図1〕。ただ、同年9月には中国でＢＲＩＣＳ首脳会議が控えていたことから、事態収拾を急いだ中国にインドが呼応する形で緊張状態の緩和にこぎ着けた。その後、２０１８年にはモディ首相が訪中、翌２０１９年には習国家主席が訪印し、相互の首脳往来の実現という「協調」を演出した。

だが、２０２０年6月15日、中印の国境が未画定のカシミール地方東部で両軍が衝突し、45年ぶりに死者を出す事態となったことで両国関係は険悪化する。双方が「相手側が〔自国側に〕侵入した」などと主張したが、インドがカシミール地方東部の中国側支配地域近くで建設中の道路をめぐる対立が背景にあったとの見方が強い〔図2〕。これまでは前線への供給物資を馬などで運んでいたが、道路が完成すれば車両が使えるようになり、部隊の迅速な展開も可能となるため、これに中国が反発したという構図だ（『読売新聞』２０２０年６月18日）。

　一方で、北京の外交筋の間では、インドで新型コロナウイルスの感染拡大に歯止めがかからないなか、「中国軍が意図的に揺さぶりをかけている」との見方も出た（『読売新聞』２０２０年５月28日）。しかし、中印双方とも対立の激化・長期化は望んでおらず、６月23日には、中印両国と友好関係にあるロシアのセルゲイ・ラブロフ外相が仲介役を務めるなか、インドのスブラマニヤム・ジャイシャンカル外相と中国の王毅（ワンイー）国務委員兼外相（当時）がオンライン会談で問題解決に向けた方策について協議し、７月６日には中国とインドの両外務省が、衝突が起きた係争地から軍部隊を撤収させることで合意したと発表した。それにもかかわらず、中国軍の一部は、インド側が支配していた地域にとどまり続けているとされ、国境地帯では双方のにらみ合いが続く。衝突も散発的に起きており、負傷者も出ている。

中印国境地帯のカシミール東部ラダックで隊列を組むインド軍の兵士たち（2020年9月、写真：ロイター／アフロ）

　中国側は国境地帯の実効支配を強める法整備も行った。全国人民代表大会（全人代＝国会）常務委員会が２０２１年10月23日、陸上の国境地帯の管理強化に向けて「陸地国境法」を成立させたのである。同法は、中国政府と軍の許可に基づき、隣国との国境の中国側に交通や通信、監視、防衛のためのインフラ設備を建設できるとした。国境付近でいかなる組織・

個人も恒久的な建築物を許可なく建設してはならないとも定め、違反すれば原状回復を命じるとした。具体的にどの陸地部分が中国領に含まれるかについて定義は示さず、中印国境の係争地域での建設行為やインド側施設の破壊などを国内法で正当化した形だ。インド外務省は同法成立について、中印国境問題は未解決だと強調し、「一方的な法案可決に対する懸念」を表明した。

2023年8月28日には、中国側が、係争地であるインド北東部アルナチャルプラデシュ州の一部と中国が実効支配するカシミール地方のアクサイチンを「領土」とする新しい公式地図を発表した。インドのジャイシャンカル外相は翌29日のテレビのインタビューで、「こんな筋の通らない主張によって、他人の領土が自分のものになることはない」と猛反発した。同年9月にはインドで主要20ヵ国・地域（G20）首脳会議が開かれたが、習近平国家主席はこれを欠席した。地図をめぐるインド側との摩擦が欠席の背景にあるとの見方も出ている。国境問題はナショナリズムが絡むだけに中印双方ともに譲歩の余地は少なく、今後も両国の火種であり続ける可能性が高い。

一方で、経済面では関係拡大が続いてきた。2014年9月には習主席がインドを訪問し、同年5月に政権を発足させたばかりのモディ首相と会談した。中国側はインドに対し、道路などのインフラ整備事業に5年間で総額200億ドルの投資を行う方針を表明した。会談後の共同記者会見で習主席が「両国が発展すれば、計25億の人々に利益をもたらし、地域や世界全体に影響を与える」と協力の意義を強調すると、モディ首相も「我々の関係は新たな時代に入った」と応じた。インドの巨大な国内市場を開拓したい中国と、経済浮揚のために中国から投資などを受け入れたいインドの思惑が重なり、関係強化を演出してみせたと言える。

だが、中国からの投資はインドの期待ほどには伸びない一方、中国からの輸入は増加が続き、対中貿易赤字が膨らむばかりとなった。そこに２０２０年以降の国境地帯での衝突を受けた対中警戒感の高まりも加わり、インド国内では対中依存を懸念する声が強まっている。そのためモディ政権は近年、「脱中国」路線に傾いている。インド政府が２０２３年9月、鉄鋼製品の輸入をめぐって中国企業によるダンピング（不当廉売）が懸念されるとの国内業者の指摘などを受け、中国からの一部鉄鋼製品の輸入に5年間の反ダンピング関税措置を発動した（『ロイター通信』２０２３年9月11日）のは、その一例と言えよう。

インドはまた、経済面での中国依存低減を図る一方で、伝統としての非同盟方針は維持しつつも、「自由で開かれたインド太平洋（ＦＯＩＰ）」を支持するとともに、日本・米国・オーストラリア・インドの4ヵ国の枠組み「Ｑｕａｄ（クアッド）」を重視する姿勢を強めている。その背景にあるのも、やはり対中警戒感だ。特に、インド洋をめぐって中国が「真珠の首飾り」と称する海洋戦略の一環で南アジアへの進出を加速させていることへの危機感は強い。中国は中東までのシーレーン（海上交通路）に沿ってインドを取り囲むようにバングラデシュ、パキスタン、スリランカなどの周辺諸国に港湾拠点を設ける戦略を展開しており、それらの拠点をつないだ形が首飾りに似ていることから、その名がつけられた。中国が港湾の権益を手にすれば、軍事拠点が増えることにつながる。

国境紛争を抱えるインドを牽制する色彩が強いこの海洋戦略は、習主席肝いりの巨大経済圏構想「一帯一路」と密接に絡んでいる。一帯一路の事業として整備を進めたスリランカ南部ハンバントタ港は、スリランカ側が債務を返済できなくなり、中国は同港の権益を事実上、獲得した。一帯一路は２０２

0年以降の新型コロナウイルスの感染拡大で停滞していたが、2023年10月には、習主席の一帯一路提唱から10年の節目を記念して3回目となる一帯一路の国際協力フォーラムが開かれ、習主席は「一帯一路の協力は勢いよく発展を遂げ、多大な成果を上げた」と強調し、「(一帯一路は) イデオロギー対立や政治対立を意図したものではなく、一方的な制裁や経済的脅迫、デカップリング (切り離し) に反対する」とも述べて、中国と対立する米欧を牽制した。沿線国の経済発展に資するとの理念で始まった一帯一路が変質し、中国が米欧への対抗軸として利用しようとしていることを示した形だ。米中が対立するなかで、第3回のフォーラムに参加した首脳級はアフリカや東南アジアを中心に20ヵ国余りにとどまった。2017年の第1回には29ヵ国、2019年の第2回には38ヵ国がそれぞれ参加していた。一帯一路など中国による経済支援は、相手国を借金漬けにして重要インフラなどの権益を得る「債務の罠」だと受け止める国が増えている可能性がある。

中国による南アジアへの勢力圏拡張は、地域の盟主を自任するインドとの摩擦を必然的に生む。中印関係は今後も地域の不安定要因となる危うさをはらんだまま推移していくことになるだろう。

(吉田健一)

48

戦略的連携を強める中露

――★米国に対抗し、「多極的世界秩序」を追求★――

中国は、冷戦終結後唯一の超大国となった米国の一極支配を切り崩し、中国を主要プレーヤーとする新たな「多極的世界秩序」を実現するため、ロシアとの戦略的な連携を進めてきた。中露関係は「全面的な戦略的協力パートナーシップ」と呼ばれ、両国の協力は外交、軍事、経済と幅広い分野に及ぶ。中国とロシアは国連安全保障理事会常任理事国として、イランや北朝鮮の核開発などの国際問題で、制裁や圧力を求める米国や英国に対抗するため共闘している。また、中国は、先進7ヵ国（G7）に対抗する形で、ロシア、ブラジルなどと結成した新興5ヵ国（BRICS、2024年1月に10ヵ国へ拡大）や、ロシアと中央アジア諸国などで構成する上海協力機構（SCO）の枠組みを活用し、新興・途上国との外交を積極的に推進している。

2022年2月のロシアのウクライナ侵略では、中国の対応が世界の注目を集めた。中国は予想外のロシアの苦戦に動揺したとされるが、侵略を直接非難せず、北大西洋条約機構（NATO）の東方拡大を進めた欧米に責任があるとし、ロシアの「合理的な安全保障上の懸念」への理解を表明した。同年10月の中国共産党第20回大会で政権基盤を盤石にした習近平（シージンピン）党総書記

（国家主席）は、2023年3月にモスクワを訪れてプーチン大統領と会談し、「国際情勢がどう変わろうとも戦略的パートナーシップは推進される」と述べ、G7から経済制裁を受けるロシアを支える姿勢を示した。中露は共同声明で「中露関係は史上最高の水準」「中国は強大で成功したロシアを必要とする」などと明記し、米国の「覇権主義」「民主・自由を口実にした内政干渉」や「一方的な制裁」への反対で一致した。

中国は、一帯一路の要衝にあるウクライナとも軍事、貿易で深い関係を有していた。実際、中国初の空母「遼寧」もウクライナから購入して改修したものだ。中国がロシアを支えるのは、同国が弱体化すれば米国に対抗する最大の味方を失うためであり、欧米の軍事力の矛先が中国に集中することを避けたいからだ。長大な国境を接するロシアを敵に回すわけにはいかない事情もある。中露は、中国が「内政」と位置付ける台湾問題など、主権や安全保障における「核心的利益」の相互支持を確認し合っている。米国が中国を「唯一の競争相手」と見なすなか、中国が目指す国際戦略「新型国際関係」の構築にとってロシアは欠かせない存在なのだ。2023年の共同声明には、豪州への原潜配備を進める「AUKUS（オーカス）」（米英豪の枠組み）など米国のインド太平洋戦略による「中国包囲網」と、NATOやG7による「ロシア包囲網」に連携して対抗する方針が示されている。

中露は2000年代、欧米との協調路線を歩んでいたが、盟友関係へと大きく突き進んだのは2014年のロシアのクリミア併合以降だ。その前年、国家主席に就任した習近平が最初の外遊先に選んだのがロシアだった。2014年2月のロシア・ソチ冬季五輪では、ロシアの人権問題に抗議する欧米首脳が欠席するなか、習近平主席は開幕式に出席した。ロシアは同年3月のクリミア併合を機

第48章
戦略的連携を強める中露

に、主要8ヵ国（G8）メンバーから追放され、中国重視に傾いていく。第2次世界大戦終結から70年目の２０１５年、モスクワでの「対独戦勝70年」式典に習主席が招かれる一方、北京での「抗日戦争・反ファシズム勝利70年」式典にプーチン大統領が参加し、中露は「戦勝国」のきずなをアピールした。２０２２年2月の北京冬季五輪は、新疆ウイグルの人権問題を理由に欧米首脳が開幕式出席をボイコットしたが、主賓級で式典に駆けつけたのがプーチン大統領だった。

習主席は「中華民族の偉大なる復興」を、プーチン大統領は「強いロシアの復活」をそれぞれ掲げる。ともに自らの安全保障は「失地回復」を目指しての影響圏拡大によって強化できるとの認識を共有し、民主化運動「カラー革命」が自国へ波及すれば体制を脅かされると警戒している。中国はソ連崩壊や天安門事件を教訓に、欧米が中国共産党体制の転覆を狙っているとする「和平演変」に注意してきたが、とりわけ、「国の安全」を重視する習主席はウイグルや香港、台湾問題への「欧米の関与」に対する警戒心が強い。プーチン大統領も、ウクライナやジョージアなど旧ソ連圏でのカラー革命への「欧米の関与」に反発する。中露は、１９９９年のＮＡＴＯのユーゴスラビア空爆や米英のアフガニスタン、イラク戦争への不信感も共有している。

中露関係の歴史は、ソ連時代に社会主義の兄弟国として「一枚岩」を誇った時代から始まる。毛沢東(マオツォードン)は「向ソ一辺倒」を宣言し、両国は１９５０年に中ソ友好同盟相互援助条約に調印し、ソ連が中国の国家建設を支援する蜜月時代に入った。ところが、フルシチョフのスターリン批判を契機に、社会主義イデオロギーをめぐる中ソ論争が起き、中国はソ連を「社会帝国主義」と非難した。ソ連は科学技術協定の破棄を通告し、在中国の専門家を本国へ召還した。１９６９年、国境のウスリー川の珍宝島（ロシア名・ダマンスキー島）で武力衝突が発生し、双方に多数の死傷者が出た。毛沢東は、ソ連に対抗する外交カードとして対米接近に舵を切る。1972年のニクソン米大統領の電撃訪中で中ソ関係はさらに悪化し、1979年、中国は中ソ友好同盟相互援助条約の不延長を通告した。

だが、中ソ両国にとって長大な国境沿いの軍備はしだいに経済的な負担になっていった。1989年5月、ゴルバチョフ共産党書記長が、ソ連指導者として30年ぶりに訪中して鄧小平（ドンシアオピン）・中央軍事委員会主席と会談し、関係は正常化した。中国は、1991年のソ連崩壊を受けてロシアを国家承認し、翌年のエリツィン大統領訪中で中露友好の路線が固まる。中露は1996年の「戦略的パートナーシップ」宣言を経て、2001年に中露善隣友好協力条約を締結した。

2004年、領有権争いの最大の焦点だったアムール川の中州・黒瞎子島（ヘイシアズー）（ロシア名・大ウスリー島）の帰属問題で合意し、約4300キロメートルにわたる国境が正式に画定した。中国は北方の憂いがなくなり、台湾統一に向けて東部沿いの軍備増強にシフトし、ロシアはNATOと対峙する西方に兵力を重点配備できるようになった。中露が、旧ソ連4ヵ国（カザフスタン、キルギス、タジキスタン、ウズベキスタン）と2001年に創設したSCOは、イスラム過激派勢力がテロや分離独立運動を起こす動きに共同で対処するのが主要目的だった。中国は新疆ウイグル地域の分離独立問題を抱え、ロシアはチェチェンなどのイスラム地域への対応に悩まされていたためだ。

中国にとってロシアは最大の武器供給国で、1990年代からスホイ戦闘機や潜水艦、駆逐艦などの近代兵器を購入、近年は最新型の「スホイ35」戦闘機と対空ミサイル「S400」を導入した。中露は2012年以降、海軍共同演習を実施しており、その海域は南シナ海、地中海、バルト海へと広がっている。２０１８年には、日米を仮想敵としてきたロシアの極東演習「ボストーク」に中国が初参加し、２０２１年には中国での戦略演習「西部・連合２０２１」にロシアが参加した。エネルギー、食糧、宇宙開発も、中国が安全保障上、対露関係を重視する理由だ。中国は１９９４年にロシアと宇宙技術協力協定を締結し、ロシア宇宙船「ソユーズ」の技術を導入するなどして、有人宇宙船「神舟」の開発につなげた。米国に対抗する「宇宙強国」を目指す中国は２０２１年にロシアと月面研究基地建設でも合意した。衛星測位システムや高速・大容量通信規格「５Ｇ」でも協力関係にある。

世界最大の石油・天然ガスの輸入国になった中国にとって、ロシアは、エネルギー安保上、最も重要な輸入先だ。２０１９年に天然ガスパイプライン「シベリアの力」が開通し、２本目も計画されている。ウクライナ危機後、中国への原油、天然ガス、石炭の輸出額は増え、２０２２年の中露の貿易額は過去最高を更新した。両国は米ドルに代わり、人民元決済の割合も高めている。ロシアにとって中国は最大の貿易相手国であり、極東・シベリア開発で中国への期待は大きい。両国は、ロシア率いる「ユーラシア経済連合」と、中国の「一帯一路」の連携で合意している。２０２２年６月には国境のアムール川を跨ぐ初の自動車橋が開通した。

中国は、一帯一路の後ろ盾としても活用してきたＳＣＯを、「多極的世界秩序」を目指すユーラシアの国際機構として拡大させ、外交影響力を増大させている。インドとパキスタンに続いて２０２３年７月にイランのＳＣＯ加盟が決定したほか、ベラルーシの加盟手続きも始まり、対話パートナー国としてサウジアラビアなどの参加も決まった。

対米共闘で深化する中露関係だが、戦火を交えた歴史に根ざす相互の不信感も残る。中国の国内総生産（GDP）はロシアの9倍以上へと拡大し、孤立を深めるロシアは中国に頼るしかなく、対等な関係ではなくなっている。ロシアの戦略原潜の拠点のオホーツク海や、東アジアと欧州を結ぶ最短航路として注目される北極海での中国の影響力の拡大、中国の核・中距離ミサイル増強は、核大国のロシアの軍事的な優位性をも脅かす。ロシアが、中国と国境紛争を抱えるインドへの兵器輸出を重視したのも対中牽制のためだ。

ロシアの裏庭の中央アジア諸国は、安全保障はロシアに頼り、経済は一帯一路を進める中国に依存することが基本戦略だったが、ウクライナ危機後、カザフスタンなどはロシアと距離を置き始めた。ウクライナ危機をめぐっても中露にはミゾがある。「欧米との決別」を決意したロシアとは異なり、欧米主導のグローバル経済の最大の受益者である中国は、既存の国際経済秩序を利用して国力を高める必要があり、経済の相互依存度が高い欧米との決定的な衝突は望んでいない。

中露は2019年以降、日本海から東シナ海、太平洋とへ領域を広げて爆撃機の共同飛行を実施し、2021年には中露の艦艇（計10隻）が初めて共同で航行して日本を周回した。中露が軍事連携を誇示するのは、東アジアで同盟強化を進める日米牽制の意味合いが強い。ただ、核ミサイル開発を加速させる北朝鮮を対米外交カードにする中露の威嚇的な軍事協力と動向は日本の安全に直結するだけに、厳しく注視していく必要がある。

（石井利尚）

49

敵対と友好の対欧州関係

★2000年を超す相互交流の歴史★

中国の国家主席・習近平（シージンピン）が、欧州政策を考えるとき、欧州と中国を結んだ古代の貿易路「シルクロード」が頭をよぎるのかもしれない。２０２３年4月、訪中したフランスのエマニュエル・マクロン大統領を南部の都市・広州市に招き、「現代中国を理解するには、中国史を理解する必要がある」と説明した。広州市は、欧州と中国を結んだ海上交易路「海のシルクロード」の起点の一つであり、歴史的な交易が欧州と中国の双方に発展をもたらしたと強調したかったに違いない。２０１９年3月、イタリアを訪問し、ジュゼッペ・コンテ首相と会談した際には、「古代シルクロードの端は中国とイタリアだった。（中略）我々は今、そのシルクロードに新しい活力を与えようとしている」と訴えた。２０１７年5月、北京で「一帯一路国際フォーラム」を初めて主催した際には、スペインのマリアノ・ラホイ首相ら約10人の欧州の首脳級を前に、「シルクロードの精神は、人類文明の偉大な遺産となった」と演説し、「新しいシルクロード」を呼びかけた。

「新しいシルクロード」は、「一帯一路（The Belt and Road Initiative: BRI）」と呼ばれる。中国が欧州に続く国々との間で陸・

海路の巨大な通商圏をつくる構想で、習主席が2013年に提唱した。古代のシルクロードになぞられ、広域の繁栄圏を創設する狙いがある。習主席は2017年のフォーラムで、構想推進のため、1000億元の拠出を表明した。

中国と欧州の関係は古代にさかのぼる。相互に使節を派遣し、シルクロードを通じた交易を続けてきた。中国の製紙法は、シルクロードを通じて欧州に伝わったことはよく知られている。大航海時代以降は、中国でキリスト教の宣教師による布教も活発化した。ところが、19世紀には、欧州列強が中国に進出して権益を分割し、双方の対立は深刻化した。第2次世界大戦後に中国共産党が政権を握ると、西欧の資本主義諸国との経済関係は中国が改革・開放期に入るまで停滞した。

1989年の天安門事件では、欧州連合（EU）の前身、欧州共同体（EC）が中国への武器売却を凍結し、政府高官の接触を禁止する制裁に乗り出した。しかし、1990年代中盤から双方の関係は正常化に向かい、中国が2001年に世界貿易機関（WTO）に加盟すると、貿易関係はさらに活発になった。中国にとっては、欧州市場に進出するだけでなく、欧州企業からイノベーション技術を獲得するメリットがあった。欧州諸国には、中国市場に進出するとともに、資本主義経済の広がりが中国の政治体制の民主化につながるとの読みがあった。

欧州で先頭に立ったのは、EUを率いるドイツである。アンゲラ・メルケル首相は16年間の在任中（2005～21年）に中国を12回訪れ、経済交流を軸にした協力協定を締結した。その結果、ドイツの自動車を中心に対中輸出は増えた。2020年の段階で、ドイツ車の3台に1台は中国で販売され、自動車大手フォルクスワーゲンは販売車の40％を中国市場で売った。中国との経済関係は、他の欧州諸

第49章
敵対と友好の対欧州関係

国にも広がり、２０１２年には、中・東欧の16ヵ国が経済面を軸に中国と協力する「中国・中東欧諸国協力（16＋1）」（後に1ヵ国増えて17＋1）の枠組みが発足した。２０１６年には、中国が主導して設立したアジアインフラ投資銀行（ＡＩＩＢ）に対し、日米が不参加を表明するなか、英仏独の欧州主要国は軒並み参加した。また、「一帯一路」の通路にあたるギリシャでは、中国の国有海運大手、中国遠洋海運集団（コスコ・グループ）が国内最大のピレウス港の一部の運営権を取得した。こうして欧州と中国の貿易量は増え、中国はＥＵの最大の貿易相手国となった。

しかし、蜜月は長く続かなかった。２０２０年6月、中国が香港で国家安全維持法（国安法）を施行させると、ＥＵは翌7月、「重大な懸念」を表明し、中国当局の監視活動に利用可能な技術や機器の対中輸出を規制し、香港市民のビザ取得を簡素化することを決めた。同法は施行後、国家の安全に危害を加える行為を理由に、民主活動家やメディア経営者を逮捕・起訴する根拠となり、欧州諸国の反発はさらに強まった。

欧州議会は２０２１年5月、ＥＵと中国が相互の投資拡大を目指して、２０２０年12月に締結した包括投資協定について、批准に向けた審議を停止した。新疆ウイグル自治区におけるウイグル人への人権侵害を理由に挙げた。さらに、中国による台湾侵攻の観測が高まると、ＥＵは２０２１年9月、インド太平洋戦略を発表し、日本や韓国と結束し、台湾との関係強化を目指す方針を表明した。ＥＵ加盟国からも中国と距離を置く動きが出始め、フランスやチェコなどの国会議員団は台湾を訪問して協力強化を伝えたほか、バルト3国（リトアニア、エストニア、ラトビア）は２０２１年5月～２２年8月、「17＋1」からの離脱を相次いで表明した。２０２３年10月に北京で開催された第3回「一帯一路国際フォーラム」で、ＥＵ加盟国から出席した首脳は、ハンガリーのビクトル・オルバン首相だけだった。習主席と会談した首相は「複雑な情勢下でも、ハンガリーは中国との友好協力関係を深め、ＥＵにおいて中国の信頼できる友人であり続ける」と訴えた。ＥＵ加盟国の多くが反中になっている状況を暗に伝えたとも言える。

欧州が強硬姿勢に転じたのは、習政権が「一つの中国」を掲げて、香港、新疆ウイグル自治区、台湾政策で強権を発動するとともに、憲法を改正して国家主席の任期を撤廃し、権力の独裁化を強めたためである。欧州諸国の間で、経済の自由化が民主化を促すとの期待が幻想に終わり、中国とは自由と民主主義の理念を共有できないとの認識が強まった。欧州が安全保障上重視しているウクライナ戦争で、中国がロシアを支援しているとの見方も、反中が広がる一因となっている。さらに、インフラ整備など「一帯一路」の経済協力が進展せず、中国の国有企業に欧州企業の内部情報が流出しているのではないかという懸念もくすぶった。これに対し、中国は２０２１年６月、中国への制裁に対して報復する「反外国制裁法」を成立させたほか、欧州議会議員に対しても、入国を禁止する措置に出た。

欧州議会の報告書「ＥＵ―中国２０３０」は２０２２年末、１７１人の中国ウォッチャーに将来における双方の関係を展望してもらったうえで、「欧州と中国は、権威主義的な介入に対する欧州内部の反発と欧州外の同盟構築により、組織的な競争関係を強めるだろう」と予測した。双方の関係は今後、改善よりも悪化の色彩が濃厚になると言えるだろう。

とはいえ、ＥＵは中国との対話のチャンネルを閉ざしていない。ＥＵのシャルル・ミシェル欧州理事会常任議長（ＥＵ大統領）は２０２２年12月、北京を訪れ、習主席と会談し、ウクライナ戦争の平和

第49章
敵対と友好の対欧州関係

的解決で一致した。マクロンは2023年4月の訪中で、EUの政策執行機関・欧州委員会のウルズラ・フォン・デア・ライエン委員長とともに、北京で習主席と会談し、中国がロシアに軍事支援しないよう要請し、対話の継続で一致した。EUのなかには、バルト3国など対中関係が薄い国々がある一方で、ドイツやハンガリーなど中国との経済的結びつきが強い国々があり、中国とは一定の関係を維持する必要がある。一方の中国は、仏トゥールーズに拠点を置く航空大手エアバスから航空機160機を受注する契約を結び、訪中したマクロンに経済的利益を与え、EUの対中強硬姿勢を軟化させようとしている。

中国と欧州は古代から経済的利益によって結びついている。天安門事件から5年後の1994年9月、江沢民・中国国家主席がフランスを公式訪問した。フランソワ・ミッテラン仏大統領は江沢民との会談後に演説し、「フランスは欧州連合の建設という大きな目標を掲げており、その創設メンバーとして、中国経済の目覚ましい発展に特別の注意を払っている」と強調した。両国の関係正常化は、事件後の対中制裁を骨抜きにするとの批判があったが、1993年のEU創設に尽力したミッテランは、巨大な中国市場を見据える自国と欧州の利益を優先した。欧州統合の推進力となった第2次世界大戦の惨禍は、欧州市民の貧困や窮状を背景にしており、ミッテランにとってEUの経済的繁栄は欧州安定の生命線だった。

そうした姿勢は現代にも通じる。習主席と会談したフォン・デア・ライエンは、訪中前の2023年3月の演説で、「中国は国内で一層抑圧的となり、国外で一層独断的になっている」と批判しながら、「我々の対中関係は極めて重要なので、それを危険にさらすことはできない」とも話し、関係維持の必要性を訴えた。中国との経済関係を重視する一部加盟国の意向に配慮した発言である。彼らの要望を無視すれば、ＥＵの不協和音につながり、欧州の安定が脅かされかねない。時代を超え、ＥＵ指導層は硬軟両様の対中政策を求められている。

（本間圭一）

50

世界が注視する対バチカン関係

★歴史的和解の裏で国交回復交渉は膠着★

1949年の中華人民共和国の成立当時、キリスト教カトリック教会は中国においてプロテスタント教会の約3倍の信者数を擁し、ローマ教皇の任命した司教（中国語で「主教」）が各地の教会を率いていた。これに対し、中華人民共和国はカトリック教会を、宗教活動の名目で欧米による中国の植民地化に加担したとして非難し、1951年に中国とバチカンは断交した。

断交により、中国共産党政権を支持するカトリック公認団体は、国内の司教の独自任命を進めた。他方、教皇への信仰を重んじる聖職者と信者は、教会活動に対する共産党政権の介入を拒否し、教皇のみに従う「地下（非公認）」教会を形成した。中国のカトリック教会は公認と非公認に分裂し、教皇が任命した司教と中国側が任命した司教、さらに双方が承認した司教と、3種類の教会指導者が併存する状態が続いた。

他方、中国の信者は外交関係の途絶後も、公認・非公認を問わず教皇への信仰を維持した。1980年代の改革・開放政策に伴い、中国政府による宗教統制が緩和されると、当時の教皇ヨハネ・パウロ2世（在位1978〜2005年）は、中国教会の分裂解消に向けた働きかけを試みた。中国とバチカンの外交関係の改善に向けた非公式交渉も確認されたが、交渉は一進一退だった。カトリック教会は、国家を複数の教区に分け、教皇が各教区の司教を任命して信者を指導する教会統治を原則とする。これに対して中国政府は「宗教団体は外国勢力による支配を受けない」（憲法第36条）との原則を掲げ、教皇が司教任命に関わることを公式には認めていない。公認団体の中国天主教主教団（第13章参照）は、中国の各教区が独自の「選挙」を行い、同主教団の承認を経て司教を任命するよう求めている。実際の任命プロセスでは、各教区がバチカンと非公式に連絡をとり、原則として中国政府とバチカンの双方が認めた司教を任命する方式が2000年代までに定着したとみられる。ただ、意見が一致しない場合は双方が独自に司教を任命したため、その度に両国間の交渉は停滞した。

外交交渉が加速したのは、両国の指導者がほぼ同時に交代し、習近平（シージンピン）国家主席とフランシスコ教皇が就任した2013年以降である。習近平政権は、欧州で唯一、外交関係のないバチカンとの国交回復を目標とした。対してフランシスコ教皇は、約70年間の断交に終止符を打って中国教会の分裂を解消し、アジア宣教を強化することを目指した。

2018年9月、最大の懸案だった司教の任命手続きについて両国は北京で暫定合意に署名した。合意により、中国の公認団体が独自に任命した司教7人の破門が解かれ、教皇の承認を得た。両国は関係回復に向けた協議継続にも合意し、歴史的な和解をみた。合意内容は公表されていないが、カトリック系メディアは、中国側が従来の手続きで司教候補1人を選び、教皇が追認する内容であると報じた。教皇は中国側の候補者に対する拒否権も持つとされる（『天亜社』2018年9月19日）。

暫定合意の期限は2年間で、両国は2020年と2022年の2度にわたり延長に合意した。ローマ教皇庁は合意について「双方の良いコミュニケーションと協力のおかげで有益な合意となっている。今後も教会活動と中国国民のために対話を継続する」との声明を発表した。合意締結により、司教不在が続いてきた教区に新たに司教が任命され、公認教会の組織は強化された。

一方、カトリック教会の内部では、宗教統制の強化を続ける習近平政権との関係構築が教会活動に与える影響が懸念されている。２０１５年に同政権が提起した「宗教中国化」政策により、公認教会に対する共産党・政府の介入が強まった。さらに習政権は、宗教組織や聖職者に対する管理の制度化を進めており、カトリック教会の教義や伝統との矛盾が目立っている。２０２１年に施行された「宗教教職人員管理条例」第3条は、聖職者が共産党の指導を受け入れて社会主義の価値観を実行するよう求める内容だが、教皇が各教会を指導するカトリック教会の原則と矛盾する。また同年施行の「宗教学校管理規則」第5条は、外国組織との協力による宗教教育を禁じたが、カトリック教会の伝統である国境を超えた聖職者の養成と矛盾する。

公認教会とほぼ同数の信者が所属する非公認教会に対しては、暫定合意の締結後に取り締まりが強化された。当局は非公認教会の聖職者が公認団体「中国天主教愛国会」へ加入するよう強制し、応じない場合は拘束している。２０２０年8月には、愛国会に加入しない河北省の賈治国(ジアジーグオ)司教を当局が拘束した。２０２１年5月には、同省の治安当局が非公認教会の教育施設を摘発し、河南省の張維柱(ジャンウェイジュー)司教や神父など約20人を逮捕した。

香港にあるバチカンの非公式外交事務所に勤務する修道女2人は、２０２０年5月に帰省先の河北省で逮捕された。この事務所は、非公認教会を含む中国の各教区とバチカンとの連絡業務を担ってきた。２人の拘束は、中国当局による香港教区への監視強化を示すとともに、バチカンが非公認教会と連絡を断ち、交渉ルートを中国政府に一本化するよう求める共産党政権の圧力とみられる（『ロイター通信』２０２０年12月30日）。

非公認教会に対する一連の迫害に対し、バチカンは公式の反応を控えている。上記の張司教らの一斉逮捕は、カトリック教会が「中国の教会のために祈る日」と定めた5月24日の直前だったが、やはり反応を示していない（『ラジオフリーアジア』２０２１年5月23日）。

香港問題でもフランシスコ教皇は、国家安全維持法（国安法）の施行直後の２０２０年7月に、香港の状況を憂慮する内容を公式発言から削除し、中国政府に「配慮」を見せた。２０２１年には、中国政府に融和的な姿勢を見せてきた周守仁（ジョウショウレン）を司教に任命した。周司教は２０２３年4月に北京を訪問し、中国本土と香港の教会の交流強化などを、中国当局や公認教会幹部と協議したとみられる。

以上のように暫定合意の締結と2度の延長は、非公認教会の位置付けや香港問題など中国とバチカンの立場が異なる諸課題について、バチカンが譲歩を重ねた結果と言える。教皇は「中国を理解するために対話の道を選んだ」と信者らに支持を求めるが、暫定合意を無視する中国側の措置が続き、「対話から相互理解へ」という教皇が描く道筋とは異なる状況が両国関係に生じている。

２０２２年11月には、教区の区割りをめぐり中国政府とバチカンが対立していた江西省で、バチカンの認めない「江西教区」の補佐司教として、中国天主教愛国会などの公認団体が独自に彭衛照（ポンウェイジャオ）を任命した。彭は２０１２年から、同じ地域でバチカンのみが認める余江教区の司教を務めていた。バチカンは「任命は地方政府の長期間に及ぶ強い圧力によるもので、暫定合意の精神に反している」との声明を発表した。

　2023年4月には公認団体が、バチカンとの事前協議を行わずに上海教区の司教に沈斌（シェンビン）を任命した。1970年生まれの沈斌は江蘇省海門教区の司教で、2022年に中国天主教主教団の主席に就いており、公認団体の幹部である。就任式で沈は「カトリックの愛国愛教の優れた伝統を高め、カトリックの中国化の方針を堅持する」と公認団体の幹部らを前に述べた。バチカンはこれに対し、「中国当局の決定は就任の数日前に知った」と非難する声明を発表した。

　しかしながら、習近平政権が宗教政策を変更する可能性は低く、対バチカン関係における同政権の目標は一貫してバチカンと台湾との国交断絶である。2021年10月に両国の交渉内容の一部が報じられ、中国政府が国交回復の条件として台湾との断交を提起したことも明らかになった（『聯合報』2021年10月25日）。

　ただ、暫定合意が無視される状況でバチカンが台湾との断交を選ぶ可能性は低く、バチカンによる対中融和路線にも限界が目立ち始めた。習近平とフランシスコ教皇の主導で改善基調にある両国関係だが、正式な国交回復に至る道筋は見通せないままである。

（佐藤千歳）

51

中南米で広まる影響力

——★台湾孤立化や資源獲得を狙い、「米国の裏庭」へ進出★——

２０２４年1月時点で、南米12ヵ国のうち、台湾が「中華民国」の国号で国交を持つのはパラグアイだけである。この国で２０２３年４月、大統領選が行われた。国際的な注目を集めたのは、与党候補が台湾との外交関係の継続を訴えたのに対し、野党候補が、台湾から中華人民共和国への外交関係の転換に言及したためである。台湾はかつて南米10ヵ国と外交関係を持っていたが、この選挙で野党候補が当選すれば、南米で外交力を失う可能性が高まる。結果は与党候補の勝利で終わった。台湾外交部（外務省）は選挙後、「新政府と協力と交流を深める」と歓迎のコメントを発表したが、中国政府は沈黙した。

米州大陸の中部・南部に当たる中南米とカリブ海地域は元々、モンゴロイド系の先住民（インディオ）が長く居住してきた地域である。15世紀後半に航海者クリストファー・コロンブスが現在のバハマ諸島に漂着して以来、欧州人が次々に入植し、16世紀末までに、その大半の地域がスペインまたはポルトガルの植民地となった。しかし、19世紀になると、両国の国力が衰え、クリオーリョ（植民地生まれの白人）を主体に独立の機運が高まり、シモン・ボリバルやホセ・デ・サン・マルティンといった指導

第51章

中南米で広まる影響力

者がクリオーリョを束ね、ベネズエラ、コロンビア、アルゼンチン、チリ、ペルーで独立国家が誕生した。

やがて、米州大陸北部の米国がこの地域で覇権を広げていく。共和党のセオドア・ルーズベルト大統領（任1901～09年）は、米州大陸における米国の介入を正当化し、その政策は「ルーズベルト・コロラリー（系論）」と呼ばれた。具体的には、棒を持ちながら穏やかに交渉する「こん棒外交」が適用され、例えば、パナマをコロンビアから独立させ、パナマ運河地帯の永久租借権を獲得した。強権的な姿勢は、後継のウィリアム・タフト大統領（任1909～13年）や民主党のウッドロウ・ウィルソン大統領（任1913～21年）の時代も変わらず、政治・経済的理由から、ドミニカ共和国、ハイチ、ニカラグアに軍事介入した。しかし、各国で米国への反発が強まったことから、フランクリン・ルーズベルト大統領（任1933～45年）の時代に、内政不干渉を原則とする「善隣外交」に方針転換し、米国は友好を通じて、影響力の確保を目指すことになった。

アプローチは変わっても、米国がこの地域を「裏庭（Backyard）」として勢力下に置こうとする戦略は、第2次世界大戦後の冷戦期も続いた。1962年のキューバ危機で、ソ連がキューバでミサイル配備を進めた際、ジョン・F・ケネディ大統領（任1961～63年）が海上封鎖でこれに応じたのは、こうした戦略の表れである。1950～70年代には、米中央情報局（CIA）などの組織が暗躍し、ブラジルやチリで左派政権をクーデターで崩壊させ、軍事政権を支援した。右傾化した中南米諸国の政権は外交的には共産圏を敵視し、アジアでは中国ではなく台湾との国交を維持した。

中華民族は元々、この地域での影は薄い。19世紀中盤以降、労働者としての契約移民は増加したが、地理的な距離、人種的な隔たり、微弱な国力から、大きな存在感を示せなかった。しかし、21世紀に入ると、中国がこの地域における関与を強めた。その狙いは、第一に台湾政策、第二に対米政策、第三に資源獲得にある。

第一の台湾政策では、台湾が国際連合から脱退する１９７１年より以前には、70ヵ国を超える国々と外交関係を結び、中南米でも中国よりも台湾と国交を持つ国の方が多かったという背景がある。同年に国連に加盟した中国は承認国を増やそうとしていく。中国政府が２００８年に発表した「対ラテンアメリカ・カリブ海政策文書」は、「一つの中国」を軸にした関係強化を表明した。巨額支援を軸に台湾から中国への外交政策の転換を誘うものだった。

２０１２年11月に発足した習近平政権は、台湾を中国領の一部と見なして「一つの中国」を掲げ、統一の機会を模索し始めた。特に、台湾で２０１６年、中台を同一の国と見なさない蔡英文政権が発足すると、中国は外交攻勢を加速させた。その主戦場が中南米・カリブ海地域となった。２０１７年初頭に台湾が外交関係を持っていた21ヵ国のうち、12ヵ国がこの地域に集中していたためである。中国は経済支援を軸にこうした国々に接近し、

2023年6月、中国との国交樹立を受けて初訪中し、習近平国家主席（左）と歓迎式典に臨むホンジュラスのカストロ大統領（写真：新華社 / アフロ）

第51章

中南米で広まる影響力

パナマ（2017年6月）、ドミニカ共和国（2018年4月）、エルサルバドル（2018年8月）、ニカラグア（2021年12月）、ホンジュラス（2023年3月）が相次いで台湾と断交し、中国と国交を樹立した。その見返りとして、パナマが鉄道建設、エルサルバドルが公共事業や新型コロナウイルスのワクチン、ホンジュラスが巨額の経済支援と、それぞれ中国から実利を得たと伝えられている。

台湾外交部によると、2024年1月15日時点で台湾と外交関係を持つのは12ヵ国だけとなり、このうち中南米・カリブ海は、過半数の7ヵ国に上る。中国は今後もこの地域へのアプローチを強めるに違いない。

第二の対米政策では、米中対立が深刻化するにつれ、米国の「裏庭」への影響力を確保する思惑がある。中南米では過去20年余、米国流のネオ・リベラリズム（新自由主義）路線が貧富の格差や経済不振の原因だとして、反米や離米を掲げる左派政権が誕生している。共産主義ほど赤色でないことから、「ピンクの潮流（Pink Tide）」と呼ばれる政治現象である。ベネズエラやキューバなど10ヵ国は、米州ボリバル同盟（Alianza Bolivariana para los Pueblos de Nuestra América：ALBA）を結成し、反米外交を展開している。そこに米国と覇権争いを演じる中国が割り込んだ。

習近平国家主席は2013年以降、この地域を頻繁に訪れているが、米国が距離を置く左派政権の国々への訪問を欠かさない。2014年7月に歴訪したブラジル、アルゼンチン、ベネズエラ、キューバは、いずれも反米・離米の左派勢力が政権を握っていた。ブラジルは、中国やロシアがメンバーとなっている新興5ヵ国（BRICS、2024年1月に10ヵ国へ拡大）の一角でもある。ルイス・イナシオ・ルラ・ダ・シルバ大統領は2023年4月、5回目となる訪中で、ブラジルと中国が衛星通信を共同開

〔図1〕中南米・カリブ海地域への関与を強める中国

発することなどで合意した。最近では、南半球を中心とした新興国や途上国を指す「グローバル・サウス」という概念が広がっている。米国など豊かな先進国を「ノース（北）」と位置付け、グローバル化の波に乗れない国々を「サウス（南）」として扱うもので、それが中国と中南米・カリブ海諸国を束ねる求心力の一つとなっている。

中国の対米戦略には、軍事的な計算も働いているようだ。２０１５年には、アルゼンチンの反米左派、アルベルト・フェルナンデス大統領が、中部ネウケン州にある約２００ヘクタールの宇宙観測施設を中国に貸与していることが明らかになったが、中国軍が施設を管理していることから、軍事利用との懸念が出ている。

米国は台湾に軍事支援を行い、中国による併合を牽制している。中国にとっては、米国の「裏庭」に進出することで、将来的に米中両国が相互に勢力圏から手を引く狙いがあるのかもしれない。

第三の資源獲得では、中国が中南米地域から希少資源を輸入する戦略がある。国際通貨基金（IMF）の統計によると、中国と中南米・カリブ海諸国との貿易額（輸出額と輸入額の累計）は1980年、11億4920万ドルで、米国と同諸国との貿易額の2％に過ぎなかった。しかし、21世紀に入って増加が著しくなり、2021年には1980年比で372倍の4283億8492万ドルとなり、米国と同諸国との貿易額の48％に達した。中国が最大の貿易相手国という国は少なくとも9ヵ国に上っており、2035年までに貿易額は現状の2倍に達するとの推計もある。この地域における米国の経済覇権が揺らぐ結果となっている。

中国への輸出で目立つのは、銅、原油、リチウム、ウランといった鉱物資源のほか、大豆やトウモロコシなどの食料である。このうち鉱物資源の輸入元は、原油がベネズエラ、リチウムがボリビア、チリ、アルゼンチンだ。一方、中国からの輸入は付加価値のある商品が多く、この地域の製造業に打撃を与えているといわれる。中国は、ベネズエラなど財政赤字の深刻な国々に融資を続けており、関係国は「債務の罠」に陥る可能性がある。

中国が中南米・カリブ海地域で存在感を示すことで、中国はこの地域における米国の100年を超す覇権に挑んでいるようかのように見える。覇権国家の長期サイクル論の視点では、中国がこの地域で新たな強国として台頭するとの見方もある。ただ、この地域には、覇権国家に抵抗を示してきた長い歴史がある。この地域で親中の度合いが深まるのは、経済的実利を獲得し、米国を牽制するためという側面が強く、将来的に中国の影響力と存在感が過度に強まれば、これに抵抗する勢力が出てくることは間違いない。

（本間圭一）

52

独自路線の対中東・アフリカ外交

★内政不干渉を原則に加速する関係緊密化★

近年、米国の外交安保戦略の重心がインド太平洋へシフトするなか、中国はその隙をつくようにして中東・アフリカ諸国との関係強化に動いている。欧米などとの間で安全保障や経済、人権をめぐる摩擦を恒常的に抱える中国にとっては国際政治の場でいかに「親中」国家を増やしていくかが喫緊の外交課題であり、いわゆるグローバル・サウスのなかでも石油、鉱物など豊富な資源が集中する中東・アフリカは経済貿易面の実利とあいまって中国の国際戦略の重点地域となっている。

第三世界の盟主を自認してきた中国にとって、対中東・アフリカ外交は自国の国際的な威信や影響力を高めるうえで長年にわたり独特の地位を占めてきた。1949年の新中国建国から21世紀の今日に至るまでの対中東・アフリカ外交は、大きな流れのなかで見れば、1950~70年代の政治優先の国際主義外交の時代と、1980年代以降の改革・開放を背景とした国益重視外交の時代に区分してとらえることができる。

中国が中東・アフリカ諸国に接近する契機となったのは、1955年4月、インドネシアのバンドンで開かれたアジア・アフリカ会議（バンドン会議）である。会議に参加した中国の周恩(ジョウエン)

第52章

独自路線の対中東・アフリカ外交

来首相はエジプト、エチオピア、リベリア、リビア、スーダンなどの代表と相次いで会談し、特にアラブ民族運動の指導者として脚光を浴びていたエジプトのナセル首相とは再三会談を行った。以降、両国関係は急速な進展を見せ、1956年5月に国交を樹立するに至った。エジプトは中国と正式な国交を持つ最初のアフリカの国となった。中国は1950年代末にかけてシリア、イラク、アルジェリア、スーダンなど地域の主要国と相次いで国交を樹立する。

その後、周恩来は1963年12月から1965年6月にかけて3回にわたり、エジプト、アルジェリア、ガーナ、タンザニアなどアフリカ11ヵ国を訪れ、帝国主義と植民地主義に反対し、民族独立闘争を支持するとの中国の基本的立場を表明した。東西冷戦が深まるなかで、中国は「平和5原則」(領土・主権の相互尊重、相互不可侵、内政不干渉、平等互恵、平和共存)に立脚しつつ、英仏など欧州の旧宗主国に不信感を抱く中東・アフリカ諸国へ食い込んでいった。

アフリカで計17の独立国が誕生し、「アフリカの年」と呼ばれた1960年以降、中国はこれらの国々との国交を相次いで樹立した。1960〜70年代に中国が外交関係を持ったアフリカ諸国は34ヵ国に上る。この時期の中国の対アフリカ援助を象徴する事業はタンザン鉄道(1975年に完成したタンザニアのダルエスサラームとザンビアのカピリ・ムポシを結ぶ鉄道)の建設で、1億8900万ドルの巨費が投じられた。

もちろん、中国の対アフリカ援助は、表向きは国際主義の旗を振りつつも、東西冷戦や中ソ対立が激化するなかで孤立を深めていた自らの立場を、第三世界の幅広い支持をとりつけることによって強化しようという戦略でもあった。中国がアフリカ諸国との間で結んできたきずなは、1971年の中国の国連復帰の際に強力な援軍となり、国連総会で中国の代表権回復を求めるアルバニア決議案の採決が行われたときには、76票の賛成票のうちアフリカ諸国が3分の1以上の26票を占めた。1970年代から90年代にかけて中国は地域情勢のカギを握るイラン、パレスチナ、サウジアラビア、イスラエル、南アフリカなどとも国交を結び、対中東・アフリカ外交の基盤整備を完了した。現在、中国は南アフリカとは新興5ヵ国（BRICS、2024年1月に10ヵ国へ拡大）を通じて政経両面の関係を深めているほか、アフリカ北東部のジブチには2017年に初の海外基地を開設し、軍事的プレゼンスも高めている。

中国の対アフリカ戦略で国際的に大きな注目を集めたのは、2000年10月に北京で初めて開催された「中国アフリカ協力フォーラム閣僚級会議」である。この会議には、アフリカ45ヵ国の首脳・閣僚が参加し、アフリカ諸国の対中債務100億元減免などを盛り込んだ「中国アフリカ経済社会発展協力綱領」が採択された。中国の本気度を見せつけたのは、エチオピアの首都アディスアベバに本拠を置くアフリカ連合（AU）の20階建て新本部ビル建設事業に約2億ドルを出資したことである。長期的な関係強化を視野に入れた先行投資であったが、その効果は経済交流拡大や国家戦略への支持となって表れた。中国はアフリカの最大貿易相手国となり、2022年の貿易総額は2600億ドルを突破した。中国は自らが「最大の発展途上国」であることをアピールし、「一帯一路」ではアフリカ52ヵ国とAU委員会の参加を勝ち取った。

一方、中国は中東アラブ諸国とも連携の枠組みを設け、影響力の浸透を図っている。2018年7月、北京で「中国アラブ協力フォーラム」閣僚級会議を開催し、習近平（シージンピン）国家主席は「パレスチナとイスラエルの2国家共存」「東エルサレムを首都とするパレスチナ国家樹立」を訴え、その見返りにアラブ諸国がイスラエルと国交樹立する「アラブ和平案」に基づく和平交渉を中国として支持する考えを表明した。２０２２年12月には習近平国家主席がリヤドで開かれたアラブ諸国・機関との首脳会議に参加し、「人権問題の政治化」に反対するリヤド宣言を採択するとともに、「新時代の中国アラブ運命共同体」構築をうたい上げた。習主席は中国がインフラ建設、食糧生産、衛生医療、エネルギー、環境保全、人材育成、軍事などの分野で支援を拡大する方針を明らかにし、２０２７年には双方の貿易額を４３００億ドルにまで拡大する構想を打ち上げた。

中国が特に重視しているのは中東最大の産油国であり、中国にとって最大の石油供給国でもあるサウジアラビアとの関係強化である。２０２１年3月、中国の王毅（ワンイー）外相はサウジでムハンマド・ビン・サルマン皇太子と会談し、「中国はサウジが国家の主権、民族の尊厳および安全と安定を守ることを断固支持する。いかなる勢力も、どんな口実であれ、サウジ内政に口出しすることに反対する」と明言し、サウジ側と内政干渉反対の原則で一致した。サウジは２０１８年にトルコのサウジ総領事館で起きたサウジ人記者殺害事件で米欧諸国から非難されており、こうした問題を念頭に置いた会談だった。サウジ側は中国の友好姿勢に応えて新疆ウイグルや香港、台湾問題での中国の立場を支持した。

中国は２０２１年3月、米国と敵対関係にある産油国イランとも経済、安全保障などの分野で今後25年間にわたって関係強化を推し進める「包括的協力文書」に調印し、中国が石油化学、港湾、鉄道などのインフラ整備を支援する代わりにイランが中国に原油などを安く供給する協力体制を確立した。サウジ、イラン両国への接近は重要な外交成果として結実した。中東では２０１６年1月にイスラム教シーア派大国のイランとスンニ派の盟主サウジアラビアが断交し、地域の不安定要因となっていたが、2023年3月、中国が仲介に乗り出して両国の外交関係の正常化を成功させたのである。米サウジ関係の悪化の隙をつく外交工作で、中国は中東政策で大きなポイントを稼いだ。パレスチナ自治区ガザを実効支配するイスラム主義組織ハマスとイスラエルの間で同年10月に勃発した戦闘に関しては、従来通り「2国家共存」を主張しつつも、アラブ側に配慮する姿勢を示し、イスラエル支持の米国などと一線を画した。

なお、サウジ、イランと並ぶ地域大国トルコと中国の関係は双方にとって微妙なものがある。同じテュルク系民族という親近感からウイグル問題に関心を寄せるトルコは中国のウイグル族抑圧に批判的だが、「一帯一路」に参加するなど経済貿易面では対中傾斜を強めている。中国も「一帯一路」の要衝であるトルコと政治的に対立することは望んでおらず、経済協力を武器にウイグル問題を封印したい考えだ。

米欧と人権問題などで対立する中国と、同じく民主化や人権をめぐって欧米からの圧力にさらされている国が多い中東・アフリカは、内政不干渉など「共通の利益」の擁護で共闘できる部分が少なくない。中東・アフリカ諸国から見れば、投資や支援に当たって民主化や人権問題を条件としない中国は頼りやすいパートナーと言える。中国はその点を計算に入れて戦略的に関係国との連携を深化させている。例えば、台湾問題で武力侵攻をも選択肢に入れている中国にとっては、国連の場で最大限多くの援軍を確保しておくことが外交上の最重要課題の一つだ。実際、55ヵ国・地域で構成されるAUの存在感は大きく、国連ではアフリカ諸国が有力な中国応援団として機能している。2022年10月、国連人権理事会は新疆の人権問題について議論の場を設ける決議案を否決したが、アフリカ諸国などが中国の意を汲んで反対・棄権に回ったことが大きく影響した結果だった。

アフリカをめぐっては中国のみならず、米国、欧州、日本、ロシアも接近を図っており、大国外交の草刈り場の様相を呈している。米国は2014年8月、ワシントンにアフリカ約50ヵ国の首脳を集めて初の「米アフリカ首脳会議」を開催し、遅ればせながら失地回復に乗り出した。バイデン政権は2022年8月、アフリカ投資を拡大していく戦略を公表し、同年12月の「米アフリカ首脳会議」では3年間で550億ドルの資金援助を行う方針を示した。日本も2016年8月、ナイロビで開いた第6回アフリカ開発会議（TICAD）で安倍晋三首相が今後3年間で官民総額300億ドル規模の投資を行うことを表明。2022年8月にはTICADの第8回会合をチュニジアで開き、300億ドル規模の支援方針を示したほか、2023年4~5月、岸田文雄首相がエジプト、ガーナなどアフリカ4ヵ国を歴訪し、関係強化のテコ入れを図った。ロシアも2019年10月、ソチで初の「ロシア・アフリカ首脳会議」を開催し、軍事支援を中心に関係強化を進めている。

中国のグローバル・サウス支援は関係国から歓迎されている反面、いわゆる「債務の罠」の問題も抱えている。2021年に世界銀行が発表した国際債務統計によると、中国に対する低・中所得国の債務は2020年末で約1700億ドルに上り、2011年当時と比べると、3倍以上に増大した。2022年、途上国の債務返済額は、二国間返済額では中国への支払いが全体の66%を占めた。中国の影響力が途上国へ浸透するにつれて「新植民地主義」との反発の声さえ聞かれるようになってきている。

（藤野　彰）

53

緊張高まる台湾海峡情勢

★強まる統一攻勢と離れる民意★

台湾海峡を挟んだ中国共産党・政府と台湾当局の緊張が高まっている。台湾通を自任しているとされる習近平（シージンピン）国家主席のもとで中国が軍事面を含む統一攻勢を強める一方、台湾側が米国を後ろ盾に抵抗する構図が鮮明になっているためだ。台湾有事が起きれば隣接する日本は政治・軍事・経済などあらゆる面で巻き込まれることが確実であり、情勢を慎重に見守らねばならない。

「今回の訪問は米議会の台湾に対する盤石な支持の表れだ」。台湾の蔡英文（ツァイインウェン）総統は2022年8月3日、台北市内の総統府でペロシ下院議長（当時）ら米議員団と会談し、訪台への謝意を伝えた。米下院議長は大統領継承順位2位の要職であり、ペロシ議長は1979年に米国が中国と国交を樹立して台湾当局と断交して以降、訪台した米政治家としては最高位だった。同議長は会談で「我々は台湾と全世界の民主を保障するため力を尽くす」と応じた。

台湾を自国の一部と見なす中国は猛反発し、翌日から台湾周辺で大規模な軍事演習を実施した。中国は多数の軍用機を中台の事実上の停戦ラインだった台湾海峡の「中間線」を越えて侵

第53章
緊張高まる台湾海峡情勢

入させ、弾道ミサイルを日本の排他的経済水域（ＥＥＺ）を含む海域に撃ち込んだ。その後は中間線を越す中国軍機の侵入が常態化し、偶発的な軍事衝突のリスクを高めている。

中国と台湾の対立は第２次世界大戦前の国共内戦にまで起源がさかのぼる。１９１２年に誕生した中華民国を支える中国国民党と、共産主義革命を目指す中国共産党は１９２７年に内戦に突入。対日戦で一時停戦・協力（第２次国共合作）したものの、毛沢東（マオゾードン）が率いる共産党が１９４９年に中華人民共和国を建国し、事実上勝利した。蔣介石（ジアンジェシー）が率いる国民党は同年、中華民国体制ごと台湾へ敗走し、中台の分断が始まった。

「台湾解放」を唱える中国共産党・政府と「大陸反攻」を掲げる台湾当局・国民党は、中国福建省アモイ沖数キロメートルに位置し、台湾側が実効支配する金門島などで限定的な軍事衝突を起こしたものの、分断は固定化した。中国がその後、文化大革命による混乱に陥る一方、台湾は米国の保護のもとアジアＮＩＥＳ（新興工業経済地域）の一員として繁栄した。中国が中華人民共和国、台湾が中華民国として「中国の正統政権」を自任し、国連の代表権争いなど外交戦を展開しつつも、別々の政治実体として歩んだ。

中台関係（中国語では両岸関係）は１９９０年代に入ってから動き始めた。文革の傷を癒やした中国では最高実力者の鄧小平（ドンシアオピン）を後ろ盾に江沢民（ジアンゾーミン）国家主席が政権基盤を固め、台湾では初の本省人（戦前からの台湾住民とその子孫）総統である李登輝（リードンフイ）が権力を掌握した。お互いが相手を国と認めていないため、それぞれが交流窓口となる団体を設立し、事実上の当局間対話の準備に入った。１９９２年には窓口団体の実務者同士が香港で接触し、対話の前提として中国大陸と台湾は一つの国に属するという「一つの中国」の原則を口頭で認め合ったとされる。これを「92年コンセンサス」と呼ぶ。

この時期には、経済発展で先行した台湾の企業が中国南部の広東省などに工場進出し、民間交流が盛んになっていた。中国側には対話をテコに関係を政治分野にまで広げ、鄧小平が1982年に言及した「一国二制度」による台湾統一につなげる狙いがあった。台湾側の李登輝は2000年の総統退任後に急進独立路線に転じたが、当初は中国に進出した台湾企業の権益保護など実利を求め、本心を隠して対話に臨んだようだ。

1993年には両窓口団体のトップがシンガポールで会談し、団体間協議の定期開催や知的所有権の保護、犯罪捜査での協力などで合意した。対話のメカニズムができ、台湾海峡の緊張は一時的に緩和した。ところが、台湾が1996年に初の総統直接選挙を行うと、中国は近海でミサイル演習を実施し威嚇した。台湾初の民選総統となった李登輝が1999年、中台は「特殊な国と国の関係」だと発言すると、中国は再び反発し、当局間対話は完全に中断した。

2000年の総統選で民主進歩党（民進党）の陳水扁（チエンシュイピン）が当選して台湾初の政権交代を実現すると、中台関係の性質は大きく変わった。民進党は長年続いた国民党独裁に反対する台湾土着の政治勢力が母体で、中華民国に代わって「台湾共和国」を建国することを党綱領に掲げる。中台対立は「中国の正統政権」争いから「統一・独立」問題へと軸が移った。陳水扁は台湾の公的機関で使われていた「中国」「中華」の呼称を「台湾」に置き換える「正名運動」などを推進。中国は反発し、2008年までの計2期の任期中、中台関係は緊張が続いた。

2008年の総統選で馬英九（マーインジウ）が勝利し、国民党が政権復帰すると、中台対話が再び動き始めた。中国生まれの国民党は野党時代の2005年、「92年コンセンサス」を認めたうえで、共産党との政党間交流を始めていた。中台当局は馬英九が総統に就任すると、直ちに対話を再開し、中台間の航空直行便の開設などで合意。2010年には国家間の自由貿易協定（FTA）に相当する「海峡両岸経済協力枠組み協定（ECFA）」を締結した。

2014年には、国務院台湾事務弁公室主任（中国側）、行政院大陸委員会主任委員（台湾側）という、中台関係を担当する閣僚級当局者同士が中国・南京で会談し、中台当局が窓口団体経由ではなく直接対話する時代に入った。2015年11月には中国の習近平、台湾の馬英九がシンガポールで史上初の中台首脳会談を開き、当局間ホットラインの開設などで合意した。台湾海峡の緊張は1949年の分断以降、最も和らいだ。

しかし、2016年の台湾総統選で蔡英文が当選して民進党が政権復帰すると、中台蜜月は終わりを告げた。中国は蔡英文が「92年コンセンサス」を認めないことを批判し、対話の停止を通告。台湾が外交関係を持つ国を奪う外交戦を再開し、台湾承認国は中米地域を中心とした2016年5月時点の22ヵ国から2024年1月15日には12ヵ国にまで減少した。馬政権時代には黙認していた世界保健機関（WHO）など一部の国際会議への台湾代表の参加にも圧力を再び加えている。

一方で、政治の紆余曲折に比べると、中台の経済関係はおおむね順調に拡大してきた。2022年の台湾から中国（香港を含む）への輸出は約1859億ドルと2001年の約5・5倍に膨らんだ。同年の中国の世界貿易機関（WTO）加盟を機に、パソコン組み立てなど台湾の主力産業であるIT（情報技術）製造業で工場の中国進出が加速。台湾で製造した半導体、液晶パネルなど基幹部品を中国に輸出し、中国の割安な労働力でパソコンやスマートフォン（スマホ）など完成品に組み立て、世界に輸出するサプライチェーン（供給網）が完成している。

代表例が、米アップルのスマホ「アイフォーン」の製造を担う台湾の鴻海精密工業だ。電子機器の受託製造サービス（EMS）で世界最大手の鴻海は広東省深圳や河南省鄭州に巨大な工場を持ち、ピーク時には中国で約100万人を雇用していた。企業別で見れば、鴻海グループは中国からの輸出の最大の担い手だとみられる。

中台関係の将来を占うカギは大きく分けて三つある。一つは2022年10月の第20回共産党大会で総書記3期目に入った習近平の出方だ。習近平は中央入りする前の17年間、台湾対岸の福建省で地方指導者を務め、台湾企業の誘致に携わった。「台湾通を自任している」（台湾問題が専門の中国人学者）とされ、前々任の江沢民、前任の胡錦濤（フージンタオ）に比べ、台湾問題への思い入れがずっと深いといわれる。

「台湾問題を解決し、祖国の完全統一を実現することは、党の揺るぎない歴史的任務であり、あらゆる中国の子女の共通の願いであり、中華民族の偉大なる復興を実現するための必然的な要件だ」。習近平は党大会の政治報告で改めてこう語った。中国はもともと、台湾問題を少数民族による独立の動きがくすぶるチベット、新疆ウイグルと並ぶ「核心的利益」と位置付けており、習近平が在任中の台湾統一を目指し、攻勢を強めるのは確実だ。

もう一つは台湾の住民意識だ。台湾住民の大多数は自らが中国系の「華人」だと考えているが、分断の長期化に伴い、「中国人」だと考える人は減っている。台湾の政治大学が定期的に行っている住民アンケートでは、2023年6月には62・8%が自らは「台湾人」だと回答した。「台湾人でもあり中国人でもある」が30・5%を集めたものの、「中国人」であるとの回答はわずか2・5%にとどまった。政治大学が1992年に始めたこのアンケートではもともと「台湾人意識」が年々高まる傾向が見てとれるが、香港の民主化デモが中国主導で封じ込まれた2020年に「台湾人」だとの回答が急増した。習政権が強硬姿勢をとればとるほど、台湾の民意は統一から離れていく構図だ。この民意は2期目の任期が切れる蔡英文の後任を選ぶ2024年1月の台湾総統選にも大きく影響した。

2024年1月13日の台湾総統選で勝利宣言する民進党の頼清徳副総統（左）と次期副総統の蕭美琴・前駐米台北経済文化代表処代表（写真：ロイター / アフロ）

総統選は嫌中・親米を基本路線とする与党・民進党と、対中融和をともに掲げる最大野党・国民党、第3政党・台湾民衆党による三つどもえの戦いとなった。有権者には長期政権への嫌悪感があったものの、中国への警戒感が上回り、民進党の頼清徳（ライチンドー）候補（副総統）が初当選を果たした。頼清徳は勝利宣言で「私には中国の言論による攻撃と武力による威嚇から台湾を守る決意がある」と述べ、2024年5月の総統就任後も中国の統一攻勢に対抗していく姿勢を確認した。

三つ目は米国の台湾政策だ。米国は1979年に台湾と断交したものの、同時に有事の台湾防衛の法的根拠となる国内法「台湾関係法」を制定し、歴代政権は武器売却などで支えてきた。米中貿易戦争が始まった2018年春以降、トランプ米政権（当時）は台湾への肩入れを一段と強め、2021年発足のバイデン政権もその路線を踏襲してきた。バイデン大統領は2022年9月までに4回にわたり、中国が台湾に侵攻すれば米軍が防衛すると明言している。

米国は一方で、2022年6月に台湾との間で「21世紀の貿易に関する米台イニシアチブ」と呼ぶ枠組みを立ち上げた。米国主導で同年5月に発足した新経済圏構想「インド太平洋経済枠組み（IPEF）」に台湾が参加していないことを補う措置だとみられている。米国が軍事、経済で手厚く台湾を支援していれば、中国としては軽率に手出しできない。

日本は1972年の日中国交正常化と同時に台湾と断交し、その後は経済、観光、文化などの民間交流が日台関係の中心だった。しかし、中国が2022年8月に台湾近海での軍事演習を活発化させて以降、台湾有事は他人事ではないとの見方が広がっている。岸田文雄首相とバイデン大統領による2023年1月の日米首脳会談では、共同声明に「台湾海峡の平和と安定を維持する重要性」を改めて盛り込んだ。

さらには、米中対立の激化に伴い、各国・地域が経済安全保障の重視へと動くなか、台湾積体電路製造（TSMC）など台湾メーカーが戦略物資である半導体で高い世界シェアを占める事実も注目を集めている。仮に、中国による武力行使で台湾にある半導体工場群が被害を受ければ、半導体チップの供給が滞り、パソコンやスマホなどIT機器の供給網が世界規模でマヒすることが確実なためだ。台湾海峡情勢の安定は世界経済にとっても無視できない問題となっている。

（山田周平）

54

死文化した香港「一国二制度」

★北京の統制強化と民主化運動の終焉★

２０２０年6月30日は、社会主義体制下の中国という一つの国のなかで、香港に「高度な自治」を認めた「一国二制度」が死文化した日となった。この日、香港で反体制活動を取り締まる「国家安全維持法（国安法）」が中国政府の主導で施行されたからだ。民主派は国安法の適用で次々と摘発され、中国共産党批判で知られた香港紙『蘋果日報（アップル・デイリー）』も廃刊に追い込まれた。習近平（シージンピン）政権は、香港が１９９７年に英国から中国に返還された後も50年間は既存の資本主義体制や生活様式を維持するとした、返還に際しての国際約束を事実上反故にした。習政権は香港の選挙制度も改変し、香港政府トップを選ぶ行政長官選や立法会（議会）選への立候補者には、政府側が定義する「愛国者」であることを条件とした。民主派が統治機構から完全に排除されることとなり、香港の民主化運動は終焉を迎えた。

19世紀のアヘン戦争により英国植民地となった香港は１９９７年7月1日、中国に返還され、「一国二制度」による統治が始まった。外交・国防を除く「高度な自治」が保障され、中国本土にはない自由と繁栄を享受する香港は、中国による将来の

「台湾統一」を視野に入れた、台湾向けのショーウィンドーでもあった。

返還後しばらくは、「貧しい中国」の影響が「豊かな香港」に及ばないようにするため、中国政府による露骨な香港介入は少なかったとされる。だが、2003年を境に「香港の中国化」が急速に進み始めた。この年、香港で重症急性呼吸器症候群（新型肺炎＝SARS）が大流行し、アジア金融危機の後遺症から完全には立ち直っていなかった香港経済が再び打撃を受けたことに加え、同年7月1日、50万人もの市民が参加する民主化要求デモが起きたことに中国政府が危機感を募らせたためだ。

「7月1日デモの後、中央政府は不干渉政策を見直し、香港政治において『役割を果たす』方針に転換した」（倉田徹『中国返還後の香港』名古屋大学出版会、2009年）。香港と中国が2003年に結んだ経済緊密化協定（CEPA）や中国人観光客の香港への個人旅行解禁はその象徴である。香港への訪問客のうち中国人が占める割合は、2002年当時は40％強だったが、個人旅行解禁後は右肩上がりとなり、2018年には全体の78％超を記録した。2020年以降は新型コロナウイルスの感染拡大で訪問客が激減したものの、水際対策の緩和・撤廃で上向きつつある。

香港での中国の存在感増大は、中国人富裕層の不動産投資による香港の不動産価格高騰、中国人妊婦の越境出産増加による産婦人科の混雑などの社会問題を引き起こし、若い世代を中心に「嫌中感情」が高まった。「嫌中感情」は住民の帰属意識にも変化をもたらした。香港の調査研究機関による帰属意識調査によれば、自分を「中国人」ではなく「香港人」だと考える香港市民の割合は返還後、減少傾向がしばらく続いた。北京五輪があった2008年には「香港人」が18・1％と返還後最低となったのに対し、「中国人」は返還後最多の38・6％に達した。中国初の五輪開催への誇りから、香港人の心に伏流する「中国人」としての部分が強く刺激されたと考えられる。ところが、この流れは五輪後に一変した。２０１２年には「中国人」と答えた人が18・3%にまで減る一方、「香港人」とした人は45・6%を記録した。逃亡犯条例改正案に端を発する反政府抗議運動が大規模化した２０１９年には、「香港人」が55・4%、「中国人」が10・9%と、香港人意識は最高潮に達した。２０２２年12月の調査でも、「香港人」が32・0%、「中国人」は20・5%と逆転したままだ。習政権が強権的な香港統治を続ける限り、「中国人」が「香港人」を逆転することは考えにくい。

香港人意識の高まりは、中国の意向に従う香港政府への抗議運動につながった。２０１２年には香港政府が中国人としての愛国心を教える「国民教育」を導入しようとしたことに香港社会が猛反発し、導入計画を事実上の撤回に追い込んだ。２０１４年秋、行政長官の選挙制度の民主化を求めて民主派や学生らが香港島中心部の幹線道路を約80日間にわたり占拠した「雨傘運動」も同根だ。警官隊の催涙スプレーに雨傘を広げて抵抗する姿に、多くの住民が同調した。ただ、民主化について政府は妥協せず、雨傘運動は失敗に終わった。

政府への絶望と反発を背景に登場したのが、「香港独立」を主張する勢力だ。２０１６年9月の立法会選では、「独立」を主張・支持する新興の反中勢力6人が当選した。危機感を強めた中国・香港両政府は民主派への締め付けを加速させた。

２０１９年、香港は返還後最大の危機に陥った。香港で拘束した犯罪容疑者を中国本土に引き渡せるようにする「逃亡犯条例改正案」をめぐり、１０３万人デモ、２００万人デモと例のない規模の抗議が6月に行われ、7月1日には55万人規模のデモの後、一部の若者らが立法会に突入して約3時間

香港の民主化を訴え、デモ行進する市民たち。国安法導入後は政府への抗議デモも行えなくなった（2017年7月1日、吉田健一撮影）

にわたり議場を占拠する事態も起きた。これ以降、抗議活動は先鋭化した。香港政府は「（条例が改正されても）政治犯は引き渡さない」としたが、民主派は妥協しなかった。「実際は政治的理由なのに、別の罪名で拘束するのは中国の常套手段だ。中国側に求められたら香港政府は拒めない」（民主派関係者）との懸念が拭えなかったからだ。

7月以降も抗議運動は続き、過激化した若者らと警官隊との衝突も頻発した。林鄭月娥（キャリー・ラム）行政長官は9月4日、改正案の撤回を正式に発表し、事態の沈静化を図った。だが、このころにはすでに、対立の焦点は改正案を離れ、度重なる衝突による香港政府と警察への不信に移っていた。改正案撤回に加え、警官隊のデモ隊への暴力を追及する独立調査委員会の設置、行政長官選の民主化など「五大要求」を掲げていた民主派は対決姿勢を崩さなかった。

事態収拾に手間取る香港政府に業を煮やした習政権は10月、共産党の重要会議で、香港に「国家の安全を擁護する法制度と執行メカニズムを樹立、整備する」と表明し、ついに中国主導で立法を進める姿勢を明確にした。全国人民代表大会（全人代＝国会）常務委員会は２０２０年６月30日、香港国家安全維持法（国安法）を全会一致で可決し、同夜、香港で施行された。国家の分裂、中央政府の転覆、テロ活動、外国勢力などと結託した国家の安全を脅かす行為を禁じ、いずれの罪でも最高刑は終身刑となっている。中国の治安当局が香港に出先機関「国家安全維持公署」を設け、事案しだいで管轄権を行使することも認めた。香港政府の頭越しの法執行が可能となる内容で、米欧日などは強い懸念を表明した。

国安法施行後、香港政府は民主派への締め付けを一気に強めた。8月10日には、『蘋果日報』の創業者・黎智英（ジミー・ライ）や、「民主の女神」と呼ばれ、日本でも知られる周庭（アグネス・チョウ）らが、「外国などの勢力と結託して国家の安全に危害を加えた」として逮捕された。『蘋果日報』も、国安法に基づく資産凍結で新聞発行が続けられなくなり、２０２１年6月24日付の朝刊を最後に廃刊に追い込まれた。周庭は刑務所を出所後に留学したカナダで、２０２３年12月、事実上の亡命を表明した。国安法施行後の3年間に、国家安全に危害を加えたとして逮捕された者は２５０人以上に上る。民主派は総崩れとなり、いまや壊滅状態だ。

中国・香港両政府は、香港の統治機構から民主派を排除する仕組みも整えた。全人代常務委員会が２０２１年3月31日、行政長官と立法会議員の選挙制度の改変案を可決したのである。「愛国者による香港統治」の大原則のもと、立候補者が政府に忠誠を尽くす「愛国者」かどうか、新設の「資格審査委員会」が事前審査することとなり、政府側の判断で民主派を立候補段階でふるい落とすことが可能となった。

特に立法会選は、従来以上に親中派に有利な制度へと変わった。定数を70から90に増やしたが、民意が最も反映され、民主派に有利とされる直接選挙枠は35から20に縮小された。行政長官選出を担う機関で、親中派にほぼ独占されている選挙委員会（定数１５００）の委員に新たに40議席を割り当てた。

選挙制度改変後初の2021年12月の立法会選では親中派が89議席を獲得し、圧勝した。民主派は、事前審査に通らなければ立候補できなくなったため、候補擁立を断念した。一方、中国・香港両政府は、民主制度が機能していると主張するため、知名度の低い非親中派候補の出馬は容認し、13人中1人が当選した。「立法会は全人代と同様、政府の翼賛組織になった」（香港メディア関係者）と言える。

5年の任期満了に伴う2022年5月の行政長官選に林鄭は出馬せず、香港政府政務官を務め、中国政府が支持する李家超（ジョン・リー）が唯一の候補者となった。投票総数の99％の票を得て当選した李家超は治安機関を統括する保安局長として、一部が過激化した2019年の反政府抗議運動を「テロ」と断じて鎮圧するなど民主派摘発を主導した強硬派だ。経済都市・香港で警察出身者がトップに就いたのは初めてのことである。

一方、1999年12月20日にポルトガルから中国に返還されたマカオは、文化大革命の影響を受けた左派系の中国系住民が組織した1966年の大規模暴動後、中国の影響が強まった経緯があり、「中国化」が相当前から進んでいた。香港と違って中国政府との対立もほとんどなく、2009年には中国政府の転覆活動などを禁じる「国家安全法」も大きな反対を受けることなく制定された。民主派の存在感も希薄で、立法会（定数33）でも従来2～4議席を得る程度だった。それでも、反対派の存在を許さない習政権はマカオ統制も強め、2021年9月の立法会選では、マカオの選挙管理委員会が、10人以上立候補を届け出ていた民主派について、マカオ基本法を守らなかったか、マカオ政府に忠誠を尽くさなかったとして全員の立候補資格を取り消し、返還後初めて民主派議員がゼロとなった。

（吉田健一）

pp.50-75, 2018 など。

山田 周平（やまだ・しゅうへい）[21, 26, 27, 28, 53]
桜美林大学大学院特任教授。1968 年生まれ。早稲田大学政治経済学部卒、北京大学外資企業EMBA修了。日本経済新聞で台北支局長、アジア部次長、中国総局長を歴任し、日本経済研究センター研究員兼務を経て 2023 年より現職。共著に『技術覇権　米中激突の深層』（日本経済新聞出版社）、『習近平「一強」体制の行方』（文眞堂）など。

吉田 健一（よしだ・けんいち）[47, 54]
読売新聞東京本社論説委員。1969 年生まれ。大阪外国語大学タイ・ベトナム語学科ベトナム語専攻卒。香港特派員、広州特派員、リオデジャネイロ特派員、ハノイ特派員、中国総局長などを経て現職。共著書に『膨張中国』（中公新書）、『日中対立を超える「発信力」――中国報道最前線　総局長・特派員たちの声』（日本僑報社）など。

李 志東（り・しとう）[24, 25]
長岡技術科学大学大学院情報・経営システム系教授。1962 年生まれ。京都大学大学院経済学研究科博士後期課程修了、博士（経済学）。1990 年に日本エネルギー経済研究所勤務。1995 年に長岡技術科学大学に着任。助教授、准教授を経て、2007 年より現職。著書に『中国の環境保護システム』（東洋経済新報社）など。論文多数。

劉 亜菲（りゅう・あひ）[34]
株式会社 KDDI 総合研究所コアリサーチャー。北海道大学大学院国際広報メディア・観光学院博士課程修了。博士（学術）。現職では、市場調査・事業戦略検討に従事。調査テーマはメディアコンテンツ、消費、NFT など。論文、調査レポートなど多数。著作には「ライブコマースによって変容する消費行動」（論文）、「読書離れに効くオーディオブックの市場拡大戦略を探る」（調査レポート）など。

魯 諍（ろ・そう）[31, 35]
北海道文教大学国際学部国際コミュニケーション学科准教授。2006 ～ 14 年読売新聞瀋陽支局、同中国総局で助手を務めた後、北海道大学国際広報メディア・観光学院大学院博士課程修了、博士（国際広報メディア）。2021 年より現職。共著に『日中対立を超える「発信力」』（日本僑報社）。共訳書に『中国における報道の自由』（桜美林大学北東アジア総合研究所）。

西 茹（シー・ルー）[30, 37, 38, 39]
中国瀋陽在住メディア研究者。1986年、瀋陽師範学院中国語言文学系卒。遼寧省『新思惟輯刊』『遼寧青年』編集者を経て、北海道大学大学院国際広報メディア研究科博士課程修了、博士。2008年同大学院准教授に着任。19年教授に昇進。22年退職。著書に『中国の経済体制改革とメディア』（集広舎・中国書店）、『習近平政権の言論統制』（蒼蒼社、共著）など。

杜 海川（と・かいせん）[33]
Tencent Group、Proxima Beta Japan株式会社プロジェクトマネージャー。北海道大学大学院国際広報メディア・観光学院修士課程修了。DeNA、FunPlus勤務を経て現在まで日中間のゲーム開発、ゲームパブリッシングの共同プロジェクトに従事。修士課程ではコンテンツツーリズムを研究。著作に「中国人観光客を誘致するためのコンテンツツーリズム」（論文）、「日本のコンテンツのメディア越境――日本アニメの伝播における隠された架け橋『字幕組』」。

西村 友作（にしむら・ゆうさく）[14, 15, 16]
対外経済貿易大学国際経済研究院教授。1974年生まれ。2010年に中国の経済金融系重点大学である対外経済貿易大学で経済学博士を取得し、同大学で日本人初の専任講師として採用される。同副教授を経て、2018年より現職。日本銀行北京事務所客員研究員。専門は中国経済・金融。

比嘉 清太（ひが・きよた）[29]
読売新聞国際部記者。1978年生まれ。東京大学教養学部地域文化研究学科卒。長野支局記者、東京本社編集局社会部記者、瀋陽特派員、台北特派員、広州・香港特派員、政治部記者、北京特派員などを経て現職。共著書に『現代中国を知るための44章』。

本間 圭一（ほんま・けいいち）[49, 51]
北見工業大学教授兼国際交流センター長。1968年生まれ。パリ第5大学大学院法学部国際展望学科修了。読売新聞東京本社でリオデジャネイロ特派員、ロンドン特派員、パリ特派員などを経て現職。著書に『アメリカ国務省』（原書房）、『イギリス労働党概史』（高文研）、『反米大統領チャベス』（高文研）、『パリの移民・外国人』（高文研）、『南米日系人の光と影』（随想舎）。

三竝 康平（みつなみ・こうへい）[17, 18]
帝京大学経済学部専任講師。2015年、神戸大学大学院経済学研究科博士課程後期課程修了、博士（経済学）。主な研究業績は、KAJITANI, Kai, CHEN, Kuang-hui, MITSUNAMI, Kohei, How Do Industrial Guidance Funds Affect the Performance of Chinese Enterprises?, *RIETI Discussion Paper Series* 22-E-110, 2022 や NAKAGANE, Katsuji, MITSUNAMI, Kohei, Nexus between privatization and marketization during transition process: an experimental analysis based on China's provincial panel data, *Journal of Contemporary East Asia Studies*, Volume 7, Issue 1,

【執筆者紹介】（［　］は担当章、＊は編著者）

藤野 彰＊（ふじの・あきら）［まえがき、1, 2, 3, 4, 5, 6, 7, 8, 9, 10, 11, 12, 42, 43, 44, 45, 46, 52］

（以下、五十音順）

安生 隆行（あんじょう・たかゆき）［19, 20, 36］
経済産業省通商政策局国際経済課課長補佐（総括および OECD 担当）。在広州日本国総領事館・在上海日本国総領事館専門調査員、三井住友銀行（中国）有限公司企業調査部部長代理、外務省国際情報統括官組織第三国際情報官室専門分析員などを歴任。独立行政法人経済産業研究所コンサルティングフェロー。共著に『日中関係は本当に最悪なのか――政治対立下の経済発信力』（日本僑報社）。他に雑誌への寄稿多数。

池上 彰英（いけがみ・あきひで）［22, 23］
明治大学農学部教授。1957 年生まれ。東北大学大学院農学研究科博士前期課程修了、博士（農学）。農林水産省農業総合研究所、同国際農林水産業研究センターを経て、2001 年より明治大学勤務。著書に『中国の食糧流通システム』（御茶の水書房）、『ＷＴＯ体制下の中国農業・農村問題』（東京大学出版会、共編著）、『中国農村改革と農業産業化』（アジア経済研究所、共編著）など。

石井 利尚（いしい・としなお）［41, 48］
読売新聞東京本社調査研究本部主任研究員。1965 年生まれ。東京外国語大学中国語学科卒。北京特派員、経済部、台北特派員、国際部次長、世論調査部次長、金沢支局長などを経て現職。共著書に『膨張中国』（中公新書）、『チャイナＮＯＷ――50 歳の中国診断』（中央公論新社）。共訳書に『2030 年　中国はこうなる』（科学出版社東京）。

葛 旭（かつ・きょく）［32］
中国河北大学新聞伝播学院講師。北海道大学大学院国際広報メディア・観光学院博士課程修了。博士（学術）。論文に「中国の地方『政務微博』に見る情報公開の役割と限界―― 4 直轄市における突発事件への対応を事例として」、「突発事故発生時における中国の地方『政務微博』の役割と限界――8・12 天津港爆発事故での対応を事例として」など。

佐藤 千歳（さとう・ちとせ）［13, 40, 50］
北海商科大学商学部教授。1974 年生まれ。東京大学教養学部地域文化研究学科卒業後、北海道新聞国際部記者、同北京支局長を経て、北海道大学文学研究科博士課程修了。2013 年より現職。主な著書に『現代中国の宗教変動とアジアのキリスト教』（北海道大学出版会、共著）、『インターネットと中国共産党』（講談社）など。

【編著者紹介】

藤野　彰（ふじの・あきら）

中国問題ジャーナリスト、北海道大学名誉教授。1955年生まれ。早稲田大学政治経済学部卒。読売新聞上海特派員、北京特派員、シンガポール支局長、国際部次長、中国総局長、編集委員を歴任。2012～2019年、北海道大学大学院メディア・コミュニケーション研究院教授。専門は現代中国論、中国共産党史。主な著書に『客家と毛沢東革命――井岡山闘争に見る「民族」問題の政治学』（日本評論社）、『「嫌中」時代の中国論』（柏艪舎）、『臨界点の中国』（集広舎）、『現代中国の苦悩』（日中出版）、『嘆きの中国報道』（亜紀書房）、『客家と中国革命』（東方書店、共著）。訳書に『わが父・鄧小平　「文革」歳月（上下）』（中央公論新社、共訳）、『殺劫――チベットの文化大革命』（集広舎、共訳）など。

エリア・スタディーズ　8

現代中国を知るための54章【第7版】

2024年2月29日　第7版 第1刷発行

編著者　藤野　彰

発行者　大江道雅

発行所　株式会社 明石書店

〒101-0021 東京都千代田区外神田 6-9-5

電話　03（5818）1171

FAX　03（5818）1174

振替　00100-7-24505

https://www.akashi.co.jp/

組版／装丁　明石書店デザイン室

印刷／製本　日経印刷株式会社

（定価はカバーに表示してあります）　ISBN978-4-7503-5718-8

エリア・スタディーズ

1 **現代アメリカ社会を知るための60章**
明石紀雄、川島浩平 編著

2 **イタリアを知るための62章**【第2版】
村上義和 編著

3 **イギリスを旅する35章**
辻野功 編著

4 **モンゴルを知るための65章**【第2版】
金岡秀郎 著

5 **パリ・フランスを知るための44章**
梅本洋一、大里俊晴、木下長宏 編著

6 **現代韓国を知るための61章**【第3版】
石坂浩一、福島みのり 編著

7 **オーストラリアを知るための58章**【第3版】
越智道雄 著

8 **現代中国を知るための54章**【第7版】
藤野彰 編著

9 **ネパールを知るための60章**
日本ネパール協会 編

10 **アメリカの歴史を知るための65章**【第4版】
富田虎男、鵜月裕典、佐藤円 編著

11 **現代フィリピンを知るための61章**【第2版】
大野拓司、寺田勇文 編著

12 **ポルトガルを知るための55章**【第2版】
村上義和、池俊介 編著

13 **北欧を知るための43章**
武田龍夫 著

14 **ブラジルを知るための56章**【第2版】
アンジェロ・イシ 著

15 **ドイツを知るための60章**
早川東三、工藤幹巳 編著

16 **ポーランドを知るための60章**
渡辺克義 編著

17 **シンガポールを知るための65章**【第5版】
田村慶子 編著

18 **現代ドイツを知るための67章**【第3版】
浜本隆志、髙橋憲 編著

19 **ウィーン・オーストリアを知るための57章**【第2版】
広瀬佳一、今井顕 編著

20 **ハンガリーを知るための60章**【第2版】 ドナウの宝石
羽場久美子 編著

21 **現代ロシアを知るための60章**【第2版】
下斗米伸夫、島田博 編著

22 **21世紀アメリカ社会を知るための67章**
明石紀雄 監修　赤尾千波、大類久恵、小塩和人、
落合明子、川島浩平、高野泰 編

23 **スペインを知るための60章**
野々山真輝帆 著

24 **キューバを知るための52章**
後藤政子、樋口聡 編著

25 **カナダを知るための60章**
綾部恒雄、飯野正子 編著

26 **中央アジアを知るための60章**【第2版】
宇山智彦 編著

27 **チェコとスロヴァキアを知るための56章**【第2版】
薩摩秀登 編著

28 **現代ドイツの社会・文化を知るための48章**
田村光彰、村上和光、岩淵正明 編著

29 **インドを知るための50章**
重松伸司、三田昌彦 編著

30 **タイを知るための72章**【第2版】
綾部真雄 編著

31 **パキスタンを知るための60章**
広瀬崇子、山根聡、小田尚也 編著

32 **バングラデシュを知るための66章**【第3版】
大橋正明、村山真弓、日下部尚徳、安達淳哉 編著

33 **イギリスを知るための65章**【第2版】
近藤久雄、細川祐子、阿部美春 編著

34 **現代台湾を知るための60章**【第2版】
亜洲奈みづほ 著

35 **ペルーを知るための66章**【第2版】
細谷広美 編著

36 **マラウィを知るための45章**【第2版】
栗田和明 著

37 **コスタリカを知るための60章**【第2版】
国本伊代 編著

38 **チベットを知るための50章**
石濱裕美子 編著

39 **現代ベトナムを知るための63章**【第3版】
岩井美佐紀 編著

40 **インドネシアを知るための50章**
村井吉敬、佐伯奈津子 編著

41 **エルサルバドル、ホンジュラス、ニカラグアを知るための45章**
田中高 編著

エリア・スタディーズ

42 パナマを知るための70章【第2版】 国本伊代 編著

43 イランを知るための65章 岡田恵美子、北原圭一、鈴木珠里 編著

44 アイルランドを知るための70章【第3版】 海老島均、山下理恵子 編著

45 メキシコを知るための60章 吉田栄人 編著

46 中国の暮らしと文化を知るための40章 東洋文化研究会 編

47 現代ブータンを知るための60章【第2版】 平山修一 著

48 バルカンを知るための66章【第2版】 柴宜弘 編著

49 現代イタリアを知るための44章 村上義和 編著

50 アルゼンチンを知るための54章 アルベルト松本 著

51 ミクロネシアを知るための60章【第2版】 印東道子 編著

52 アメリカのヒスパニック＝ラティーノ社会を知るための55章 大泉光一、牛島万 編著

53 北朝鮮を知るための55章【第2版】 石坂浩一 編著

54 ボリビアを知るための73章【第2版】 真鍋周三 編著

55 コーカサスを知るための60章 北川誠一、前田弘毅、廣瀬陽子、吉村貴之 編著

56 カンボジアを知るための60章【第3版】 上田広美、岡田知子、福富友子 編著

57 エクアドルを知るための60章【第2版】 新木秀和 編著

58 タンザニアを知るための60章【第2版】 栗田和明、根本利通 編著

59 リビアを知るための60章【第2版】 塩尻和子 編著

60 東ティモールを知るための50章 山田満 編著

61 グアテマラを知るための67章【第2版】 桜井三枝子 編著

62 オランダを知るための60章 長坂寿久 著

63 モロッコを知るための65章 私市正年、佐藤健太郎 編著

64 サウジアラビアを知るための63章【第2版】 中村覚 編著

65 韓国の歴史を知るための66章 金両基 編著

66 ルーマニアを知るための60章 六鹿茂夫 編著

67 現代インドを知るための60章 広瀬崇子、近藤正規、井上恭子、南埜猛 編著

68 エチオピアを知るための50章 岡倉登志 編著

69 フィンランドを知るための44章 百瀬宏、石野裕子 編著

70 ニュージーランドを知るための63章 青柳まちこ 編著

71 ベルギーを知るための52章 小川秀樹 編著

72 ケベックを知るための56章【第2版】 日本ケベック学会 編

73 アルジェリアを知るための62章 私市正年 編著

74 アルメニアを知るための65章 中島偉晴、メラニア・バグダサリヤン 編著

75 スウェーデンを知るための60章 村井誠人 編著

76 デンマークを知るための70章【第2版】 村井誠人 編著

77 最新ドイツ事情を知るための50章 浜本隆志、柳原初樹 著

78 セネガルとカーボベルデを知るための60章 小川了 編著

79 南アフリカを知るための60章 峯陽一 編著

80 エルサルバドルを知るための55章 細野昭雄、田中高 編著

81 チュニジアを知るための60章 鷹木恵子 編著

82 南太平洋を知るための58章 メラネシア ポリネシア 吉岡政德、石森大知 編著

83 現代カナダを知るための60章【第2版】 飯野正子、竹中豊 総監修 日本カナダ学会 編

エリア・スタディーズ

84 現代フランス社会を知るための62章　三浦信孝、西山教行 編著
85 ラオスを知るための60章　菊池陽子、鈴木玲子、阿部健一 編著
86 パラグアイを知るための50章　田島久歳、武田和久 編著
87 中国の歴史を知るための60章　並木頼壽、杉山文彦 編著
88 スペインのガリシアを知るための50章　坂東省次、桑原真夫、浅香武和 編著
89 アラブ首長国連邦（UAE）を知るための60章　細井長 編著
90 コロンビアを知るための60章　二村久則 編著
91 現代メキシコを知るための70章【第2版】　国本伊代 編著
92 ガーナを知るための47章　高根務、山田肖子 編著
93 ウガンダを知るための53章　吉田昌夫、白石壮一郎 編著
94 ケルトを旅する52章 イギリス・アイルランド　永田喜文 著
95 トルコを知るための53章　大村幸弘、永田雄三、内藤正典 編著
96 イタリアを旅する24章　内田俊秀 編著
97 大統領選からアメリカを知るための57章　越智道雄 著
98 現代バスクを知るための60章【第2版】　萩尾生、吉田浩美 編著
99 ボツワナを知るための52章　池谷和信 編著
100 ロンドンを旅する60章　川成洋、石原孝哉 編著
101 ケニアを知るための55章　松田素二、津田みわ 編著
102 ニューヨークからアメリカを知るための76章　越智道雄 著
103 カリフォルニアからアメリカを知るための54章　越智道雄 著
104 イスラエルを知るための62章【第2版】　立山良司 編著
105 グアム・サイパン・マリアナ諸島を知るための54章　中山京子 編著
106 中国のムスリムを知るための60章　中国ムスリム研究会 編
107 現代エジプトを知るための60章　鈴木恵美 編著
108 カーストから現代インドを知るための30章　金基淑 編著
109 カナダを旅する37章　飯野正子、竹中豊 編著
110 アンダルシアを知るための53章　立石博高、塩見千加子 編著
111 エストニアを知るための59章　小森宏美 編著
112 韓国の暮らしと文化を知るための70章　舘野皙 編著
113 現代インドネシアを知るための60章　村井吉敬、佐伯奈津子、間瀬朋子 編著
114 ハワイを知るための60章　山本真鳥、山田亨 編著
115 現代イラクを知るための60章　酒井啓子、吉岡明子、山尾大 編著
116 現代スペインを知るための60章　坂東省次 編著
117 スリランカを知るための58章　杉本良男、高桑史子、鈴木晋介 編著
118 マダガスカルを知るための62章　飯田卓、深澤秀夫、森山工 編著
119 新時代アメリカ社会を知るための60章　明石紀雄 監修　大類久恵、落合明子、赤尾千波 編著
120 現代アラブを知るための56章　松本弘 編著
121 クロアチアを知るための60章　柴宜弘、石田信一 編著
122 ドミニカ共和国を知るための60章　国本伊代 編著
123 シリア・レバノンを知るための64章　黒木英充 編著
124 EU（欧州連合）を知るための63章　羽場久美子 編著
125 ミャンマーを知るための60章　田村克己、松田正彦 編著

エリア・スタディーズ

126 **カタルーニャを知るための50章**
立石博高、奥野良知 編著

127 **ホンジュラスを知るための60章**
桜井三枝子、中原篤史 編著

128 **スイスを知るための60章**
スイス文学研究会 編

129 **東南アジアを知るための50章**
今井昭夫 編集代表 東京外国語大学東南アジア課程 編

130 **メソアメリカを知るための58章**
井上幸孝 編著

131 **マドリードとカスティーリャを知るための60章**
川成洋、下山静香 編著

132 **ノルウェーを知るための60章**
大島美穂、岡本健志 編著

133 **現代モンゴルを知るための50章**
小長谷有紀、前川愛 編著

134 **カザフスタンを知るための60章**
宇山智彦、藤本透子 編著

135 **内モンゴルを知るための60章**
ボルジギン・ブレンサイン 編著 赤坂恒明 編集協力

136 **スコットランドを知るための65章**
木村正俊 編著

137 **セルビアを知るための60章**
柴宜弘、山崎信一 編著

138 **マリを知るための58章**
竹沢尚一郎 編著

139 **ASEANを知るための50章**
黒柳米司、金子芳樹、吉野文雄 編著

140 **アイスランド・グリーンランド・北極を知るための65章**
小澤実、中丸禎子、高橋美野梨 編著

141 **ナミビアを知るための53章**
水野一晴、永原陽子 編著

142 **香港を知るための60章**
吉川雅之、倉田徹 編著

143 **タスマニアを旅する60章**
宮本忠 著

144 **パレスチナを知るための60章**
臼杵陽、鈴木啓之 編著

145 **ラトヴィアを知るための47章**
志摩園子 編著

146 **ニカラグアを知るための55章**
田中高 編著

147 **台湾を知るための72章【第2版】**
赤松美和子、若松大祐 編著

148 **テュルクを知るための61章**
小松久男 編著

149 **アメリカ先住民を知るための62章**
阿部珠理 編著

150 **イギリスの歴史を知るための50章**
川成洋 編著

151 **ドイツの歴史を知るための50章**
森井裕一 編著

152 **ロシアの歴史を知るための50章**
下斗米伸夫 編著

153 **スペインの歴史を知るための50章**
立石博高、内村俊太 編著

154 **フィリピンを知るための64章**
大野拓司、鈴木伸隆、日下渉 編著

155 **バルト海を旅する40章** 7つの島の物語
小柏葉子 著

156 **カナダの歴史を知るための50章**
細川道久 編著

157 **カリブ海世界を知るための70章**
国本伊代 編著

158 **ベラルーシを知るための50章**
服部倫卓、越野剛 編著

159 **スロヴェニアを知るための60章**
柴宜弘、アンドレイ・ベケシュ、山崎信一 編著

160 **北京を知るための52章**
櫻井澄夫、人見豊、森田憲司 編著

161 **イタリアの歴史を知るための50章**
高橋進、村上義和 編著

162 **ケルトを知るための65章**
木村正俊 編著

163 **オマーンを知るための55章**
松尾昌樹 編著

164 **ウズベキスタンを知るための60章**
帯谷知可 編著

165 **アゼルバイジャンを知るための67章**
廣瀬陽子 編著

166 **済州島を知るための55章**
梁聖宗、金良淑、伊地知紀子 編著

167 **イギリス文学を旅する60章**
石原孝哉、市川仁 編著